Histoire de la médecine

ABRÉGÉS

Histoire de la médecine

Bruno HALIOUA
Dermatologue
DEA d'histoire contemporaine (Paris-IV)
Membre de la Société française d'histoire de la médecine
Chargé d'enseignement à la chaire d'histoire de la médecine (Paris V)

Préface du Pr J.-N. FABIANI

2e édition

MASSON

Crédits photographiques :

Figures 11.1, 11.7, 11.10, 14.1, 14.2, 14.3, 14.4, 15.1, 15.2, 15.3, 15.4, 15.6, 15.7, 15.8, 15.9, 15.10, 15.11, 15.12, 15.13 :
archives Assistance Publique – Hôpitaux de Paris (AP-HP).

Figures 5.2, 10.1, 10.2, 10.3, 11.2, 11.3, 11.4, 11.5, 11.6, 11.8, 11.9
12.1, 12.2, 13.1, 14.5, 15.5. :
Bibliothèque interuniversitaire de médecine (BIUM).
12, rue de l'École de médecine. 75270 PARIS CEDEX 06.

© *Masson, Paris, 2004*
ISBN : 2-294-01056-6

MASSON S.A.S. - 21, rue Camille-Desmoulins - 92789 Issy-les-Moulineaux Cedex 09

| PRÉFACE

L'histoire de la médecine, c'est d'abord l'histoire tout court ; la pratique médicale ne fait que refléter l'évolution de la pensée des hommes. Il serait ainsi illusoire de comprendre les progrès et les découvertes dans un domaine de la science, sans les rapporter au courant de pensée de la période où ils se situent.

L'histoire de la médecine, c'est ensuite l'histoire des médecins. Nombreux sont ceux – parfois humbles artisans de leur art – qui ont laissé leur nom à une maladie, un organe, une théorie ou plus modestement… un instrument. Ils font tous partie de l'héritage qui nous est confié et que, tel un bagage précieux, chaque médecin se devrait de connaître et de situer.

La difficulté du travail du Bruno HALIOUA, brillant historien de la médecine lui-même tout en étant un praticien impliqué dans les découvertes les plus récentes de sa spécialité, était dans un « abrégé » de résumer de façon claire le mouvement historique et le mouvement médical depuis les premiers temps de l'histoire. Un tel travail ne va pas sans choix. Il les a faits avec autorité sans pour autant nuire à l'intérêt du discours. Chaque période comporte un rappel des faits essentiels (car sans repère, il est impossible de connaître), un rappel du contexte historique, un rappel de la pensée médicale ainsi que des faits marquants de l'histoire de la médecine. Les médecins célèbres ne sont pas oubliés et une note bibliographique, à la fois courte et complète, est présentée dans chaque chapitre.

Originalité du livre, l'auteur introduit une rubrique où sont évoqués ceux qui furent médecins, même s'ils n'ont exercé la médecine que de façon épisodique. Ainsi la rubrique « ils étaient aussi médecins » se propose de rappeler que, par exemple, Descartes, Renaudot, Denis Papin ont été des médecins du XVIIᵉ siècle, même s'ils n'ont pas véritablement exercé. La bibliographie fait plus particulièrement référence à des ouvrages généraux et est présentée par périodes historiques.

On peut considérer que cet Abrégé de l'histoire de la médecine est une grande réussite qui échappe à l'énumération rébarbative de données purement factuelles, que tout est replacé dans son contexte et, par un jeu subtil de citations bien placées, le docteur Bruno HALIOUA égaie en permanence la lecture et lui donne pâte humaine.

Ce livre s'adresse à tous les médecins qui cherchent par curiosité à retrouver un point précis de l'histoire d'une découverte ou de la description d'une maladie et plus particulièrement aux étudiants en médecine qui préparent les certificats où sont impliqués l'histoire de la médecine.

Professeur Jean-Noël FABIANI

Responsable de l'enseignement de l'Histoire de la médecine.
Faculté de médecine Broussais – Hôtel-Dieu – université Paris-VI.

| REMERCIEMENTS

– à Martine Bui et à Sophie Richier de la bibliothèque de l'AP-HP

– à Bernadette Molitor de la BIUM de Paris

– à Renée Resny, Sophie Goutmann-Resny et Marie-Laure Franchi pour leur travail dactylographique

– au docteur Bernard Ziskind pour la relecture attentive du chapitre sur la médecine égyptienne

– au docteur David Merran pour ses conseils judicieux sur le chapitre consacré à la médecine arabe

– au docteur Christian Reignier pour ses conseils

– au docteur Élie Cattan pour ses conseils sur le chapitre de la médecine hébraïque

– au docteur Philippe Abastado pour ses judicieuses connaissances sur l'histoire de la découverte de la circulation sanguine

– au docteur Éric Chemla pour les discussions passionnantes que nous avons eues sur l'histoire de la chirurgie et en particulier de la chirurgie cardio-vasculaire

À la mémoire du professeur Jean-Charles Sournia qui m'a encouragé à réaliser cet ouvrage.

«On ne connaît bien une science que lorsqu'on en connaît bien l'histoire.»
Auguste Comte

TABLE DES MATIÈRES

PRÉFACE V

REMERCIEMENTS VI

1 MÉDECINE CHINOISE 1

Faits essentiels 1

Pensée médicale 2
Une physiologie originale (3). Le Yang et le Yin (3). L'inspection et l'état des pouls (4).

Place du médecin 4

Apport de la médecine chinoise 4

Thérapeutiques disponibles 4
La pharmacopée (4). L'acupuncture (5). La moxabustion (5).

Épidémies 5

2 MÉDECINE DES SUMÉRIENS ET
DES ASSYRO-BABYLONIENS 6

Faits essentiels 6

Contexte historique 6

Pensée médicale 8
Les dieux de la santé (8). Les prêtres-médecins (8). Conception de la maladie (8).

Place du médecin dans la société mésopotamienne 9

Enseignement de la médecine 9

Apport de la médecine mésopotamienne 9

Thérapeutiques disponibles 10

3 MÉDECINE ÉGYPTIENNE 11

Faits essentiels 11

Contexte historique 11

Pensée médicale 13
Les sources de la connaissance médicale (13). Conception de la composition de l'être humain (15). Causes des maladies (15). Une intrication de la médecine avec la religion (16). Une intrication entre la médecine et la magie (17). L'embaumement (18).

Place du médecin dans la société égyptienne 19
Une excellente réputation (19). Rémunération des médecins (19). La déontologie médicale (19).

Exercice de la médecine 20
Sounou (20). Une médecine spécialisée (21). La hiérarchisation du corps médical (22).

Enseignement de la médecine 22

Apport de la médecine égyptienne 22
Connaissance de l'anatomie (22). La rigueur de l'examen du malade (23).

Pathologies rencontrées dans l'égypte ancienne 24
Pathologie cardio-vasculaire (24). Pathologie pulmonaire (24). Pathologie anale (25). Pathologie urinaire (25). Pathologie parasitaire (25). Pathologie rhumatologique (26). Pathologie ophtalmologique (26).

Connaissances chirurgicales 27

Thérapeutiques disponibles 27

Médecins célèbres 27
Imhotep (2800 av. J.-C. IIIᵉ dynastie memphite) (27). Amenhotep (28). Pentou ou Pentjou (vers 1400 av. J.-C.) (28). Ny Ankh Sekhmet (IIIᵉ millénaire av. J.-C.) (28). Khouy (vers 1500 av. J.-C.) (28). Hesy-Re (vers 2700 avant J.-C.) (28). Peseshet (IIIᵉ millénaire avant J.-C.) (28).

Grandes épidémies 28

4   MÉDECINE DES HÉBREUX 30

Faits essentiels 30

Contexte historique 30

Pensée médicale 30

Place du médecin dans la société hébraïque 31

Apports de la médecine hébraïque 32
Une médecine préventive élaborée (32). Connaissances médicales (32). Connaissances chirurgicales (32).

Thérapeutiques disponibles 33

Grandes épidémies 33
La lèpre (33). La peste (33).

5   MÉDECINE GRECQUE 35

Faits essentiels 35

Contexte historique 35

La médecine mythologique 36

> La médecine des dieux (36). Les dieux de la santé (37). Asclépios (37).

La médecine homérique 38

> Pensée médicale (38). Le sanctuaire de Delphes et l'oracle d'Apollon (40). Les temples d'Asclépios (41).

La médecine des philosophes savants 42

> Pensée médicale (42). Médecins célèbres (42).

La médecine hippocratique 43

> Pensée médicale (43). Place du médecin en Grèce au temps d'Hippocrate (47). Bases de la thérapeutique hippocratique (47).

Grande épidémie : la peste d'Athènes 51

Les sectes médicales et l'école d'Alexandrie 51

> Les sectes médicales (51). L'école médicale d'Alexandrie (52).

6 **MÉDECINE ROMAINE** 54

Faits essentiels 54

Contexte historique 55

Pensée médicale 55

> La médecine divinatoire (56). La médecine des médecins des sectes médicales (56). La médecine galénique (57).

Place du médecin dans la société romaine 58

Exercice de la médecine 58

> Les médecins libéraux (58). Les archiatres (58). Les médecins militaires (59).

Enseignement de la médecine 60

Innovations médicales 60

Thérapeutiques disponibles 61

> La thériaque (61). L'eau (61). La saignée (62).

Hospitalisation 62

Médecins célèbres 62

> Asclépiade de Bithynie (124-40 av J.-C.) (62). Themison de Laodicee (123-43 av J.-C.) (62). Antonius Musa (Ier siècle av J.-C.) (63). Soranus d'Éphèse (Ier siècle) (63). Rufus d'Éphèse (Ier-IIe siècles) (63). Arétée de Cappadoce (vers 50 après J.-C.) (64). Claude Galien (129-200 après J.-C.) (64).

Grandes épidémies 66

> Le paludisme (66). La peste (66).

7 MÉDECINE PRÉCOLOMBIENNE 68

Faits essentiels 68

Contexte historique 68

Pensée médicale 68
Conception de la maladie (68). Dieux de la médecine (69).

Place du médecin dans la société précolombienne 70

Enseignement de la médecine 70
Différentes spécialités (71).

Apport de la médecine précolombienne 71
Connaissances anatomo-physiologiques (71). Les affections médicales (72). Les affections chirurgicales (72). L'anesthésie (72).

Les thérapeutiques disponibles 73
La pharmacopée précolombienne (73). Prévention (73).

Hôpitaux 74

Épidémie 74
L'épidémie de variole qui a permis la conquête de l'Amérique (74).

8 MÉDECINE BYZANTINE 76

Contexte historique 76

Pensée médicale 76

Enseignement de la médecine 77

Innovations médico-chirurgicales 77

Médecins célèbres 77
Oribase (325-403) (77). Alexandre de Tralles (526-605) (77). Paul d'Egine (625-690) (77).

9 MÉDECINE ARABE 79

Faits essentiels 79

Contexte historique 80

Pensée médicale 80
Le Coran (80). Le raisonnement médical (80). L'apport de la médecine judéo-arabe (80).

Innovations médicales 81
Maladies infectieuses (81). Hygiène (81). Chirurgie (81). Ophtalmologie (81). Physiologie (82). Obstétrique (82).

Enseignement de la médecine 83

Thérapeutiques disponibles 83

Hôpitaux 84

Médecins célèbres 84

Yuhanna Ibn Masawayh ou Jean de Mesue ou Mésué l'ancien (776-855) (84). Rhazès ou Abou Bakr Mohammed ou Ibn Zahariya Ar Razi (850-925) (85). Avicenne ou Abu Ali Al Hussein Ibn Abdallah Ibn Sina (surnommé le « Prince des Médecins ») (environ 980-1037) (86). Arib Ibn Said Al Katib (surnommé Al Kurtubi) (918-980) (87). Abulcasis ou Abdoul Qasim Khalaf Ibn Abbas ou Al Zahrawi (950-1013) (87). Avenzoar ou Abu Merwan Abd Al Malik Ibn Zohr (1101-1162) (88). Averroes ou Abou El Walid Mohamed Ibn Ruchd (1126-1198) (88). Ishaq Ibn Sulayman Al-Israeli (Isaac le Juif) (IX-Xe siècles) (89). Maimonide ou Moshé Ben Maimon en hébreu. Abou Omrane Moussa Ben Meimoune El Kortobi surnommé « l'Aigle de la synagogue » (1135-1204) (89).

10 MÉDECINE DU MOYEN ÂGE OCCIDENTAL 91

Faits essentiels 91

Contexte historique 92

Pensée médicale 92

La période monastique (92). La période scolastique (93).

Place du médecin dans la société moyenâgeuse 94

Place du chirurgien dans la société moyenâgeuse 94

Enseignement de la médecine 95

Période monastique (95). Médecine scolastique (96).

Thérapeutiques disponibles 97

Hôpitaux 98

Hospices et hôtels-Dieu (période monastique) (98). Les hospitaliers (98). Les maladreries (98). Les autres hôpitaux « spécialisés » (99).

Médecins célèbres 99

Gerbert d'Aurillac ou Gerbert l'Auvergnat (vers 938-1003) (99). Constantin l'Africain (vers 1015-1087) (99). Gariopontus (ou Guarinpontus) Warhod (995-1059) (100). Pietro Clerico (ou Petroncello) (Xe siècle) (100). Benvenutus Grapheus (ou Bienvenu de Jérusalem) (XIIe siècle) (100). Guy de Chauliac (1295-1351) (100). Henri de Mondeville (1260-1320) (101). Lanfranchi ou Lanfranco da Milano (101).

Grandes épidémies 101

La lèpre au Moyen Âge (102). La grande peste ou peste noire (1345-1352) (102).

Ces malades célèbres 103

La lèpre du prince Baudouin IV (103). L'érysipèle de Saint-Louis responsable de l'échec de la huitième croisade (104). La démence de Charles VI (104). Le délire paranoïaque de Louis XI (105).

11 MÉDECINE DE LA RENAISSANCE 107

Faits esssentiels 107

Contexte historique 107

Pensée médicale 108

Le rôle de l'imprimerie dans la diffusion des idées médicales (108). L'« esprit renaissant » (108).

Exercice de la médecine 109

Exercice de la chirurgie 110

Enseignement de la médecine 110

Innovations médicales 110

La redécouverte du corps humain (110). Les artistes et l'anatomie (110). Les écoles d'anatomie (111). L'essor de la chirurgie (112). Le début de la psychiatrie (115).

Thérapeutiques disponibles 115

Hospitalisation 116

Grandes épidémies 116

Mal de Naples, mal des Français, mal des Espagnols (116). Les autres épidémies (117).

Médecins célèbres 117

Ambroise Paré (1509-1590) (117). Giovanni da Vigo (1460-1525) (118). Guido Guidi (Vidus Vidius) (1509-1569) (118). Fabrice de Hilden (1560-1634) (119). Vésale (v. 1514-1564) (119). Paracelse, Philipp Aureolus Theophrast Bombast von Hohenheim dit (1493-1541) (120). Pierre Tolet (1502-1586) (121). Jean Fernel (1497-1558) (121). Girolamo Fracastor (1483-1553) (121). Léonard de Vinci (1452-1519) (122).

Ils étaient aussi médecins 122

Nostradamus, Michel de Notre-Dame dit (1503-1566) (122). François Rabelais (vers 1494-1553) (123).

Ces malades célèbres 123

La plaie oculaire du roi Henri II (123). La gravelle de Montaigne (124). La sténose urétrale post-gonococcique du roi Henri IV (125).

12 MÉDECINE DU XVIIᵉ SIÈCLE 127

Faits essentiels 127

Contexte historique 127

Pensée médicale 128
L'avènement de la raison (128). Les iatrochimistes et les iatromécanistes (128).

Essor de l'anatomie 129

Essor de la microscopie 130

Embryologie 131

Découverte de la circulation sanguine 131

Essor de la physiologie 132

Essor de la chirurgie 134

Innovation médicales 134

Essor de l'obstétrique 135

Enseignement 135

Thérapeutiques disponibles 136

Hospitalisation 136

Grandes épidémies 137
La peste (137). Le paludisme qui a ralenti la construction du
château de Versailles (138).

Médecins célèbres 138
Santorio Sanctorius (1561-1636) (138). Harvey William (1578-
1657) (138). Malpighi Marcello (1628-1694) (139).

Ils étaient aussi médecins 139
René Descartes (1596-1650) (139). Théophraste Renaudot (1586-
1653) (139). Denis Papin (1647-v. 1712) (140).

Ces malades célèbres 140
La fistule anale de Louis XIV (140). La gangrène de Lulli (141).

13 **MÉDECINE DU XVIIIᵉ SIÈCLE** 142

Contexte historique 142

Faits essentiels 142

Pensée médicale 143

Anatomie 144

Anatomie comparée 144

Développement de l'histologie 145

Embryologie 145

Anatomopathologie 145

Physiologie 145

Essor de la physiologie neuro-musculaire (145). Développement de la physiologie respiratoire (146). Les autres travaux en physiologie (146).

Essor de la chirurgie 147

Développement de l'obstétrique 148

Essor de l'ophtalmologie 148

Innovations médicales 149

Innovations psychiatriques 149

Le charlatanisme 149

La santé publique 150
La vaccination antivariolique (150). L'hygiène publique (151).

Thérapeutiques disponibles 151

Enseignement 152

Hospitalisation 152

Médecins célèbres 153
Marie François Bichat (1771-1802) (153). Philippe Pinel (1745-1826) (153).

Grande épidémie : la peste de marseille 154

Ils étaient aussi médecins 154
Antoine Jussieu (1686-1758), Bernard Jussieu (1699-1777) (154). Jean-Paul Marat (1743-1793) (154). Joseph Ignace Guillotin (Saintes, 1738-Paris, 1814) (155). Jean Antoine Claude Chaptal, comte de Chanteloup (1756-1832) (156).

Ces malades célèbres 156
La variole de Louis XV (156). Le phimosis de Louis XVI (156). L'angor de Mirabeau (157).

14 MÉDECINE DU XIXᵉ SIÈCLE 159

Faits essentiels 159

Contexte historique 160

Innovations médicales 160
Première moitié du XIXᵉ siècle (160). Seconde moitié du XIXᵉ siècle (162).

Les premières méthodes d'investigation 166

Le triomphe de la bactériologie 167
Louis Pasteur (1822-1895) (167). Robert Koch (1843-1910) (168). La course entre les chercheurs dans la découverte des agents infectieux et leurs modes de transmission (168).

Place du chirurgien dans la société du XIXᵉ siècle 171

Les chirurgiens militaires (171). L'infection, l'hémorragie et la douleur (172). Les grands chirurgiens (172).

Innovations chirurgicales 173

Le perfectionnement des techniques chirurgicales (173). La naissance de l'anesthésie (175).

Innovations psychiatriques 177

Santé publique 177

Naissance de l'hygiène publique et sociale (177). L'apparition des cliniques et la notion d'assurance (178). La création du corps des infirmières (178). La création de la Croix-Rouge internationale (179).

Thérapeutique 179

Essor des thérapeutiques (179). Naissance de l'homéopathie (180).

Enseignement de la médecine 180

Hôpital 182

Les bouleversements de la Révolution française (182). Les innovations pastoriennes (182). La création des sanatoriums (182).

Médecins célèbres 183

Claude Bernard (1813-1878) (183). François Joseph Victor Broussais (1772-1838) (183). Jean Nicolas Corvisart des Marets (1755-1821) (183). René Marie Hyacinthe Laënnec (1781-1826) (184). Guillaume Dupuytren (Baron) (1777-1835) (184). Dominique Jean Larrey (Baron) (1766-1842) (185). François Magendie (1783-1855) (185). Pierre Fidèle Bretonneau (1778-1862) (186). Pierre Paul Broca (1824-1880) (186). Charles Edouard Brown-Sequard (1817-1894) (187). Jean Martin Charcot (1825-1893) (187). Lord Joseph Lister (1827-1912) (188). Robert Koch (1843-1910) (188). Sir Charles Bell (1774-1842) (188). Richard Bright (1789-1858) (189). Emil von Behring (1854-1917) (189). John Hughlings Jackson (1835-1911) (189). Jules Émile Péan (1830-1898) (189).

Grandes épidémies 189

Les épidémies responsables des défaites napoléoniennes (189). Le choléra (190). La variole (190).

Ils étaient aussi médecins 191

Hans Christian Andersen (1805-1875) (191). Sir Arthur Conan Doyle (1859-1930) (191). Arthur Schnitzler (1862-1931) (191). Eugène Sue (Marie-Joseph Sue) (Paris, 1804-Annecy, 1857) (191). Anton Pavlovitch Tchekhov (1860-1904) (191). Victor Segalen (1878-1919). (192). Lejzer Ludwik Zamenhof (1859-1917) (192). Livingstone David (1813-1873) (192). Émile Littré (1801-1881)

(192). Edouard Vaillant (1840-1915) (193). Borodine Alexandre (1833-1887) (193). Jean Louis Poiseuille (1797-1869) (193).

Ces malades célèbres 193
L'ulcère de jambe de Louis XVIII (193). Les troubles urinaires de Napoléon Bonaparte (194). Les coliques néphrétiques de Napoléon III (195).

15 MÉDECINE DU XXᵉ SIÈCLE 197

Faits essentiels 198

Contexte historique 198

Essor des sciences fondamentales 199
La virologie (199). L'immunologie (200). La génétique (200).

Essor des disciplines médicales 201
La cardiologie (201). L'hématologie (203). La cancérologie (204). L'allergologie (205). L'hépatologie (206). L'endocrinologie (206). Contraception (206). Mise en place d'une législation en matière d'IVG (208). Essor des techniques de procréation médicale assistée (209). La psychiatrie (209). Bouleversements de la chirurgie (210). L'ère des examens paracliniques (218).

La santé publique 222
La hantise de deux fléaux : la syphilis et la tuberculose (222). La politique de santé publique entre les deux guerres (223). L'essor de la santé publique au lendemain de la seconde guerre mondiale (223).

Thérapeutiques 225
Thérapeutiques antiinfectieuses (225). Les progrès en thérapeutique cardiologique (230). Thérapeutiques en cancérologie (230). Thérapeutiques rhumatologiques (231). Thérapeutiques en psychiatrie (231). Thérapeutiques en endocrinologie (232).

Naissance de la médecine humanitaire 233

L'éthique médicale bafouée 233

Hôpitaux 235

Épidémies 235
Le syndrome d'immunodéficience acquise (sida) (235). La grippe espagnole (235). L'encéphalopathie spongiforme bovine (ESB) (236).

Médecins célèbres 237
Sigmund Freud (1856-1939) (237). Ivan Petrovitch Pavlov (1849-1936) (237). Harvey Williams Cushing (1869-1939) (237). Jean Dausset (1916) (237). Henri Marie Laborit (1914-1995) (238). Alexander Fleming (1881-1955) (238). Karl Landsteiner (1868-

1943) (238). Charles Laubry (1872-1960) (238). Ogino Kiusaku (1882-1975) (238).

Ils étaient aussi médecins 238

Mikhaïl Afanassievitch Boulgakov (1891-1940) (238). Louis Destouches, dit Louis-Ferdinand Céline ou Louis Ferdinand Destouches (1894-1961) (239). Georges Duhamel (1884-1966) (239). Jean-Baptiste Charcot (1867-1936) (239). Salvator Allende (1908-1973) (239). Paul Bert (1833-1886) (239). Georges Clémenceau (1841-1929) (240). François Duvalier (1907-1971) (240). Ernesto Guevara de La Serna, dit Che Guevara (1928-1967) (241). Sun Yat-sen (1866 – 1925) (241). Konrad Lorenz (1903 – 1989) (241). Edouard Branly (1844-1940) (241).

Ces malades célèbres 241

L'accident vasculaire cérébral de Lénine (241). L'hypertension artérielle de Franklin Delano Roosevelt (242). Le délire paranoïaque de Staline (242).

BIBLIOGRAPHIE GÉNÉRALE 244

INDEX DES NOMS 245

INDEX DES PÉRIODES, PAYS, LIEUX ET PEUPLES 255

INDEX DES ORGANES, MALADIES ET SPÉCIALITÉS 260

INDEX DES OUVRAGES 269

MÉDECINE CHINOISE

DATES CLÉS

2698 avant J.-C. : Houang Ti est réputé l'auteur du *Nei-King* premier traité de médecine chinoise.

1300 avant J.-C. : les « tablettes divinatoires » comportent des notions de médecine magique.

550 avant J.-C. : Lao-Tseu fonde le taoïsme et, dans le *Tao Te King*, souligne l'intérêt des plantes en thérapeutique.

540 avant J.-C. : le livre X du *Tso-Tchouan* est le premier texte médical écrit. Il comprend douze paragraphes consacrés à la médecine.

300 avant J.-C. : Pien-Tsio invente la sphygmologie chinoise. Le *Nei-King*, attribué à l'empereur Houang Ti, comprend deux livres distincts : le *Houang Ti Sou-Wen* ou « Simples questions de l'empereur Houang Ti » ou « l'Empereur Jaune », et le *Ling Tchou* qui couvre le champ de connaissance de l'acupuncture.

180 avant J.-C. : Chouen-Yu Yi écrit ses *Observations médicales* célèbres pour leur valeur clinique.

100 avant J.-C. à 100 après J.-C. : élaboration du *Chen-Nong Pen-Sao-Sing*, traité classique de pharmacologie attribué à l'empereur Chen-Nong.

168 après J.-C. : Tchang-Tchong-King rédige plusieurs traités de pathologie et de thérapeutique.

300 après J.-C. : Wang Chou-Ho rédige le traité des pouls en dix volumes.

500 après J.-C. : T'ao Hong-King établit une pharmacopée officielle de 730 médicaments.

624 après J.-C. : création du statut du Corps médical qui prévoit l'enseignement officiel dans les hôpitaux impériaux.

1112 après J.-C. : rédaction d'une *Encyclopédie Impériale de Médecine*.

1320 après J.-C. : Siu Tang-Ki élabore sa théorie du Yin et du Yang.

1552 après J.-C. : Li Che-Tsen écrit son *Pen-ts'ao Kang-mou* qui comprend 11 856 recettes, 1 074 substances végétales, 443 animales et 354 minérales.

1666 après J.-C. : Wang Ken-Tang rédige *Tcheng-Tché tsi tch'eng* (compilation sur les symptômes et les traitements).

FAITS ESSENTIELS

Le concept qui régit la médecine chinoise n'a pratiquement pas changé au cours de vingt derniers siècles. Les bases reposent sur plusieurs textes fondamentaux et sont profondément ancrées dans une vision de l'Univers de tradition immémoriale selon laquelle tous les phénomènes interagissent dans une dualité où l'on distingue deux grands principes, le Yin et le Yang. Le Yin représente la terre, le froid et le féminin, et le Yang le ciel, la chaleur et le masculin. L'Univers est composé, en proportions variables, de cinq éléments : le métal, le bois, l'eau, le feu et la terre. Leurs interactions, qui gèrent également la vie humaine, sont elles-mêmes contrôlées par le Yin et le Yang. L'alternance constante de ces deux principes, de force égale, provoque des changements perpétuels.

PENSÉE MÉDICALE

Pendant 4 000 ans la médecine chinoise a peu évolué. Les bases reposent sur les anciens traités dont les deux plus célèbres sont :

– le *Nei-King* composé par l'empereur Houang Ti. Ce traité peut être considéré comme le véritable canon de la médecine interne. Il a servi de code médical aux Chinois pendant des siècles. Il comprend deux livres distincts : le *Houang Ti Sou-Wen* ou « Simples questions de l'empereur Houang Ti » ou « classique de l'Empereur Jaune », et le *Ling Tchou* ou « Charnière de l'efficacité sublime » qui couvre le champ de connaissance de l'acupuncture. Cet ouvrage de référence se présente sous forme d'un dialogue entre l'Empereur Jaune, mythique, Houang Ti, et son maître et médecin Qi Bo. De nos jours, ce texte fondamental pose encore de nombreuses énigmes et fait l'objet de recherches approfondies ;

– à la même époque apparaît un livre important pour la phytothérapie attribué à l'Empereur légendaire Chen-Nong. Ce traité est l'ancêtre des Ben Cao ou « Livre des plantes fondamentales ». Bian Que (407-310 av. J.-C.) rédige également le *Nan Jing*, « Le classique des difficultés ».

Au IIIe siècle après J.-C. est rédigé le *Mai Jing* ou « Traité des pouls » par Wang Chou-Ho.

Il faudra ensuite attendre le XVIe et le XVIIe siècles pour retrouver deux auteurs fondamentaux :

– Li Che-Tsen, qui écrit le *Pen-ts'ao Kang-mou* en 1552, véritable herbier chinois qui comprend 11 856 recettes, 1 074 substances végétales, 443 animales et 354 minérales ;

– Wang Ken-Tang, qui rédige en 1666 *Tcheng-Tché tsi tch'eng* (compilation sur les symptômes et les traitements).

Au XIXe siècle, l'acupuncture est interdite en Chine (bien que toujours pratiquée) au profit de la Médecine Occidentale. Il faudra attendre 1950 avec l'arrivée au pouvoir de Mao Zi Dung pour assister à sa réhabilitation. Ce dernier énonce alors clairement que « les praticiens de la Médecine Traditionnelle Chinoise doivent s'unir avec les praticiens de la Médecine Occidentale ». Toutefois très influencée par l'Occident, la médecine chinoise donne surtout de l'importance aux recettes et aux traitements symptomatiques. Et d'une certaine manière, c'est un peu par les yeux des Occidentaux passionnés, qui ont découvert la Médecine Chinoise entre-temps, que la Chine retrouve de l'intérêt pour sa Médecine Traditionnelle.

Une physiologie originale

Les Chinois ont suppléé à leur ignorance en matière d'anatomie, de pathologie et de physiologie par un esprit d'observation très précis et par leurs connaissances des matières premières. Dans la conception de la médecine chinoise, l'anatomie est étroitement intriquée avec la physiologie. Le principe de base repose sur le principe que l'homme est un microcosme abrégé du macrocosme universel. On présuppose l'existence de cinq organes : le cœur, le foie, les poumons, la rate et les reins. Le cœur est comparé à un bouton de fleur de lotus. Le *Nei-King* estime que le cœur comprend 3 fentes et 7 ouvertures. Une correspondance cosmologique est établie entre la Grande Ourse et le cœur qui doit comporter 7 ouvertures, puisque la Grande Ourse comprend 7 étoiles. Une relation étroite entre le péricarde *Sin Pao* et les poumons est établie par l'intermédiaire de filaments très fins. L'intestin grêle est de son côté rattaché au cœur.

On distingue deux types de vaisseaux : d'une part, douze paires de « vaisseaux » principaux *King Mö* dénommés « méridiens principaux » qui ont 24 branches collatérales ; d'autre part, deux vaisseaux axiaux, l'un dorsal, le « vaisseau Gouverneur », l'autre ventral le « vaisseau Conception ».

Le Yang et le Yin

La théorie dualiste du Yang et du Yin, base du Tao est le concept qui régit la physiologie chinoise. L'activité, la splendeur, la dureté, le ciel, le soleil, les nombres impairs, le printemps et l'été, l'est et le sud appartiennent au Yang principe actif masculin. En revanche la passivité, le vide, la mollesse, la terre, la lune, les nombres pairs, l'automne et l'hiver, l'ouest et le nord appartiennent au Yin principe négatif féminin. Le parfait équilibre des deux principes entraîne la santé, le bien-être. La libre circulation des principes, réglée par les humeurs et les souffles vitaux, peut être troublée : il y a alors engorgement et la maladie apparaît. On considère qu'il y a des vaisseaux (ou méridiens) Yang et des vaisseaux (ou méridiens) Yin. À un repère cutané superficiel correspond l'origine du vaisseau. Il est intéressant de souligner le fait que le méridien du cœur est localisé très exactement sur le territoire de ce qui correspond à l'irradiation classique de la douleur de l'angine de poitrine. Dans la médecine chinoise, il n'y a pas de différenciation entre la circulation pulmonaire et la circulation générale. Le cœur n'est pas considéré par les Chinois comme le pivot central de la circulation. Selon eux, les vaisseaux contiennent du sang mais aussi de l'air, du souffle vital externe fourni par la respiration, du souffle vital interne, du souffle originel, du Yin et du Yang.

L'énergie vitale *Tch'i* (ou *tsri*) circule dans le corps humain de façon ininterrompue et toujours dans le même sens. Elle part du poumon, entre 3 et 5 heures du matin pour y revenir le lendemain à la même heure. On estime qu'elle arrive dans le cœur entre 11 heures et 13 heures, puis dans le « Maître du cœur » (c'est-à-dire dans ce qui correspond à la circulation sanguine) entre 19 heures et 21 heures Le *Tch'i* selon le *Nei-King* évolue en fonction de l'âge : « À l'âge de 60 ans, l'énergie du cœur s'affaiblit, on a tendance au sommeil ». Il est fait mention de la circulation sanguine dans la médecine chinoise. On admet que chaque respiration fait progresser le sang de 6 pouces, que l'humain a 13 500 respirations par jour et que le sang parcourt 81 000 pouces par jour. Le tour complet du corps, soit 162 pieds, est réalisé en deux quarts d'heure. La circulation se renouvelle donc 50 fois par jour puisque la journée est censée comprendre 100 quarts d'heure.

L'inspection et l'état des pouls

L'examen clinique en médecine chinoise repose sur l'inspection au cours d'un cérémonial, et sur l'évaluation des caractères du pouls qui est l'élément fondamental du diagnostic. Il existe 200 espèces de pouls dont 26 pour indiquer un pronostic mortel. L'inspection repose sur l'examen du visage, de l'œil, de la langue, des urines, des fèces et des bruits émis par le patient qui pose son bras sur un coussin. Éventuellement, il est tenu compte des formes du crâne et du visage, de l'aspect des paumes et des plantes. On suspecte le cœur en cas de couleur rouge ou si le malade rit. Le malade se plonge dans une profonde méditation qui peut durer plusieurs heures. À l'issue de cet examen, le médecin pose le diagnostic et prescrit le traitement. Le pronostic de l'affection repose sur la confrontation des données de l'inspection et de l'état des pouls. Il est jugé bon lorsqu'il y a concordance entre la couleur du visage et la prédominance du pouls ; il est estimé mauvais en cas de discordance.

PLACE DU MÉDECIN

Au début, la médecine chinoise était pratiquée avant tout par les maîtres et prêtres taoïstes. La transmission s'est faite surtout de façon orale, de maître à disciple, de père (mère) à fils (fille). Au fil des siècles, des textes ont été élaborés, ce qui a permis une diffusion des préceptes médicaux.

APPORT DE LA MÉDECINE CHINOISE

La médecine chinoise a eu des émules dès le Ier siècle après Jésus-Christ, au Japon à la cour du Mikado. La pharmacopée chinoise a influencé la médecine siamoise, vietnamienne, cambodgienne et laotienne. En raison de l'emprise de la coutume, la médecine est restée figée pendant longtemps en Chine ; en revanche, elle a légué une médecine originale, accueillie avec curiosité dans le monde occidental.

THÉRAPEUTIQUES DISPONIBLES

L'objectif du soignant est de réaliser un équilibre entre le Yin et le Yang en s'aidant d'une pharmacopée, des cautérisations ignées (Moxas) et de l'acupuncture.

La pharmacopée

Elle a une place importante dans la médecine chinoise. Le chanvre indien et l'opium sont utilisés comme anesthésiques, l'arsenic contre les maladies cutanées, le mercure contre la syphilis. La gale est traitée par le soufre. Il est recommandé des plantes de saveur piquante (l'aconit, le camphre, le fenouil, le févier, le gingembre et la menthe) pour tonifier le cœur et des plantes de saveur amère (l'armoise, l'éphédrine, la rhubarbe et la verveine) pour le calmer. Les produits sont employés le plus souvent sous forme de décoctions, mais aussi de potions, de pilules et d'infusions.

L'acupuncture

Elle consiste à introduire de longues aiguilles dans les méridiens du corps et constitue l'arme thérapeutique majeure. Pour agir sur le cœur et la circulation, on doit se référer d'abord aux méridiens Yin du cœur et du « Maître du cœur ». Sur ces méridiens et sur les autres, on considère qu'il y a un point de tonification qui permet d'activer le cœur (le point 9) et un point de dispersion pour calmer le cœur (le point 7), un point de source (qui renforce l'action de l'un ou l'autre des deux précédents) et un point LO qui agit sur l'organe couplé (par exemple cœur et intestin grêle).

La moxabustion

(de moxa, cautère ou petite mèche en forme de cône)

Elle consiste, à coller sur la peau du patient un cône de feuilles d'absinthe, puis à l'enflammer afin de provoquer une ampoule.

La chirurgie, peu pratiquée, constitue le point faible de la médecine chinoise en raison d'une part, de la philosophie de l'harmonie du yin et du yang et, d'autre part, de la conception chinoise du corps considéré comme héritage sacré des ancêtres. Seule, la castration était largement pratiquée.

ÉPIDÉMIES

Les épidémies de variole ont longtemps ravagé l'Empire céleste. Pour lutter contre elles, les Chinois ont toujours pratiqué une sorte d'immunisation en insufflant dans le nez des enfants des crottes pulvérisées de pustules de variole (dans la narine gauche chez les petits garons, dans la narine droite chez les petites filles).

POUR EN SAVOIR PLUS

HOIZEY D. – *Histoire de la médecine chinoise: des origines à nos jours.* Payot, Paris, 1988. 27-Mesnil-sur-l'Estrée : Impr. Firmin-Didot.

PAUL U. – *Medicine in China : a history of pharmaceutics.* Unschuld Berkeley [etc.], University of California press, 1986.

AUTEROCHE B., NAVAILH P.– *Le diagnostic en médecine chinoise.* Maloine, Paris, 1991.

2 | MÉDECINE DES SUMÉRIENS ET DES ASSYRO-BABYLONIENS

FAITS ESSENTIELS

La médecine mésopotamienne était étroitement intriquée à la magie et était empreinte d'empirisme. Grâce au Code d'Hammourabi (XVIIIᵉ siècle av. J.-C.), on dispose d'informations intéressantes sur la pratique médicale et les honoraires des médecins. De nombreuses tablettes d'argile retrouvées dans les fouilles archéologiques permettent de mieux comprendre la pratique médicale des médecins qui avaient le plus souvent recours à l'hépatoscopie (lecture des oracles dans le foie d'animaux sacrifiés) pour désigner le dieu, ou le mauvais esprit, responsable des diverses maladies. La thérapeutique reposait sur les offrandes, les sacrifices, et les incantations. Les médecins mésopotamiens confectionnaient également des remèdes à partir de plantes et d'ingrédients divers.

CONTEXTE HISTORIQUE

La Mésopotamie située en Asie antérieure, entre les cours du Tigre et de l'Euphrate (du grec mesos, «milieu» et potamos, «fleuve») est considérée comme le «berceau de la civilisation». C'est l'une des premières régions du monde où il y a eu des plantations de céréales et une domestication des animaux, respectivement vers 9000 et vers 8000 av. J.-C. C'est le lieu où ont été fondées au IVᵉ millénaire av. J.-C., les premières cités-états telles que Ur, Ourouk, Sumer ou Nippur. Chacune des cités-états était dominée par des temples dont les prêtres étaient considérés comme les dieux protecteurs. Mais surtout, c'est en Mésopotamie qu'a été élaboré le premier système d'écriture d'abord pictographique, puis cunéiforme vers 3300 av. J.-C. comme le suggèrent les textes inscrits sur des tablettes d'argile provenant de la ville d'Ourouk. Cette civilisation a été à l'origine d'un grand nombre de disciplines : les mathématiques, la métallurgie, l'astronomie et l'astrologie.

Quatre grandes civilisations se sont succédé en Mésopotamie :

– les Sumériens aux environs de 4000 av. J.-C. ;

– les Akkadiens avec le célèbre Sargon l'Ancien d'Akkad qui a fondé le premier empire du monde vers 2350 av. J.-C après avoir unifié la mosaïque de cités-États qui existaient jusqu'à présent;
– les Babyloniens avec le prestigieux roi Hammourabi (1792-1750 av. J.-C.) qui a régné sur l'empire de Babylone à son apogée. Il a élaboré le célèbre Code d'hammourabi qui a été découvert en 1901 à Suse et qui est aujourd'hui conservé au musée du Louvre. C'est le plus ancien code juridique connu. Il est composé de 282 «articles» et est une excellente source de connaissance sur les lois qui régissaient le peuple babylonien. La Mésopotamie était une civilisation avec un système juridique élaboré et une architecture monumentale. Elle était alors considérée comme le centre de la civilisation orientale. La seconde moitié du deuxième millénaire av. J.-C. a été marquée par le début de l'opposition entre l'Assyrie, dans la partie nord de la Mésopotamie, et la Babylonie, au sud, qui va durer presque 1 000 ans. En 612 av. J.-C., les Mèdes se sont emparés de Ninive, capitale de l'Empire assyrien;
– les Néobabyloniens ont constitué la dernière civilisation de la Mésopotamie. Nabuchodonosor II (604-562), le fils de Nabopolassar (626-605 av J.-C.), a créé un puissant empire qui comprenait la Mésopotamie, la Syrie et la Palestine. Cet empire est vaincu en 539 av. J.-C. par les Perses.

Alexandre le Grand s'est emparé en 331 av. J.-C. de cette région qui est gouvernée au cours des siècles qui ont suivi par les rois séleucides, puis par les Parthes et les Sassanides.

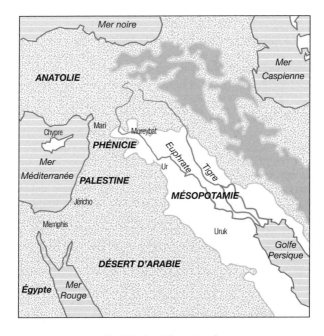

Fig. 2.1. *La Mésopotamie.*

PENSÉE MÉDICALE

Les dieux de la santé

La religion très inspirée par la magie et très empreinte d'empirisme comportait trois principaux dieux qui étaient Anu, Enlil et Enki. Certains dieux exerçaient un rôle sur la santé :

– Ninib fils de Enlil qui était le dieu guérisseur ;
– Ea était considéré comme le dieu des eaux ;
– Nabu était le dieu des sciences et de la médecine ;
– Nihgishzida était considéré comme le dieu guérisseur.

À côté des dieux il y avait des démons qui étaient responsables de maladies :

– Nergal qui donnait la fièvre ;
– Ashakku qui entraînait les affections pulmonaires ;
– Tiu responsable de la migraine ;
– Namtaru qui provoquait des maladies de la sphère oropharyngée.

Les prêtres-médecins

La médecine était au début théocratique, c'est-à-dire aux mains des prêtres. Ils se répartissaient en trois groupes :

– les azus qui étaient des médecins proprement dit ;
– les barus qui exerçaient la fonction de devins chargés de prévoir non seulement les pronostics des affections mais aussi de connaître les causes et l'évolution des autres catastrophes ;
– les ashigus qui exerçaient des fonctions d'exorcisme et de purification.

Conception de la maladie

Les Mésopotamiens considéraient que les maladies étaient des malédictions divines qui touchaient ceux qui n'avaient pas obéi au code moral. Le rôle des prêtres était de découvrir la faute commise et d'en obtenir l'expiation. Ils avaient recours à une méthode spécifique : l'hépatoscopie, qui consistait en la lecture des oracles dans le foie d'animaux sacrifiés pour désigner les dieux, ou les mauvais esprits, responsables des maladies. Le foie avait une grande importance pour les Mésopotamiens. Cet organe chargé de recevoir et de distribuer le sang dans l'organisme était considéré comme l'origine de la vie. Des modèles de foie, en bronze ou en argile, portant des inscriptions liturgiques ont été retrouvés dans les fouilles. La guérison était obtenue lorsqu'il y avait réconciliation entre le malade et le dieu irrité ou après l'expulsion du démon-maladie. Le prêtre sacrifiait un animal puis lisait dans son foie les signes qui lui permettaient d'établir le diagnostic puis le traitement. Le plus souvent le prêtre se contentait de laver le malade à l'eau pour le purifier, et de réciter des formules d'incantation qui apportaient la guérison.

Progressivement au cours du temps, la médecine a ouvert ses portes aux laïques.

PLACE DU MÉDECIN DANS LA SOCIÉTÉ MÉSOPOTAMIENNE

Le statut de médecin n'était pas privilégié dans la société mésopotamienne. Neuf paragraphes du *Code d'Hammourabi* sont consacrés à l'activité médicale. Ils livrent une intéressante information sur les honoraires et les sanctions encourus par les praticiens en cas d'échec thérapeutique : « Si un médecin sauve un œil menacé par un abcès, il recevra dix sicles d'argent ; deux sicles seulement, si le patient est un esclave. Si le médecin a crevé l'œil au cours de l'opération, on lui coupera les mains. S'il s'agit d'un esclave, la peine est plus légère. Le médecin paiera en argent la moitié du prix de l'esclave. »

Les actes chirurgicaux étaient réalisés non seulement par les prêtres mais aussi par les barbiers qui étaient également chargés de marquer les esclaves.

ENSEIGNEMENT DE LA MÉDECINE

Les prêtres-médecins bénéficiaient d'un enseignement médical dans des écoles qui dépendaient des Temples. Ils étudiaient sur des textes inscrits sur des tablettes d'argile qui décrivaient les principales manifestations des maladies. La bibliothèque d'Assurbanipal comportait au VIIIᵉ siècle av. J.-C. près de 20 000 tablettes.

Hérodote au Vᵉ siècle av. J.-C. a livré un témoignage intéressant sur la façon dont les médecins avaient accumulé leurs sources de connaissances médicales : « Les Babyloniens, transportent les malades sur les places publiques. Chacun des passants s'en approche et, s'il a eu la même maladie ou s'il a vu quelqu'un qui l'ait eue, il aide le malade de ses conseils et l'exhorte à faire ce qu'il a fait lui-même ou ce qu'il a vu faire à d'autres pour se tirer d'une semblable maladie. »

APPORT DE LA MÉDECINE MÉSOPOTAMIENNE

Sur le plan médical, les Mésopotamiens savaient établir le diagnostic d'un grand nombre d'affections (fièvre, migraine, douleurs, troubles digestifs) dont ils avaient analysé la sémiologie.

Sur le plan chirurgical, ils faisaient preuve d'une pratique chirurgicale relativement élaborée. Ils réalisaient fréquemment des réductions de fractures et de luxations, des drainages d'abcès. Ils effectuaient des interventions d'ordre esthétique comme la greffe d'implant d'os chez les femmes qui souhaitaient avoir un nez busqué pour mieux répondre aux exigences de la mode.

Sur le plan préventif, les Mésopotamiens ont été les premiers à préconiser l'arrêt de tout travail et l'isolement des malades. Ces décisions d'ordre prophylactique reposaient sur le principe que les malades étaient sous l'emprise d'une malédiction divine dont il était souhaitable qu'elle ne soit pas transmise à un proche.

THÉRAPEUTIQUES DISPONIBLES

Sur le plan thérapeutique, les médecins utilisaient une pharmacopée variée avec des remèdes obtenus à partir de plantes, d'éléments minéraux (sel, salpêtre) et des produits animaux (lait, écailles de serpent ou de tortue). Les drogues étaient purifiées, puis administrées par voie buccale en les incorporant à du lait, du miel ou de la bière douce.

POUR EN SAVOIR PLUS

La médecine dans l'antiquité. *Dossiers histoire et archéologie,* numéro spécial. Archéologia, Fontaine-lès-Dijon, 1988, 123.

SABBAH, G. – *Médecins et Médecine dans l'Antiquité.* Articles réunis et édités par G. Sabbah. Avec en complément les *Actes des journées d'étude sur la médecine antique d'époque romaine*, Saint-Etienne, 14-15 mai 1982. Publications de l'université de Saint-Etienne, Saint-Etienne, 1982.

THORWALD J. – *Histoire de la médecine dans l'antiquité.* Hachette, Paris, 1966.

MÉDECINE ÉGYPTIENNE

DATES CLÉS

2000 av. J.-C. : papyrus de Kahoun concernant la gynécologie et l'art vétérinaire

Vers 1550 av. J.-C. : papyrus Ebers contenant plusieurs centaines d'entités pathologiques et de prescriptions

Vers 1500 av. J.-C. : papyrus Edwin-Smith comportant des notions d'anatomie et de chirurgie

Vers 1200 av. J.-C. : papyrus Chester-Beatty n° 6 consacré à la proctologie

---

FAITS ESSENTIELS

La pratique médicale et le type d'affection dont souffraient les Égyptiens (bilharziose, pathologies cardio-vasculaires, maladies rhumatologiques et endocriniennes) sont connus grâce à l'étude des papyrus médicaux et à l'examen scientifique des momies. Les Égyptiens ont réussi à rationaliser l'exercice de la médecine en classant les maladies par « spécialités ».

La pratique de l'embaumement a permis aux Égyptiens d'avoir une connaissance rudimentaire de l'anatomie. Sur le plan médical, ils savaient établir un diagnostic après avoir réalisé un interrogatoire soigneux et un examen complet. Ils avaient une excellente connaissance des affections ophtalmologiques.

Sur le plan chirurgical, ils savaient réaliser un certain nombre de gestes empruntés aux techniques employées par les embaumeurs (fermeture de plaies ou rapprochement des bords d'une blessure par des bandes de tissu imprégnées de gomme).

CONTEXTE HISTORIQUE

La civilisation égyptienne a duré environ 3 000 ans, de 3100 à 332 av. J.-C., depuis l'apparition des hiéroglyphes et d'une monarchie centralisée jusqu'à la conquête de l'Égypte par Alexandre le Grand.

Ces trois mille ans d'histoire sont traditionnellement divisés en trois grandes époques séparées par des périodes « intermédiaires » marquées par des troubles sociaux et politiques et des invasions :

– la première période ou Ancien Empire. Cette période a été considérée comme l'âge d'or de la civilisation égyptienne avec une intense prospérité dont témoignent l'ardeur à construire ainsi que la vigueur et la perfection des œuvres d'art de cette époque ;

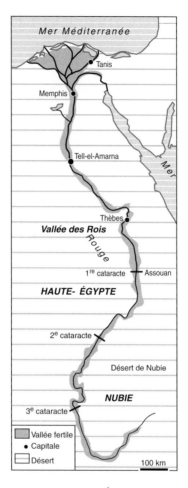

Fig. 3.1. *L'Égypte.*

– la seconde période ou Moyen Empire au cours de laquelle il y a eu une restauration du pays avec la création de nouveaux monuments. Cette période est caractérisée par l'élaboration d'excellentes productions littéraires ;

– la troisième période ou Nouvel Empire qui a été la dernière et très brillante période de prospérité de l'empire égyptien.

L'histoire de l'Égypte antique s'est achevée par une Basse Époque au cours de laquelle elle a été sous domination étrangère à la suite de sa conquête par les Assyriens (– 663 av. J.-C.) puis par les Perses (– 525 av. J.-C.), puis par les Grecs qui ont fondé Alexandrie qui est devenue le centre intellectuel et médical du monde antique avec sa célèbre bibliothèque.

Tableau 3.I. *Les principales périodes de l'histoire de l'Egypte Antique*

Date	Période	Dynastie
5 500-3 300 av. J.-C.	Le Néolithique	Les prédynasties
3 300-2 647 av. J.-C.	L'Époque archaïque	Ire et IIe dynasties
2 647-2 140 av. J.-C.	L'Ancien Empire	IIIe-VIe dynasties
2 140-2 040 av. J.-C.	La Première Période Intermédiaire	VIIe-XIe dynasties
2 040-1 785 av. J.-C.	Le Moyen Empire	fin XIe-XIIe dynasties
1 785-1 540 av. J.-C.	La Deuxième Période Intermédiaire	XIIIe-XIVe dynasties XVe-XVIe dynasties Hyksôs XVIIe dynastie de Thèbes
1 540-1 069 av. J.-C.	Le Nouvel Empire	XVIIIe-XXe dynasties
1 069-333 av. J.-C.	La Basse Époque	XXIe dynastie de Tanis XXIIe dynastie de Bubastis XXIIIe dynastie de Tanis XXIVe dynastie de Saïs XXVe dynastie koushite XXVIe dynastie de Saïs XXVIIe dynastie perse XVIII-XXXe dynasties locales
332-30 av. J.-C.	Grecque	les lagides

PENSÉE MÉDICALE

Les sources de la connaissance médicale

Les papyrus médicaux

Les papyrus médicaux constituent une source de première importance de connaissance de la science médicale, toutefois leur traduction est souvent difficile, voire obscure. On dispose de plusieurs papyrus.

❏ **Le papyrus Ebers**

Ce long papyrus médical porte le nom de son premier acquéreur George Ebers qui l'acheta en 1872 à un Égyptien qui déclarait l'avoir trouvé 10 ans auparavant entre les jambes d'une momie dans une tombe à Thèbes. Il s'agit d'un papyrus écrit en hiératique (écriture cursive hiéroglyphique simplifiée) au cours de la 9e année du règne d'Amenophis Ier (aux environs de 1550 av. J.-C.) qui est probablement la copie d'un ouvrage plus ancien remontant à l'Ancien Empire. Il s'agit d'un traité de pharmacologie et de thérapeutique comprenant 875 prescriptions avec de rares descriptions cliniques. C'est le premier traité connu de cardiologie.

❏ Le papyrus Smith

Ce papyrus qui aurait également été trouvé dans une tombe de Thèbes a été acquis en 1862 par un jeune égyptologue américain, Edwin Smith. Son origine remonte au début de la XVIIIe dynastie; mais il s'agit probablement d'une copie d'un papyrus plus ancien du début de l'Ancien Empire. Ce papyrus est considéré comme un traité d'anatomie et de pathologie chirurgicale bien structuré.

❏ Les Papyrus de Berlin

Ils comprennent d'une part le petit papyrus de Berlin écrit en 1450 av. J.-C. (XVIIIe dynastie) qui contient des prescriptions (voire des incantations) pour assurer la protection des mères et des enfants et d'autre part le grand papyrus de Berlin ou papyrus Brugsch qui contient des remèdes contre les parasites intestinaux, les maladies des seins, la toux, les hématuries, les douleurs des membres inférieurs.

❏ Le papyrus de Berlin n° 13 602

Datant du Ier siècle av. J.-C., ce papyrus qui est écrit en démotique contient des prescriptions concernant la grossesse.

❏ Le papyrus de Londres

C'est un traité de pratiques magiques et d'incantations comportant 63 recettes plus spécialement dirigées contre les maladies des yeux, des femmes et surtout contre les brûlures.

❏ Le papyrus de Kahoun

C'est le plus ancien papyrus médical connu. Il a été écrit aux alentours de la XIIe dynastie (vers 2000 av. J.-C.). C'est essentiellement un traité de gynécologie et d'obstétrique avec une partie concernant la médecine vétérinaire (écrite en hiéroglyphes).

❏ Le papyrus Cheaster Beatty

Ce papyrus date de la XIXe dynastie (vers 1300 av. J.-C.). Le recto est un traité des maladies de l'anus, quant au verso, il contient des recettes concernant les seins, le cœur, la vessie ainsi que des incantations.

❏ Les papyrus de Leyde et de Budapest

Ce sont deux papyrus essentiellement magiques.

❏ Le papyrus de Brooklynn

Ce papyrus comprend une partie magique et une partie purement médicale concernant surtout les complications de l'accouchement dont la rigueur est proche de celle du papyrus Smith.

Les ostracas médicaux

Les ostracas sont des éclats de calcaire ou des fragments de poterie sur lesquels le scribe inscrivait un texte (ostracon inscrit) ou faisait un dessin rapide (ostracon figuré). Il existe quelques ostracas mentionnant des recettes pharmaceutiques. Il s'agirait soit de véritables ordonnances soit d'une sorte d'aide-mémoire personnel établi par le praticien.

Les momies

L'examen des restes momifiés est d'un apport irremplaçable pour l'étude des pathologies qui touchaient les habitants de l'Ancienne Égypte. Ils révèlent l'ancienneté de certaines affections. L'étude des momies repose sur l'examen macroscopique, l'imagerie médicale et l'étude histologique.

L'art égyptien

Il s'agit d'une source de documentation intéressante. En effet, des dessins, des bas reliefs et des statuettes représentent des individus présentant des affections pathologiques.

Conception de la composition de l'être humain

Selon les Égyptiens, l'être humain était composé de trois parties au moins :
– le corps ;
– l'âme, qui était représentée sous la forme d'un oiseau à tête humaine qui parcourait en volant le puit du tombeau, afin de visiter sa momie dans la chambre sépulcrale ;
– le Ka qui constituait un être immatériel ayant sa personnalité propre, qui résidait dans l'homme auquel il conférait par sa présence protection, vie, durée, bonheur, santé et joie. Il n'était pas possible de représenter un dieu ou un homme sans son ka, qui grandissait avec lui et ne le quittait jamais même après la mort, d'où l'importance de la momification.

Causes des maladies

L'objectif de la médecine était de maintenir le corps en bonne santé, de le débarrasser des maladies et d'éloigner provisoirement la mort. Pour les Égyptiens, la mort est du même ordre que la vie, lui succédant nécessairement. Ils pensaient que la vie et la mort étaient des influences transportées par l'air qui pénétraient dans le corps : « le souffle de la vie entrant par l'oreille droite et le souffle de la mort entrant par l'oreille gauche » (papyrus Ebers).

Les maladies sont dues selon les Égyptiens à plusieurs facteurs : les excès d'alimentation et de boisson, les vents, les Oukhedou, les vers, les causes occultes et psychiques.

Les excès d'alimentation et de boisson

Les Égyptiens combattaient leurs excès par de fréquents lavements et purgatifs comme nous l'indique Hérodote : « Voici leur genre de vie : ils se purgent pendant trois jours consécutifs chaque mois et cherchent à se maintenir en bonne santé par des émétiques et des lavements, dans l'idée que toutes nos maladies proviennent de la nourriture absorbée.»

Les vents

Les Égyptiens croyaient à la théorie des souffles avec des bons et mauvais souffles. Il existait ainsi des expressions comme : «les vents de l'année de la peste», et la notion de «iadet», sortes de démons subtils véhiculés dans l'air et porteurs de maladies, particulièrement les jours néfastes.

Les Oukhedou (ou whdw)

Les Oukhedou sont des principes morbides issus des matières fécales qui gagnent les parties du corps par les vaisseaux et entraînent des maladies. Cette notion est aussi à l'origine de la fréquence du maniement des clystères par les Égyptiens.

Les vers

Les Égyptiens n'avaient pas manqué d'observer les effets de la décomposition des corps et d'en être fortement impressionnés d'autant plus que l'on connaît pour eux la nécessité de l'intégrité corporelle. Les vers sont donc pour eux, des principes pathogènes particulièrement sinistres.

Les causes occultes et psychiques

On pouvait aussi rapporter l'atteinte d'un individu à une origine psychique ou morale comme le relate un écrit : « Il se serra dans ses vêtements et se coucha sans plus savoir où il était… Sa femme passa sa main sous ses vêtements… Elle dit : mon frère point de fièvre au sein, souplesse des membres : tristesse du cœur.»

Une intrication de la médecine avec la religion

La médecine égyptienne avait une relation plus ou moins étroite avec la religion. Certains dieux jouaient un rôle important dans la santé :

– Thot était représenté par un Ibis ou un anthropomorphe à tête d'Ibis, plus rarement par un babouin. C'était le dieu de la sagesse, des sciences et des scribes. Thot était vénéré des médecins, surtout des oculistes pour avoir guéri l'œil d'Horus ;

– Osiris était considéré comme le dieu du monde souterrain. Il a été tué par son frère Seth qui le jalousait et qui incarnait le mal et la maladie ;

– Isis, la plus importante déesse égyptienne était l'épouse d'Osiris et la mère d'Horus. Isis disposait d'une puissance magique qui lui permettait de clore la bouche de chaque serpent, éloigner de son enfant tout lion dans le désert, tout crocodile dans la rivière ou tout reptile dangereux et de ressusciter Osiris. Les humeurs malignes qui perturbaient le corps humain obéissaient à Isis ; «les vaisseaux», à ses paroles, expurgeaient ce qu'il y avait de mauvais en eux.

Quiconque était mordu, piqué, agressé, faisait appel à Isis à la bouche habile, en s'identifiant à Horus qui appelait sa mère au secours ;

– Horus, fils d'Osiris et d'Isis, était représenté par un faucon ou un anthropomorphe à tête de faucon. Il était acteur de nombreux mythes dont l'un racontait qu'au cours d'un combat, son œil fut blessé par Seth puis guéri par le dieu Thot. Horus jouait un rôle capital de dieu guérisseur ; on le voyait piétiner des crocodiles, tenir en main scorpions et insectes dangereux, trouvant qu'il n'avait rien à redouter de créatures qui donnaient la mort. Horus était souvent qualifié de médecin ;

– Hathor, la maîtresse de Denderah était étroitement liée à Horus. Dans le mythe et le culte, elle était l'épouse de l'Horus d'Edfou. Elle était représentée sous la forme d'une vache ou sous forme anthropomorphe avec oreilles et cornes de vache. Elle était la déesse protectrice des femmes et de la fécondité ;

– la déesse Thoueris était représentée sous les traits d'une femelle hippopotame aux pattes de lion et aux mains humaines, son ventre proéminent suggérait la grossesse. Elle était considérée comme la déesse protectrice de l'accouchement et des femmes qui allaitaient ;

– Anubis, dieu à tête de chacal présidait aux embaumements ;

– Seth, dieu frère et assassin d'Osiris représentait le chaos et le mal par opposition à Osiris ;

– Sekhmet était une déesse à tête de lionne guerrière, sanguinaire, pourvoyeuse de nombreux maux et responsable des épidémies. Ses prêtres avaient un rôle médical ;

– Nekhbet, déesse représentée sous la forme d'un vautour, était connue pour faciliter les enfantements ;

– Knoum, dieu à tête de bélier était considéré comme le dieu créateur qui modelait les êtres sur son tour de potier ;

– Bes protégeait les femmes enceintes ;

– Neskenet était la déesse protectrice du nouveau-né.

Une intrication entre la médecine et la magie

La médecine magique reposait sur le principe qu'il fallait maintenir le corps humain en harmonie avec le cosmos, de sorte qu'il serve de réceptacle aux forces vitales qui ont créé l'univers. Les Égyptiens pensaient que celui qui était atteint d'une maladie, d'une souffrance, d'une douleur était la proie d'une force négative, d'une divinité hostile, voire d'un démon.

L'objectif du médecin magicien était donc de soigner la cause et non les conséquences. Son rôle était de lutter contre cette puissance invisible et irrationnelle qui affectait l'organisme au moyen de formules d'incantation destinées aux dieux. Ces médecins magiciens qui tenaient leur science et leur puissance de Thot, le dieu bienfaisant, chargé par Rê de protéger l'« humanité souffrante » prononçaient des formules guérisseuses et représentaient ainsi magiciens et médecins : « Je suis sorti d'Héliopolis avec les Grands des temples (les dieux donc), ceux qui détiennent la protection, les seigneurs de l'éternité. Également, je suis sorti de Saïs avec la mère des dieux. Ils m'ont donné la protection, j'ai des formules qu'a faites le Maître Universel pour écarter la douleur causée par un dieu ou une déesse, par un mort ou une morte et qui dans cette mienne tête, dans ces miennes vertèbres, dans ces miennes épaules, dans cette mienne chair, dans ces miens membres, et pour châtier le calomniateur, le chef de ceux qui font entrer le désordre dans cette mienne chair et la maladie dans ces miens membres. J'appartiens à Rê. Il a dit : "c'est moi qui le protégerai contre ses ennemis. Ce sera Thot son guide, lui qui fait parler les écrits et qui est l'auteur du recueil (de formules) ; il donne l'habileté aux savants et aux médecins, ses disciples, pour délivrer (de la maladie) celui que Dieu désire maintenir en vie". » (Extrait du papyrus Ebers).

L'embaumement

Conserver le corps

Après la mort, les Égyptiens pensaient que le Ka continuait à être le véritable représentant de la personnalité humaine tout comme il l'avait été pendant la vie. Il fallait donc faire en sorte de conserver le corps pour que le Ka puisse en reprendre possession aussi souvent qu'il lui convenait. Il fallait lui donner son mobilier, afin qu'il puisse encore continuer dans la tombe la vie qu'il avait menée sur terre. Il était important d'assurer l'alimentation du Ka afin que le mort ne soit tourmenté ni par la faim ni par la soif.

Le rite de l'embaumement

Le rite de l'embaumement avait lieu selon un rituel bien établi. Avant d'être mis au tombeau, le corps subissait une préparation spéciale pour le rendre imputrécible. C'était là une opération faite dans le plus grand mystère qui débutait par l'extraction de la cervelle par les narines à l'aide d'un crochet ; puis, après avoir réalisé une incision dans le flanc avec une pierre d'Ethiopie tranchante, ils extrayaient par cette ouverture les intestins, les nettoyaient et les passaient au vin de palmier puis dans des aromates broyés. Au cours de la phase finale, ils remplissaient le ventre de myrrhe pure broyée, de cannelle et d'autres parfums puis ils le recousaient. Le corps du défunt était immergé pendant soixante dix jours dans du natron, carbonate hydraté naturel de sodium recueilli dans le fond des lacs salés d'Égypte.

Les viscères thoraco-abdominaux étaient répartis dans quatre jarres de Canope, dont les couvercles portaient l'emblème de chacun des quatre fils de Horus, chargés de veiller sur les organes :

– Hapi, incarnation du Nord, gardait les petits viscères ;

– Tuamutef, personnification de l'Est, préservait les poumons et le cœur ;

– Amset, représentation du Sud, protégeait l'estomac et les intestins ;

– Qebhsenuef, figurant l'Ouest, veillait sur le foie et la vésicule biliaire.

Une fois les 70 jours écoulés, ils lavaient le corps et l'enveloppaient entièrement de bandelettes de lin enduites de gomme arabique. Les parents retiraient ensuite le corps puis ils faisaient faire en bois un étui de forme humaine dans lequel ils y enfermaient le mort.

À côté de ce type d'embaumement réservé aux pharaons et aux grands dignitaires, il y avait des procédures d'embaumement moins élaborées pour ceux qui voulaient éviter la dépense. Les gens du peuple étaient directement ensevelis dans le sable.

PLACE DU MÉDECIN DANS LA SOCIÉTÉ ÉGYPTIENNE

Une excellente réputation

La médecine égyptienne était dotée d'une réputation excellente dans l'Antiquité comme le suggérait Homère, dès 800 av. J.-C. : «terre féconde qui produit en abondance des drogues, les unes salutaires, les autres nuisibles, et où les médecins emportent en habileté sur tous les autres hommes car ils sont les descendants de Poeéôn ("le médecin des Dieux")».

À l'âge de 19 ans, Hippocrate a séjourné trois ans en Égypte. Il est tombé alors en admiration devant l'intelligence et les connaissances médicales des médecins égyptiens qui l'ont initié à la médecine et qui lui ont accordé le droit de guérir.

Les médecins égyptiens jouissent d'une grande renommée, non seulement dans leur pays mais dans toute l'Asie. On connaît des exemples de hauts personnages étrangers qui se déplacent pour consulter les médecins égyptiens comme le prince Syrien et sa femme qui rendent visite au médecin Neb-Amon (celui-ci a fait représenter la scène dans son tombeau).

Rémunération des médecins

On sait que, du moins avant le Nouvel Empire, l'Égypte ne possédait pas de système monétaire. Les médecins étaient donc payés en service ou en nature. Malgré la réputation flatteuse dont ils semblaient jouir, ils n'étaient pas toujours grassement payés. En témoigne un papyrus concernant les travailleurs de la nécropole sous Ramsès II et qui indique : «deux Khars (unité de mesure) de grains pour deux scribes, trois khars de grains pour un potier, un khar pour un médecin.»

Les médecins du palais, outre leur «revenu», pouvaient recevoir du roi un emplacement funéraire, un mobilier pour l'au-delà, une stèle, mais la récompense la plus enviée était le don de l'or : c'était une cérémonie solennelle où le roi, devant la foule assemblée, octroyait à l'élu des objets d'or parmi lesquels de larges colliers dits «colliers de la reconnaissance», ce qui était un grand honneur pour celui qui les recevait.

La déontologie médicale

Les médecins étaient responsables de leurs actes et tenus à une certaine déontologie. Diodore de Sicile nous donne l'exemple de ce que devait être la responsabilité médicale : «Les médecins égyptiens établissent le traitement des malades d'après les préceptes écrits, rédigés et transmis par un grand nombre d'anciens médecins célèbres. Si, en suivant les préceptes du livre sacré, ils ne parviennent pas à sauver le malade ils sont déclarés innocents et exempts de tout reproche. Si au contraire, ils agissent contrairement aux préceptes écrits, ils peuvent être accusés et condamnés à mort, le législateur ayant pensé que peu de gens trouveraient une méthode curative meilleure que celle observée depuis si longtemps et établie par les meilleurs hommes de l'art».

EXERCICE DE LA MÉDECINE

Sounou

Le personnage remplissant, dans l'Égypte Ancienne, les fonctions de médecin, répondait à l'appellation de *Sounou*. Son hiéroglyphe s'écrit au moyen d'une flèche (ou lancette) et d'un pot (ou mortier) suivis du déterminatif de l'homme assis. Il faut se garder d'interpréter ce hiéroglyphe comme un idéogramme représentant les vertus chirurgicales et pharmaceutiques. Il s'agit ici d'une écriture phonétique, dérivée du mot *Soun*, la souffrance. Le mot *sounou* signifiait : «celui de ceux qui sont malades», «l'homme qui soulage ceux qui ont mal», «celui qui s'intéresse aux individus souffrants».

La profession est ouverte aux femmes et certaines filles peuvent être admises, comme à l'école, à suivre l'enseignement. Nous ne connaissons, malheureusement, qu'un seul exemple pour les époques anciennes qui est celui de Peseshet dont le titre est celui de «directrice des femmes médecins».

En dehors des médecins, il y avait deux catégories de personnes qui assuraient la prise en charge des problèmes médicaux :

– les prêtres de Sekhmet qui servaient d'intermédiaires entre la terrible déesse léontocéphale, sanguinaire pourvoyeuse de multiples maux et d'épidémies, et les malades qui venaient lui demander leur guérison. Ils savaient d'ailleurs, comme les médecins, rechercher le pouls : «… il y a des vaisseaux en lui (allant) à tout membre. Quant à ce (sur quoi) tout médecin ou tout prêtre de Sekhmet ou tout magicien met ses doigts…» (Papyrus Ebers).

Fig. 3.2. *Hiéroglyphe pour sounou (médecin).*

Il y avait aussi :
– le «sectateur de Selkhet» qui intervenait pour guérir les piqûres de scorpion ;
– le prêtre du double, «Hem Ka», chargé de la circoncision.

Une médecine spécialisée

La spécialisation médicale existait déjà à l'époque des pharaons comme le suggèrent les écrits d'Hérodote : «Tout est plein de médecins…», «La médecine y est répartie de cette façon : chaque médecin soigne une maladie non plusieurs… les uns sont médecins pour les yeux d'autres pour la tête, pour les dents, pour la région abdominale, pour les maladies de localisation incertaine.»

On distinguait différents types de médecins :

– les médecins généralistes «sounou» qui avaient à prendre en charge en première intention les malades. ;

– les oculistes appelés généralement «sounou-irty», c'est-à-dire le «médecin des deux yeux», et exceptionnellement «sounou seneb irty» qui signifie «le médecin qui guérit l'œil» ;

– les médecins du ventre appelés «Sounou Khe» qui s'occupaient certainement de toute la pathologie abdominale. Ils représentaient probablement les ancêtres de nos gastro-entérologues actuels ;

– les «bergers de l'anus» appelés «nerou pehout» ou «nerihou-phout». Il s'agissait d'auxiliaires médicaux chargés d'administrer les lavements. Ces spécialistes étaient les ancêtres de nos proctologues ;

– les «médecins des maladies cachées», qu'Hérodote appelait les médecins des maladies de localisation incertaine, qui devaient correspondre à une sorte de médecin interniste ;

– les dentistes qui étaient considérés comme des médecins (comme le suggère le hiéroglyphe qui comprend le terme de sounou auquel est rajouté le hiéroglyphe représentant «la dent»).

Il existait des médecins affectés à un groupe d'individus vivant en communauté restreinte dont il assumait la charge sanitaire :

– les médecins du palais («per âa Sounou») avaient la charge de soigner le roi ainsi que toute sa famille, son épouse, ses concubines, ses enfants. Leur activité médicale s'étendait à tout le personnel du palais, c'est-à-dire au grand nombre de dignitaires, de princes et leur famille, de prêtres, un personnage civil et militaire important et une grande quantité de serviteurs. Ces médecins royaux avaient une grande réputation et des étrangers n'hésitaient pas à faire le voyage pour venir les consulter. Parfois, c'est le médecin qui se déplaçait, envoyé par son pharaon en consultation, auprès d'une cour étrangère. Les distinctions hiérarchiques se retrouvent chez les médecins du palais et l'on connaît à côté du médecin royal, un inspecteur des médecins royaux, un médecin en chef du roi et aussi un doyen des médecins royaux ;

– les médecins des nécropoles dans lesquelles vivaient et travaillaient de nombreux artisans ;

– les médecins des cultivateurs attachés aux domaines d'un maître : les «Sounou grergetl» que l'on peut traduire par les «médecins des colons» ;

– les médecins du travail comme dans les mines et carrières (vers 2000 av. J.-C., on connaît un Hérishef-Nékhet, médecin chef dans une carrière) et dans les temples ;

– les médecins fonctionnaires de l'armée comme le relatait Diodore de Sicile : « dans les expéditions militaires et dans les voyages, tout le monde est soigné gratuitement, les médecins étant entretenus aux frais de la société ».

La hiérarchisation du corps médical

Le corps médical était très hiérarchisé et soumis à un contrôle administratif. Le médecin (« Sounou ») se trouvait au bas de l'échelle, au-dessus de lui il y avait un chef des médecins (« Mer Sounou »), un grand médecin (« Our Sounou »), un inspecteur des médecins (« Senedj Sounouou »).

Au niveau des spécialistes, il existait également la même hiérarchisation.

ENSEIGNEMENT DE LA MÉDECINE

Il semble que les médecins dans l'Égypte Ancienne transmettaient eux-mêmes leur savoir à leurs fils qui les remplaçaient dans leurs fonctions après leur mort. Les futurs praticiens formés par leur père complétaient leur bagage scientifique en faisant un stage dans une « maison de Vie » (« Per-Ankh »).

Ces maisons de vie existaient dans un certain nombre de villes comme Memphis, Abydos, El Amarna, Coptos, Esna, Edfou, Saïs. Il s'agissait de lieux d'activité intellectuelle, de culture et de documentation. Ils étaient constitués d'un ensemble d'ateliers où des scribes groupés en « départements » selon leur spécialité, composaient et recopiaient des livres traitant de religion, de magie, de médecine. Ces maisons de vie jouissaient de la haute protection des pharaons qui ne dédaignaient pas y venir étudier. L'activité religieuse représentait toute-fois la principale occupation dans la maison de vie. Les livres étaient conservés dans de petites pièces, les maisons des livres. La plupart des papyrus médicaux et magiques sortaient de ces ateliers. L'étudiant qui fréquentait le Per-Ankh bénéficiait d'une formation initiatique et philosophique aux choses du sacré et d'un enseignement au contact des papyrus conservés et de celui des maîtres et professeurs qui fréquentaient assidûment ce haut lieu de culture.

APPORT DE LA MÉDECINE ÉGYPTIENNE

Connaissance de l'anatomie

Il semble que les médecins égyptiens aient peu bénéficié de l'enseignement des embaumements. Ils tiraient l'essentiel de leurs connaissances anatomi-ques de l'examen des blessés et surtout de l'anatomie animale comme en témoignent les hiéroglyphes du cœur, de la langue, des dents, de l'utérus qui sont des représentations d'organes animaux.

Les Égyptiens ont été les premiers à souligner le rôle vital des poumons, à avoir considéré que le foie était un organe nécessaire à la digestion mais surtout à avoir pressenti le rôle du cœur et des vaisseaux dans l'organisme.

Les informations des deux traités du cœur et des vaisseaux du papyrus Ebers repris en partie dans d'autres papyrus montrent que les Égyptiens avaient une excellente connaissance de l'anatomie cardiaque. Le cœur appelé « haty » dans les textes anatomiques et nommé « ib » dans les textes liturgiques et littéraires était considéré comme l'élément essentiel et central de l'organisme. Cet organe était considéré comme le siège de l'intellect, de la pensée et de la conscience essentiel à la vie. Le cœur était laissé en place dans le thorax au cours de l'embaumement. Si, par maladresse, il était arraché, il était alors recousu avec précaution « sur sa place ». Le cœur anatomique était considéré comme le centre du système vasculaire.

Les Égyptiens savaient palper le pouls et avaient établi un rapport exact avec les battements du cœur : «Commencement du secret du médecin : connaissance de la marche du cœur et connaissance du cœur. Il y a des vaisseaux en lui allant à tout membre. Quant à ce sur quoi tout médecin ou tout prêtre de Sekhmet, ou tout magicien, met ses doigts, sur la tête ou sur la nuque, ou sur les mains ou sur la place du cœur ou sur les deux bras ou sur les deux jambes ou sur une partie quelconque, il sent quelque chose du cœur car les vaisseaux de celui-ci vont à chacun de ses membres ; et de là vient qu'il parle dans les vaisseaux de chaque membre. » (papyrus Ebers n° 854a).

Cette corrélation de même que l'importance des battements s'exprime dans un autre passage : «Quant à la faiblesse du cœur, cela signifie que le cœur ne parle pas ou que les vaisseaux du cœur sont muets, alors qu'ils ne donnent aucune indication sous les mains. » (papyrus Ebers n° 855e).

Le système vasculaire était comparé avec le Nil et ses canaux d'irrigation. Les Égyptiens avaient des connaissances sur l'air, élément physique, et les souffles «Quant à l'air qui entre dans le nez, il pénètre dans le cœur et les poumons, et ce sont eux qui le distribuent à tout le corps. » (papyrus Ebers n° 855a).

La rigueur de l'examen du malade

La lecture des papyrus médicaux, principalement ceux d'Ebers et de Smith, permet de se rendre compte de la façon dont devait se dérouler l'examen d'un malade qui comportait plusieurs étapes :

– un interrogatoire qui précisait les signes fonctionnels, l'existence de douleurs, l'état de conscience du blessé (par exemple : papyrus Ebers n° 855z : «Son cœur est oublieux comme quelqu'un qui pense à autre chose.») ;

– l'inspection qui notait :

- la coloration cutanée (par exemple : papyrus Ebers n° 877 : «si tu trouves sur ses épaules et ses bras de la couleur…»),

- l'aspect du visage (pâleur, cyanose),

- l'examen de plaies et de déformations éventuelles, ainsi que la recherche d'œdèmes, d'hématomes, de tremblements de paralysie…,

- l'odorat : ainsi une maladie des femmes sentait « la viande rôtie » selon le papyrus de Kahoun,
- l'examen des urines, des excréments, de l'expectoration ;
– la palpation qui était très importante et comportait celle du pouls, de l'abdomen, des tumeurs ou des blessures ;
– la percussion comme semblent montrer ces deux exemples : papyrus Ebers n° 189 : « si tu trouves son estomac tambourinant et qu'il aille et vienne sous ta main… » et papyrus Ebers n° 864 : « …. frappe sur tes doigts avec… » ;
– l'auscultation faisait probablement partie de la pratique médicale comme le suggère un passage du papyrus Ebers : « l'oreille entend ce qui est au-dessous. »

PATHOLOGIES RENCONTRÉES DANS L'ÉGYPTE ANCIENNE

Pathologie cardio-vasculaire

La lecture des papyrus médicaux suggère que les Égyptiens disposaient d'une bonne connaissance de la sémiologie cardio-vasculaire. Un certain nombre de troubles cardiologiques sont évoqués dans les observations du papyrus :

– les palpitations : « Quant à la danse du cœur, cela signifie qu'il s'éloigne du sein gauche et ainsi il s'agite sur sa base et s'éloigne de sa place, c'est-à-dire que la masse grasse est du côté gauche vers la jonction de l'épaule. » (papyrus Ebers n° 855n) ;
– l'insuffisance cardiaque avec œdème pulmonaire et retentissement hépatique : « Quant à la faiblesse qui existe dans le cœur, c'est jusqu'aux poumons et au foie. Il devient sourd, ses vaisseaux s'étant affaissés… La faiblesse du cœur, cela signifie que le cœur ne parle pas ou que les vaisseaux sont muets. » (papyrus Ebers n° 855c) ;
– la crise d'angine de poitrine : « Si tu examines un malade qui souffre de l'estomac tandis qu'il a des douleurs dans son bras, dans sa poitrine, dans un côté de son estomac, et qu'on dit de lui : c'est la maladie ouadj, tu diras à son sujet : c'est quelque chose qui lui est entré dans la bouche, c'est la mort qui le menace. » (papyrus Ebers n° 191).

Par ailleurs l'examen de momies a mis en évidence :

– l'existence de plaques d'athérome sur les vaisseaux sanguins de plusieurs pharaons ;
– la présence chez Ramsès II d'artères temporales indurées et calcifiées.

Pathologie pulmonaire

Toutes les pathologies pulmonaires étaient regroupées par les Égyptiens sous le vocable de « toux ».

Il est possible que les Égyptiens aient individualisé l'asthme qui est évoqué dans le papyrus Ebers (n° 326 à 335) et qui était appelé « Gehoul ». Le hiéroglyphe utilisé pour qualifier cette affection a un déterminatif qui ressemble à un caméléon, animal qui émet un sifflement lorsqu'il est effrayé comme ce qui est entendu lors de l'auscultation d'un patient présentant une crise d'asthme.

Pathologie anale

La pathologie anale a fait l'objet de nombreuses observations dans les différents papyrus. Il est souvent question de «l'échauffement à l'anus», de «brûlures à l'anus», de «gêne brûlante à l'anus» qui seraient la traduction de fissures anales ou d'anorectites consécutives à des diarrhées et dysenteries.

Le prolapsus rectal est aussi mentionné et appelé «retournement à l'anus».

Pathologie urinaire

Il a été mis en évidence sur des reins de momies, des lésions notamment infectieuses.

La lecture du papyrus d'Ebers permet de distinguer plusieurs affections urologiques :

– la rétention, décrite comme douloureuse, est appelée accumulation d'urine : «pour expulser par l'urine toute accumulation qui est dans le ventre.» (papyrus Ebers n° 24);

– l'incontinence urinaire décrite sous le nom de «fuite de l'urine» (papyrus Ebers n° 276) ou d'«urine excessive» (papyrus Ebers n° 264).

Pathologie parasitaire

Les papyrus médicaux mentionnent la survenue de parasitoses :

– les parasitoses intestinales qui étaient décrites sous le terme de vers, avec le vers betjou, le ver hefet et le vers pened qui seraient respectivement l'ankylostome, l'ascaris et le taenia;

– la bilharziose urinaire qui devait constituer une affection fréquente. De nombreux passages évoquent les hématuries consécutives à cette parasitose : «autre remède pour faire disparaître des mictions sanglantes abondantes» (papyrus Ebers n° 49) ou «remèdes que l'on prépare pour faire disparaître des douleurs dans le ventre accompagnées de mictions sanglantes» (papyrus de Berlin n° 187);

– le paludisme qui était connu sous le nom de «aat». Cette maladie contre laquelle les Égyptiens demandaient une protection magique était rattachée à Sekhmet, pourvoyeuse d'épidémies. Les enfants nés au moment de la saison de l'inondation étaient particulièrement exposés à cette affection. Les moustiques n'étaient pas incriminés comme vecteurs de la maladie. En revanche le mauvais air, les exhalaisons des marais et les eaux stagnantes étaient jugés responsables de cette affection. Les piqûres étaient redoutées, et les Égyptiens ont été les premiers à utiliser des moustiquaires comme l'expliquait Hérodote : «Contre les moustiques très abondants chez eux, ils ont trouvé ces défenses : au-dessus de la région des marais, ils en sont protégés par les tours où ils montent pour dormir, car les vents empêchent les moustiques de voler haut. Dans la région des marais, ils ont un autre moyen : chacun y possède un filet qui lui sert pendant le jour à pêcher, mais qui la nuit a un autre usage : l'homme en enveloppe la couche où il prend son repos et se glisse dessous pour dormir. S'il dort enveloppé d'un manteau ou d'un drap, les moustiques le piquent à travers l'étoffe, mais, à travers le filet, ils ne s'y essaient même pas ».

Pathologie rhumatologique

L'examen de momies a mis en évidence des troubles rhumatologiques :

– le pharaon Ahmosis présentait une arthrose généralisée prédominant aux genoux avec ostéophytose ;

– le pharaon Ramsès II dont il a été réalisé un bilan radiographique présentait un pincement des interlignes articulaires des hanches prédominant à droite. De plus, au niveau de son épaule droite, un pincement scapulo-huméral, une ascension de la tête humérale avec néo-arthrose acromio-humérale et des calcifications péri-articulaires, peuvent évoquer les séquelles d'une rupture de la coiffe des rotateurs, probablement d'origine traumatique puisque l'épaule gauche est indemne ;

– Mineptah était atteint d'une coxarthrose droite et d'une arthrose cervicale.

Pathologie ophtalmologique

Les maladies des yeux étaient certainement fréquentes en Égypte ancienne. L'œil était désigné sous le terme d'« Iret ». « Djefed » désignait la pupille, « Ouab en iret » définissait la racine de l'œil soit l'orbite, « Sa en irety » signi-fiait le dos des yeux soit les paupières tandis que « Gabety » exprimait les cils et « Ineh » les sourcils. La pathologie oculaire était connue par les Égyptiens. En effet, il existait un certain nombre de facteurs favorisant la survenue d'affections ophtalmologiques comme la chaleur, la poussière, les insectes et la mauvaise hygiène.

Les papyrus d'Ebers et de Kahoun livrent un certain nombre d'informations intéressantes sur le type d'affections oculaires dont souffraient les Égyptiens :

– la blépharite était fréquente et bien reconnue. Elle était soignée au moyen de divers collyres et pommades ;

– le trachome était une affection redoutée des Égyptiens qui était traitée par des collyres : « autre remède pour faire disparaître le trachome dans les yeux : bile de tortue, 1 ; laudanum, 1. À mettre dans les yeux. » (Papyrus Ebers n° 350) ;

– les corps étrangers étaient extraits à l'aide d'instruments fins. Sur une paroi de la tombe d'Ipy à Deir el Medineh, où est représenté un chantier, on voit un personnage tenter d'extraire à l'aide d'une tige un corps étranger de l'œil d'un ouvrier ;

– la cataracte, appelée la « montée de l'eau dans les yeux » était connue des Égyptiens, toutefois il n'existe aucune preuve d'intervention.

CONNAISSANCES CHIRURGICALES

La pratique chirurgicale était limitée chez les Égyptiens à quelques sutures de plaies ou à quelques cautérisations de kystes ou de tumeurs. Certaines techniques employées par les embaumeurs, étaient utilisées par les médecins : fermeture de plaies ou rapprochement des bords d'une blessure par des bandes de tissu imprégnées de gomme, notamment. Les recherches archéologiques ont permis de retrouver un certain nombre d'instruments chirurgicaux tel que des scalpels droits, des lancettes, des couteaux à la lame en bonnet phrygien arrondie à la pointe et à la base ainsi que des pinces droites ou recourbées. Seule la pratique de la circoncision était courante.

THÉRAPEUTIQUES DISPONIBLES

La préparation des médicaments obéissait à des règles précises et très claires, en général bien exposées dans les recettes. La lecture des textes permet d'identifier la composition, les quantités et la façon dont les Égyptiens procédaient à la préparation des médicaments.

La pharmacopée des Égyptiens reposait sur l'application de trois types de substances :

– les substances d'origine minérale comme le sulfure d'arsenic, la brique, l'argile, la terre, la faïence, le granit, le gypse, la pierre de Memphis, la malachite, les éclats de meule, la boue, le sable, la suie ou l'antimoine ;

– les substances d'origine végétale comme le safran, la sauge, le pavot, la myrrhe, l'antimoine, le cannabis, la cannelle, le styrax. Parmi les plantes utilisées par les Égyptiens, il y avait des plantes dotées de véritables vertus thérapeutiques. Parmi les laxatifs utilisés dans l'Égypte antique, il y avait les fruits du sycomore (*ficus Aegyptiae*), la coloquinte, le ricin et l'aloès. La levure de bière utilisée dans les affections intestinales et les maladies de la peau contient de la vitamine B et posséderait des vertus antibiotiques contre le staphylocoque ;

– les substances d'origine animale comme le miel souvent mentionné, qui avait des propriétés adoucissantes et antiseptiques ou des extraits de foie (riche en vitamine A) qui entraient dans la composition de recettes ophtalmologiques.

MÉDECINS CÉLÈBRES

Imhotep (2800 av. J.-C. IIIᵉ dynastie memphite)

Fils de l'architecte Knofer, Imhotep a été nommé vizir du pharaon Djeser vers 2800 av. J.-C. Son nom en hiéroglyphe signifie « celui qui donne satisfaction ». Architecte, il aurait construit la célèbre pyramide à degrés de Saqqarah. Il a également été prêtre, scribe, astrologue et magicien. Son rôle de guérisseur lui a été attribué plus tard. La popularité d'Imhotep s'est accrue. Sa renommée était immense et on lui a attribué même la rédaction d'ouvrages médicaux comme le papyrus Smith. À l'époque ptolémaïque, on en a fait un véritable dieu guérisseur, des temples lui ont été dédiés à Memphis, à Thèbes et à Sakkara. Un culte lui a été rendu à Memphis comme « grand médecin des dieux et des hommes », « dieu qui protège les humains », « qui donne la vie à tous ceux qui s'adressent à lui ». Une mythologie s'est élaborée autour de son personnage. Il était considéré comme le fils de Ptah et de Sekhmet.

Amenhotep

Fils de Hapou, Amenhotep fut aussi un personnage célèbre à qui on faisait appel pour des guérisons. Architecte d'Aménophis III, sa renommée fut importante de son vivant et il était connu pour sa sagesse. Il a même eu le droit de faire bâtir son propre temple funéraire. Il a été élevé au statut de dieu sous les Ptolémés et a fait l'objet d'un culte.

Pentou ou Pentjou (vers 1400 av. J.-C.)

Médecin du pharaon Akhenaton qui l'a comblé de richesses, Pentou fut aussi premier secrétaire d'Aton dans le temple d'Aton.

Ny Ankh Sekhmet (IIIᵉ millénaire av. J.-C.)

Ny Ankh Sekhmet fut médecin-chef du pharaon Sahoure qui l'honora à sa mort en lui édifiant un tombeau à Memphis.

Khouy (vers 1500 av. J.-C.)

Médecin et grand prêtre du palais d'Heliopolis, Khouy est considéré comme l'inventeur d'un collyre rapporté dans le papyrus d'Ebers.

Hesy-Re (vers 2700 avant J.-C.)

Ce médecin contemporain d'Imhotep était également le supérieur des scribes du roi.

Peseshet (IIIᵉ millénaire avant J.-C.)

Cette femme médecin exerçait à la cour du pharaon.

GRANDES ÉPIDÉMIES

Les Égyptiens ont mentionné un certain nombre d'épidémies. La mort des nouveau-nés, dixième plaie d'Égypte évoquée dans l'Ancien Testament constitue sans doute un exemple. Il existait des formules pour dissiper l'air vicié de l'année où il était fait parfois appel à la déesse vautour Nekhbet. L'air était alors considéré comme le véhicule d'éléments dangereux et justifiait une purification magique, surtout à certaines périodes de l'année. Dans le papyrus

Ebers, il était préconisé contre les épidémies, outre les formules magiques, le lavage des aliments, des lits et des ustensiles de ménage.

La variole a probablement fait des ravages en Égypte. C'est, sans doute, cette maladie qui fait l'objet de la sixième plaie d'Égypte dans la Bible : « Yahvé dit à Moïse et à Aaron : prenez plein vos mains de suie de fourneau que Moïse lancera en l'air sous les yeux de pharaon. Cette suie s'étendra, en poussière impalpable, sur toute l'Égypte et provoquera, sur les gens et sur les bêtes, des éruptions bourgeonnant en pustules dans l'Égypte toute entière. Ils prirent donc de la suie de fourneau, se présentèrent à pharaon, et Moïse la lança en l'air. Gens et bêtes furent couverts d'éruptions qui bourgeonnaient en pustules. Les magiciens ne purent paraître devant Moïse, car les magiciens étaient couverts d'éruptions comme le reste des Égyptiens.» (l'Exode, 9, 8-12)

POUR EN SAVOIR PLUS

BARDINET T. – *Les papyrus médicaux de l'Egypte pharaonique.* Fayard, Paris, 1995.

BATS-DUPONT M.-E. – *L'art de se soigner dans l'Egypte ancienne.* Bordeaux, 1996.

BUCAILLE M. – *Mummies of the pharaohs: modern medical investigations.* Traduit du français par Alastair D. Pannell et l'auteur. St. Martin's Press, New York, 1990.

DIAZ M.-H. – *Quelques aspects de la médecine pharaonique: fragments du papyrus Edwin Smith.* Quick print, Montpellier, 1988.

GHALIOUNGUI P. – *La médecine des pharaons: magie et science médicale dans l'Egypte ancienne.* R. Laffont, Paris, 1983.

HALIOUA B. – La médecine au temps des pharaons. *Liana Levi*, Paris, 2002.

HOOK D. – The Edwin Smith surgical papyrus. *The Bulletin of the Cleveland Medical Library.* 1973; XX, 2-3: 23-39.

LECA A.-P. – *La médecine égyptienne au temps des pharaons.* R. Dacosta, Paris, 1988.

LEFEBVRE G. – *Essai sur la médecine éyptienne de l'époque pharaonique.* PUF, Paris, 1956.

RIAD N. – *La médecine au temps des Pharaons.* Maloine, Paris, 1955.

STERN J. – The Barker Spinal Needle. *The Bulletin of the Cleveland Medical Library.* 1973; XX, 2-3: 23-39.

WORTH ESTES J. – *The medical skills of ancient Egypt.* Science History Publ., Canton Mass, 1989.

4 | MÉDECINE DES HÉBREUX

Les Hébreux considéraient les maladies comme des châtiments divins destinés à punir l'homme. Seul Dieu était capable d'apporter la guérison.

Ils ont joué un rôle majeur dans le domaine de l'hygiène et de la médecine préventive en particulier dans le domaine de l'alimentation, de l'hygiène de la menstruation ou de la gestation et de l'hygiène corporelle.

CONTEXTE HISTORIQUE

Au XIXe siècle avant J.-C., Abraham a quitté avec sa famille sa région d'Ur en Chaldée puis s'est fixé au pays de Canaan. Son petit fils Jacob a eu douze fils qui se sont établis par la suite en Égypte pour fuir la famine. Devenus esclaves des Égyptiens, les enfants d'Israël ont retrouvé la liberté grâce à Moïse au XIIIe siècle avant J.-C. Au cours de la traversée du désert vers la terre promise de Canaan, qui a duré quarante ans, les Hébreux ont reçu les tables de la Loi. La terre promise a été répartie entre les onze tribus descendant des fils de Jacob, la douzième, celle de Lévi, étant «extraterritoriale». La direction de cette fédération était assurée par des juges. Au XIe siècle avant J.-C., les Hébreux ont proclamé un roi, Saül, qui a eu pour successeur David, originaire de la tribu de Juda. Après avoir écrasé les Philistins, ce dernier a établi un vaste royaume avec Jérusalem pour capitale. Son fils Salomon y a construit un temple qui est devenu le principal sanctuaire de la religion israélite. En 587 avant J.-C., le roi babylonien Nabuchodonosor s'est emparé de Jérusalem. Le peuple juif a été exilé à Babylone jusqu'à ce que le roi de Perse Cyrus II le Grand, empereur de Perse en 539, l'ai autorisé à retourner en Judée, qui demeurait sous son autorité. Le Temple a été restauré en 515 ; en 70 après J.-C., les Romains ont détruit le Temple de Jérusalem et les Juifs ont été contraints à l'exil.

PENSÉE MÉDICALE

La médecine hébraïque était avant tout une médecine théurgique. Puisque les Hébreux considéraient les maladies comme des châtiments divins destinés à punir l'homme et que seul Dieu était capable d'apporter la guérison, le Dieu unique était donc à la fois source de santé et de tous les maux : «Mon fils, si tu es malade, ne t'emporte pas, mais prie Dieu, c'est lui qui guérit».

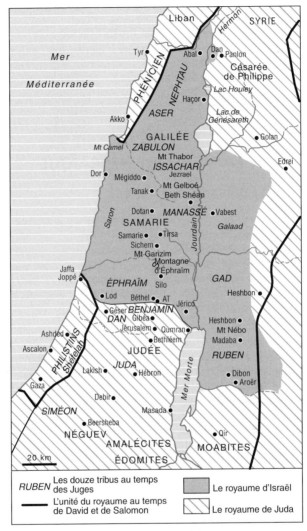

Fig. 4.1. *Le pays des Hébreux.*

PLACE DU MÉDECIN
DANS LA SOCIÉTÉ HÉBRAÏQUE

La présence des médecins est relatée à plusieurs reprises dans l'*Ancien Testament*.

Il est rappelé que : «Joseph avait commandé à ses serviteurs, les médecins, d'embaumer le corps de Jacob son père» (*Genèse* 12) et que : «Le roi Asa les consultait au lieu de mettre sa conscience entre les mains de Dieu» (*Chroniques*

II, XVI-12). Les médecins formaient une classe à part, les *Rofim*. Ils étaient issus de la tribu des prêtres lévites. Ils étaient tenus en haute estime comme le confirment certains écrits : «Honore le médecin dont tu as besoin et avec les honneurs qui lui sont dus»; «Le savoir d'un médecin élèvera son esprit et ainsi qu'un grand Homme il doit être admiré»; «Si tu es malade, implore Dieu et appelle le médecin, car un homme prudent ne méprise pas les remèdes terrestres».

En dehors des médecins il y avait également les chirurgiens (*Ouman*), les pharmaciens (*Roqueah*) (*Exode* XXX-25, *Nehemi* III-8), et les sages-femmes (*Exode* I-16).

APPORTS DE LA MÉDECINE HÉBRAÏQUE

Une médecine préventive élaborée

Les Hébreux ont apporté une contribution majeure à la médecine dans le domaine de l'hygiène et de la médecine préventive.

Les Hébreux respectaient les règles d'hygiène et de prévention des maladies infectieuses pour des raisons religieuses. Des instructions étaient délivrées pour régir l'isolement des contagieux et la désinfection de leurs effets. Il était attaché une grande importance à l'éviction des rats et des mouches considérés comme agents de diffusion des maladies épidémiques.

L'accent était mis sur les mesures préventives dans la vie quotidienne dans plusieurs domaines :

– l'alimentation : l'abattage des animaux était codifié. La consommation de porcs, responsables en particulier de certaines affections parasitaires, était interdite ;
– l'hygiène de la menstruation ou de la gestation, afin de prévenir la diffusion de maladies telles que la gonococcie ;
– l'hygiène corporelle : le *Talmud* expliquait que «la propreté du corps menait à la pureté de l'esprit». On y trouve aussi des instructions sur l'usage quotidien des bains et des ablutions en particulier avant les repas ;
– les funérailles dont les modalités et les lieux étaient régis par des lois.

Connaissances médicales

Les médecins hébreux connaissaient un certain nombre d'affections notamment la diphtérie, les syndromes dysentériques, les hémorroïdes, la lithiase vésicale, l'hydronéphrose, les ictères, les psychopathies. Ils redoutaient les réactions après les piqûres de guêpes et les morsures d'un chien enragé.

Connaissances chirurgicales

Dans le domaine de la chirurgie, les Hébreux réalisaient chez les nouveau-nés des circoncisions mais aussi certaines interventions telles que les césariennes, les réductions de luxations, de fractures, les amputations, les trépanations. Il était recommandé d'aviver les bords de la plaie avant de suturer les plaies pour permettre une meilleure suture. L'art dentaire était également développé.

THÉRAPEUTIQUES DISPONIBLES

La pharmacopée mentionnée dans *l'Ancien Testament* est variée et comprend la mandragore, les baumes, les gommes adragantes, le laudanum, la myrrhe, la résine, les épices et probablement les narcotiques.

L'encens était utilisé comme désinfectant (*Exode* 30 : 7).

Les Hébreux avaient recours aux figues pour soigner les ulcères (*Isaïe* 38 : 21), à l'huile (*Isaïe* 1 : 6).

GRANDES ÉPIDÉMIES

Dans *l'Ancien Testament*, un certain nombre de fléaux et d'épidémies ont été relatés. Toutefois deux affections sont évoquées à plusieurs reprises et étaient l'objet d'une peur importante pour les Hébreux : la lèpre et la peste.

La lèpre

« S'il se forme sur la peau d'un homme une tumeur, une dartre ou une tache luisante, un cas de lèpre de la peau est à prévoir. On le conduira à Aaron, le prêtre, ou à l'un des prêtres, ses fils. Le prêtre examinera le mal sur la peau. Si à l'endroit malade le poil a viré au blanc, si ce mal fait creux dans l'épiderme, c'est bien un cas de lèpre ; après observation le prêtre déclarera l'homme impur. » (*Lévitique* 13, 1-4).

« Toutefois, le jour où apparaîtra sur lui un ulcère il sera impur. Après examen de l'ulcère, le prêtre le déclarera impur : l'ulcère est chose impure, c'est de la lèpre. Mais si l'ulcère redevient blanc l'homme ira trouver le prêtre, celui-ci l'examinera et, s'il constate que le mal a viré au blanc, il déclarera pur le malade : il est pur. » (*Lévitique* 13, 14-18).

Cette distinction entre taches achromiques et ulcère reflète peut-être celle qui existe entre la lèpre tuberculoïde et la lèpre lépromateuse. Les malades déclarés impurs étaient isolés de la communauté pour des raisons religieuses mais aussi hygiéniques : « Tant que durera son mal, il sera impur et, étant impur, il demeurera à part : sa demeure sera hors du camp. » (*Lévitique* 13, 46-47).

Toutefois il semble que sous le terme de lèpre il ait été rattaché de nombreuses affections cutanées sans aucun rapport avec cette affection. Les instructions préventives concernant l'éviction de cette affection étaient considérées comme si efficaces qu'elles ont été adoptées au Moyen âge.

La peste

La peste est évoquée à plusieurs reprises comme le fléau majeur. Ainsi Yahvé a proposé à David le choix entre trois fléaux : « Faut-il qu'il advienne trois années de famine dans ton pays, ou que tu fuies pendant trois mois devant ton ennemi qui te poursuivra, ou qu'il y ait pendant trois jours la peste dans ton pays » (II *Samuel* 24 : 25). David aurait choisi la solution la plus radicale :

« Yahvé envoya la peste en Israël depuis le matin jusqu'au temps fixé, et le fléau frappa le peuple et soixante dix mille hommes du peuple moururent depuis Dan jusqu'à Beersheba. » (II *Samuel* 24 : 25).

POUR EN SAVOIR PLUS

BARUK H. – *Essais sur la médecine hébraïque dans le cadre de l'histoire juive: la psychiatrie et la Thora vécue.* 2e édition. Colbo, Paris, 1985.

JACOB I., JACOB W. – *The healing past: pharmaceuticals in the biblical and rabbinic world.* E.J. Brill, Leiden, New York, Köln, 1993.

NICOLAS D. – *La Médecine dans la Bible.* Le François, Paris, 1977

PALMER B. – *Medicine and the Bible.* Paternoster Pres, Exeter, 1986.

SETRUK (COHEN-BOULAKIA) M.-H. – *L'hygiène et la prévention des maladies d'après les textes bibliques et talmudiques.* Th. D., Pharm., Montpellier, 1990.

5 | MÉDECINE GRECQUE

DATES CLÉS

Vers 1260 av. J.-C. : naissance d'Asclépios
Vers 520 av. J.-C. : cure miraculeuse au temple d'Épidaure dédié à la gloire d'Asclépios
530 av. J.-C. : installation de Pythagore en Italie du Sud, à Crotone
500 av. J.-C. : Héraclite d'Éphèse inaugure sa méthode dialectique
460 av. J.-C. : naissance d'Hippocrate
440 av. J.-C. : fondation de l'école à Cos
430-429 av. J.-C. : peste d'Athènes
vers 300 av. J.-C. : Hérophile de Chalcédoine rédige son *Traité d'anatomie*

FAITS ESSENTIELS

Les Grecs sont considérés comme les fondateurs de la médecine « moderne ». La médecine grecque s'est élaborée au cours de quatre périodes successives :

– la première période considérée comme celle de la médecine mythologique était commandée par les actions de nombreux dieux et demi-dieux qui avaient le pouvoir de guérir ou de provoquer des maladies ;

– la seconde période était considérée comme celle de la médecine des philosophes-savants (à partir du sixième siècle avant J.-C.), qui ont été les premiers à dissocier la médecine de la magie ;

– la troisième avec la médecine hippocratique développée sur l'île de Cos par Hippocrate et ses élèves est à l'origine de la médecine occidentale. Cette école a représenté une rupture avec les conceptions alors en vigueur, puisque les maladies avaient désormais une origine naturelle qu'il s'agissait de découvrir. La pratique médicale reposait avant tout sur l'observation. La santé était la résultante de l'équilibre des humeurs, qui étaient au nombre de quatre : le flegme, le sang, l'atrabile et la bile. La maladie était la conséquence d'un excès, d'une insuffisance ou d'un déplacement d'humeur ;

– La quatrième période est celle de la médecine post-hippocratique avec les sectes médicales et l'école d'Alexandrie.

CONTEXTE HISTORIQUE

Au XIIIᵉ siècle avant J.-C., une cité au sud-ouest de la Grèce a donné naissance à la civilisation mycénienne, très hiérarchisée et organisée, dirigée par un souverain. Entre le XIᵉ et le VIIIᵉ siècle avant J.-C, la Grèce est entrée dans une période troublée au cours de laquelle elle a été envahie par les Doriens. Entre le VIIIᵉ et

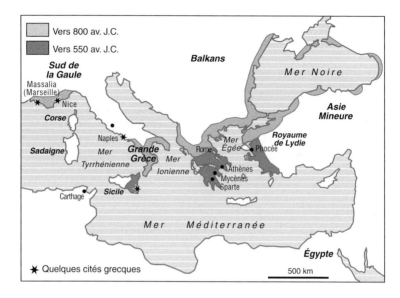

Fig. 5.1. *Monde grec.*

le VIᵉ siècle, de nombreuses cités grecques se sont affirmées, en particulier Athènes et Sparte. Athènes s'est organisée autour de l'Acropole. Au début, des familles aristocratiques ont exercé le pouvoir. Mais vers 507 avant J.-C., les Athéniens ont créé une Constitution démocratique avec une assemblée du peuple (*ecclésia*) et un conseil de cinq cents membres (*boulê*). Indépendantes et souvent rivales, les cités grecques ont été en guerre au début du Vᵉ siècle avec leur puissant voisin perse. Les Grecs se sont unis pour repousser les Perses.

Les Grecs avaient le sentiment d'obéir à leur propre législation et ils avaient conscience d'être les représentants d'une civilisation originale et de vivre en un monde de liberté et de sagesse contrairement aux non-Grecs désignés précisément par le terme de « Barbares ».

À la fin du Vᵉ siècle avant J.-C., les deux cités Sparte et Athènes se sont affrontées au cours d'un conflit, la guerre du Péloponnèse dont elles sont sorties affaiblies.

En 359 avant J.-C., Philippe, âgé de 23 ans, est devenu roi de Macédoine. À la tête d'une armée redoutable, il a soumis toutes les cités grecques. En 336 avant J.-C., son fils Alexandre le Grand lui a succédé et s'est lancé à la conquête du vaste Empire perse.

LA MÉDECINE MYTHOLOGIQUE

La médecine des dieux

La religion primitive des Grecs était à l'origine sommaire. Elle reposait sur la vénération de fétiches, d'arbres, de pierres, d'animaux sacrés. Les Grecs cherchaient à se rapprocher des puissances invisibles du monde en organisant des cérémonies magiques.

Progressivement les Grecs ont représenté leurs dieux sous une forme humaine. Toutefois ils étaient plus grands, plus forts, plus beaux que les mortels et éternellement jeunes. Les dieux avaient cependant des sentiments, des passions, des qualités et même des défauts.

La mythologie transmise par la tradition orale constitue le récit des aventures dans lesquelles intervenaient les dieux. Au début, chaque ville vénérait spécifiquement un dieu ou une déesse : c'était la divinité poliade. Puis progressivement certains dieux ont acquis une renommée plus importante et ont été adoptés par tous les Grecs. Ils régissaient en maîtres absolus sur un ou plusieurs domaines particuliers de la vie.

Les dieux de la santé

Un grand nombre de ces êtres divins jouaient un rôle important dans la survenue de maladies :

– Aphrodite était considérée comme la déesse de la beauté et de l'amour. Elle avait été conçue à partir de l'écume des mers. Elle jouait un rôle important dans l'activité sexuelle féminine et dans ses complications ;
– Héra, épouse de Zeus, assurait la protection des femmes enceintes et était chargée de veiller au bon déroulement des accouchements ;
– Panacée était considérée comme la déesse de la guérison ;
– Hermès, fils de Zeus et de Néra, était le messager et l'interprète des dieux ;
– Asclépios, fils d'Apollon, était considéré comme le véritable dieu grec de la médecine. Il était le dieu de la vie et des plantes salutaires ;
– Héraclès qui était un héros et non un dieu était considéré comme un médecin et surtout comme un hygiéniste puisqu'il a assaini la vallée de l'Alphée en détournant le cours du fleuve et les marais d'Argolide en venant à bout de l'hydre de Lerne. Héraclès utilisait certaines plantes avec des effets sédatifs, comme la jusquiame blanche. Il était surtout un adepte de l'hydrothérapie chaude qui a connu un grand succès dans le monde gréco-latin sous le nom d'Hérakléra. Selon Diodore de Sicile, il souffrait d'une épilepsie à forme psychique.

Asclépios

Le personnage d'Asclépios serait né vers 1260 avant J.-C. en Thessalie. Son père, Apollon, était capable de déchaîner les maladies mais il était aussi capable de les guérir. Selon la légende, sa mère la belle Coronis avait été séduite par Apollon. Alors qu'elle était enceinte, elle avait osé le tromper pour épouser un mortel nommé Ischys fils d'Elatos. Apollon avait été averti des infidélités de son amante par un corbeau (aux plumes blanches) qui gardait et protégeait Coronis. Dans sa colère, Apollon a condamné le corbeau pour n'avoir pas crevé les yeux d'Ischys à avoir les plumes en noir, il a tué Ischys et a demandé à sa sœur Artémis de tuer Coronis. Avant que le corps de Coronis ne soit consumé par le bûcher funéraire, Apollon aurait arraché Asclépios du ventre de Coronis, puis il l'aurait confié au Centaure, Chiron, connu pour son savoir médical. Ce dernier aurait enseigné à l'enfant l'art de guérir par les plantes et les remèdes. Il était si habile qu'il était capable de ressusciter les morts, sauvant notamment Glaucos, Tyndare et Hippolyte. Sa réputation de guérisseur s'est étendue à toute la Grèce. Zeus, le maître des dieux de l'Olympe, soucieux de voir l'au-delà se dépeupler si Asclépios continuait à ressusciter les morts, décida de le foudroyer. Asclépios a été élevé au rang de divinité. Le principal sanctuaire qui a été édifié en son honneur se trouve à Épidaure.

Asclépios est souvent représenté debout tenant à la main un bâton de pélerin, symbole du voyageur universel, avec un serpent enroulé autour du bâton. Le serpent était le symbole de la prudence et de la force. Selon la légende, il aurait été à l'origine du caducé. Après avoir vu un serpent se diriger vers lui, il lui aurait tendu un bâton. Il aurait laissé la bête s'y enrouler puis il aurait assommé l'animal sur le sol. Un second serpent serait apparu tenant dans sa bouche une certaine herbe avec laquelle il rappelait l'autre à la vie. Asclépios aurait eu alors la révélation de la vertu des herbes médicinales.

Les enfants d'Asclépios et leur descendance ont été chargés d'assurer la pérennité de l'œuvre de leur père. Ses deux fils ont hérité de son pouvoir de guérir. Machaon était doué pour la chirurgie et Podalirios s'est consacré à la médecine. Il a eu cinq filles dont Hygie, qui assurait la prévention des maladies et Panacée, qui symbolisait la guérison de tous les maux par les plantes. Les descendants des enfants d'Asclépios ont été appelés Asclépiades.

LA MÉDECINE HOMÉRIQUE

Pensée médicale

La médecine était intriquée de manière étroite avec la religion et la magie. La pratique médicale restait très empirique et elle s'appuyait plus sur des expériences vécues que sur des données rationnelles et réellement scientifiques. Elle était étroitement liée à la magie et à la religion car les hommes n'expliquaient les maladies que par des interventions divines. Homère, le plus grand narrateur du monde hellénique, a décrit dans *l'Iliade* et *l'Odyssée* les actions héroïques des hommes, des demi-dieux et des dieux. Ce récit est une excellente source d'informations sur la vie en Grèce à l'aube du VIIIᵉ siècle.

La lecture des récits de *l'Iliade* et *l'Odyssée* permet de dégager les quatre grands principes qui réglaient l'organisation de la pratique médicale.

Premier principe : les maladies étaient l'expression d'une punition divine et traduisaient la colère des dieux

Au chant I de *l'Iliade*, Homère a raconté comment au moment d'assiéger Troie, les soldats grecs ont été frappés par un mal étrange qui a atteint plusieurs de leurs membres. Selon le narrateur, ils auraient été victimes «d'une flèche mauvaise» envoyée par Apollon. Pour les Grecs, la force vitale, le *thymos*, se trouvait dans l'organisme vivant. Il était entretenu par des facteurs externes (l'alimentation, la boisson et l'air) et internes (le mouvement des liquides dans le corps). L'âme, le *psyché*, était l'esprit qui allait en enfer après la mort. Certaines maladies, comme la folie et l'épilepsie, étaient considérées comme des maux sacrés. Les hommes pensaient que seuls les dieux étaient capables de troubler l'esprit des mortels.

Deuxième principe : les secrets et les moyens de parvenir à la guérison étaient connus exclusivement des dieux

Deux exemples témoignent du caractère purement magique des guérisons :

– au chant I de *l'Iliade,* l'armée grecque, une fois atteinte par «une flèche mauvaise» devant Troie, a dû se purifier en plongeant dans la mer. Le principe de la purification était l'un des éléments fondamentaux des pratiques tant religieuses que médicales;

– aux chants III et IV de *l'Iliade,* Homère nous raconte qu'Achille, disciple d'Asclépios, savait guérir, lui aussi, par imposition des mains.

Troisième principe : les hommes disposaient de connaissances anatomiques pour étudier et pour soigner certaines blessures

Deux exemples permettent de se rendre compte de l'importance des notions anatomiques dont disposaient les hommes de cette époque sur les organes dont l'atteinte pouvait provoquer la mort :

– au chant XIII de *l'Iliade,* Mériones, pour tuer son ennemi en fuite, avait dû le «transpercer entre les parties mâles et le nombril, là où une plaie est mortelle pour les hommes pitoyables»;

– au chant XXII, Hector, blessé au cou par Achille, implorait ce dernier de le ramener dans sa demeure. Le narrateur avait alors expliqué que, si Hector pouvait encore implorer le demi-dieu, c'est : «que la lourde lance d'airain n'avait pas tranché le gosier et qu'il pouvait encore parler». L'organe responsable de la parole était donc situé au niveau de la gorge.

À l'inverse, les combattants se soignaient entre eux. Homère a relaté comment Machaon, fils d'Asclépios, a soigné les blessures des guerriers au cours de la guerre de Troie. Dans *l'Iliade,* il s'est occupé des blessures de Ménélas et il a guéri l'archer Philoctète mordu par un serpent.

Quatrième principe : les plantes pouvaient entraîner la guérison

Les médecins de l'antiquité connaissaient l'existence de «plantes qui guérissent et calment la douleur, mais aussi qui empoisonnent les flèches et donnent la mort aux hommes».

Les thérapeutiques étaient limitées aux soins des blessures externes (extraction d'armes insérées dans le corps, bandage et nettoyage de blessures). Les médicaments *pharmaka* étaient essentiellement des médications à application externe destinées à soulager les souffrances. Des traitements naturels tels que les onguents, arômes désinfectants, étaient employés.

Le sanctuaire de Delphes et l'oracle d'Apollon

Les oracles

Jusqu'au VIIe siècle avant J.-C., la pratique médicale dans la Grèce Antique était étroitement liée à la religion et à la magie. Les oracles étaient des messages ou des signes au moyen desquels les dieux de la mythologie grecque transmettaient aux hommes leurs souhaits par l'intermédiaire de prophètes ou de prêtres. C'était des réponses divines à des questions humaines ayant trait à divers domaines de la vie et en particulier à celui de la santé.

Le sanctuaire de Delphes était alors le principal sanctuaire des oracles en Grèce.

Cérémonial des consultations des oracles

Les «consultations divines» étaient bien organisées selon une hiérarchie précise.

Les volontés et les réponses des dieux étaient reçues par les pythies du temple qui étaient sélectionnées parmi les jeunes filles qui devaient être belles, chastes et dociles.

Tous ceux qui voulaient interroger les oracles devaient acquitter une taxe appelée *pelanos* qui donnait au consultant le droit d'approcher Apollon pour y faire accomplir le sacrifice sans lequel il leur était interdit d'entrer dans le temple. Le plus souvent des chèvres étaient offertes en sacrifice. Les prêtres-médecins observaient le tremblement de tous les membres de la bête sacrifiée au moment de l'aspersion. Lorsque le tremblement n'avait pas lieu, la consultation était ajournée. Les consultants passaient alors dans l'*oikos* qui était une salle d'attente voisine de l'*Adyton*, chambre souterraine où officiait la Pythie. La pythie entrait ensuite dans un délire orgastique propice à rendre perceptibles les réponses du dieu aux questions posées à haute voix par les consultants qui se tenaient dans la pièce voisine. Dans son extase, la Pythie prononçait des paroles incohérentes qui étaient recueillies, interprétées et rédigées en vers ou en prose par un prêtre-médecin.

Des exégètes avaient pour mission d'expliquer le sens de l'oracle. La réponse était donnée soit au consultant lui-même, soit à un de ses proches.

Dans ce cas, la réponse était remise sous scellés et, en cas de violation du secret ou d'indiscrétion, celui qui avait le message risquait de perdre ses yeux ou ses mains. Les prêtres établissaient des dossiers pour chaque consultant avec pour but de programmer les consultations ultérieures. Au début, il n'était délivré qu'une seule consultation par an. Par la suite, il a été instauré une consultation mensuelle qui avait lieu le 7e jour du mois, excepté pendant le mois d'hiver où Apollon ne donnait aucun oracle.

Principes de la pratique médicale par les prêtres-médecins du temple d'Apollon

La pratique de la médecine des prêtres-médecins du temple d'Apollon reposait sur deux principes fondamentaux :

– le premier principe était la relation indissociable entre les phénomènes magiques, la religion et la thérapeutique. La maladie étant la traduction d'une punition divine, seul le dieu chargé de la santé pouvait en atténuer l'intensité ou apporter la guérison. La magie constituait alors le moyen de faire communiquer les dieux de la mythologie avec les hommes. Les prêtres-médecins de tous les sanctuaires oraculaires, comme ceux de Delphes, étaient donc sensés détenir le secret de la guérison provenant du dieu lui-même. Le facteur religieux constituait un recours quand la thérapeutique était impuissante ;

– le deuxième principe était l'utilisation par les prêtres-médecins de quelques connaissances physiologiques afin d'exploiter au maximum les révélations des Pythies. En effet ces dernières rentraient en transe après avoir bu de l'eau de Kassotis ou après avoir inhalé les vapeurs de substances que leur avaient présentées les prêtres-médecins. Cela laisse à penser que ces derniers connaissaient les substances susceptibles de provoquer chez ces jeunes filles des scènes d'hystérie servant à impressionner les consultants et à faire croire à l'intervention du dieu dans ses rites.

Les temples d'Asclépios

À partir du vi^e siècle avant J.-C., des temples à la gloire d'Asclépios gérés par des prêtres, les Asclépiades, ont commencé à être élevés en Thessalie, soit à Tricca si on en croit l'*Illiade* et Hésiode, soit à Épidaure selon les vestiges archéologiques. Les temples étaient composés d'un groupe de bâtiments plus ou moins importants dont l'un avait une forme circulaire dans lequel se trouvait le tholos qui contenait l'eau destinée à la purification. Les temples destinés à célébrer le culte d'Asclépios étaient édifiés dans des sites protégés.

Cérémonial des consultations dans les temples d'Asclépios

Les patients qui se rendaient dans les temples d'Asclépios obéissaient à un cérémonial bien établi. Après le coucher du soleil, ils devaient prendre un bain rituel puis ils revêtaient une tenue d'une blancheur immaculée. Ils faisaient ensuite le sacrifice d'un coq ou d'un moineau à Asclépios. Puis le malade, le soir venu, se reposait dans l'abaton (lieu de soins) après avoir bu un breuvage favorisant son sommeil en attendant la visite des dieux. Au cours de la nuit, le prêtre qui avait revêtu la tenue d'Asclépios se rendait auprès des malades en compagnie de ses filles, de ses serviteurs, de son chien et de son serpent. Il délivrait alors le remède qui leur rendrait la santé (bains, alimentation, frictions…). Le matin, au cours de son réveil, le malade pouvait espérer être guéri. Parfois il recommençait ce cérémonial plusieurs jours de suite. Le malade guéri offrait en reconnaissance un présent plus ou moins important selon son origine sociale. L'efficacité de cette pratique médicale s'explique en grande partie par le fait qu'elle s'adressait dans la majorité des cas soit à des personnes présentant des troubles psychiques, soit à des sujets en bonne santé venus au temple pour ne pas perdre la santé. La ferveur religieuse suscitée par les asclépiades et leurs rites entretenait un climat propice à l'auto-suggestion.

Naissance de la médecine d'observation

Avec le temps, les asclépiades ont compris l'intérêt qu'ils avaient à tirer de leur expérience quotidienne et empirique. Au fur et à mesure de leur activité au chevet des malades, ils ont appris à reconnaître les maladies et à les soigner par des moyens qui ont cessé d'être du domaine magique ou purement psychologique. Ils ont eu progressivement recours à la diététique et à la prescription de plantes. La médecine d'observation était née. La médecine a cessé d'être le domaine réservé de la religion et s'est progressivement laïcisée. L'asclépiade a cédé la place au *Iatros*, autrement dit celui qui guérit. Hippocrate qui était le descendant d'une famille d'asclépiades (il serait le 62ᵉ descendant d'Asclépios), a bénéficié des enseignements recueillis par les siens dans les temple d'Asclépios.

LA MÉDECINE DES PHILOSOPHES SAVANTS

Pensée médicale

Il est apparu du VIIᵉ au VIᵉ siècle, une école de philosophie dans l'Héliade marquée par l'avènement d'une approche nouvelle dans l'explication des phénomènes constatés. Tous les domaines de la connaissance et en particulier la médecine ont fait l'objet d'une tentative d'explication doctrinale de la part des philosophes savants. Ils ont cherché à raccorder les lois de la physique et de la chimie à la physiologie humaine. Au cours des deux siècles où ils ont vécu, les philosophes savants ont bouleversé par leur approche idéologique l'histoire de la médecine. Ils ont perfectionné les techniques de dissections humaines et les expérimentations biologiques.

Médecins célèbres

Pythagore (570 av. J.-C. - 480 av. J.-C.)

Né sur l'île de Samos, Pythagore s'est installé en Italie du Sud, à Crotone, en 530 av. J.-C., pour fuir la tyrannie de Polycrate. Il y a fondé la célèbre école pythagoricienne qui expliquait l'universalité par les nombres. Selon Pythagore, la santé était l'expression de l'harmonie entre les nombres.

Thalès de Milet (625 av. J.-C. - 547 av. J.-C.)

Né à Milet sur les côtes d'Asie mineure, ce philosophe et mathématicien grec a élaboré une conception de la physiologie universelle dans laquelle l'eau était l'élément fondamental à la vie animale et végétale. Selon la légende, il aurait prédit l'éclipse de Soleil de 585 av. J.-C. qui a mis fin à une bataille entre Mèdes et Lydiens.

Alcméon de Crotone

Ce pythagoricien qui a vécu en Italie du Sud vers 535 avant J.-C. est l'auteur de l'ouvrage *Sur la nature*, dans lequel il a souligné l'importance de la recherche dans la connaissance du corps humain. Il a probablement réalisé de nombreuses dissections dont il a tiré un enseignement remarquable. Il a établi qu'il existait une relation étroite entre le cerveau et les organes sensoriels. Il a étudié l'origine de l'embryon. Il considérait que l'âme dirigeait les mouvements des êtres vivants.

Héraclite d'Éphèse (v. 576 - v. 480 av. J.-C.)

Ce philosophe né à Éphèse, en Ionie, considérait que le feu plutôt que l'eau ou l'air était l'élément principal : « Ce monde-ci, le même pour tous,/Nul des dieux ni des hommes ne l'a fait./ Mais il était toujours, est et sera, un feu toujours vivant/Feu éternel s'allumant en mesure et s'éteignant en mesure. » Il pensait que l'univers résultait des tensions entre les forces opposées.

Empédocle d'Agrigente (vers 490 av. J.C. - vers 430 av. J.C.)

Il était à la fois philosophe médecin, prophète et chef du parti démocratique d'Agrigente. Il aurait même remporté une victoire aux Jeux Olympiques. Il est l'auteur de la théorie des quatre éléments (l'eau, la terre, l'air et le feu) qui régissaient le monde. Il a écrit un *Discours médical* dans lequel il a insisté sur la relation entre la circulation du sang et l'air. Il a réalisé des travaux de recherches anatomiques sur les muscles, les ligaments et l'oreille interne.

Démocrite (Abdère, Thrace, v. 460 av. J.-C. - v. 370 av. J.-C.)

Ce médecin et philosophe qui s'est lié avec Hippocrate a fondé l'école d'Abdère vers 420 av. J.-C. Il a réalisé la dissection d'animaux et a entrepris un classement des médicaments

LA MÉDECINE HIPPOCRATIQUE

La fin du Ve siècle avant J.-C. est considérée comme l'âge d'or de la médecine grecque avec le développement des écoles médicales de Rhodes, de Cnide, de Crotone, d'Agrigente (Sicile) et, surtout, de celle de Cos.

L'école de Cos fondée par Hippocrate le Grand est à l'origine d'une immense œuvre médicale comprenant près de 72 livres écrits en langue ionienne.

L'école médicale de Cnide avait Chrysippe (IVe siècle av. J.-C.) pour chef de file. Cette école se différenciait de celle de Cos par son pragmatisme.

Pensée médicale

Selon Hippocrate, « les maladies ont une cause naturelle et non surnaturelle, cause que l'on peut étudier et comprendre ». Ce concept a marqué la rupture avec le divin. Hippocrate applique le mode de pensée des philosophes à la médecine. Tout dans la nature est mouvement, tout phénomène se manifeste par un changement, rien ne se perd, rien ne se crée, rien n'est immobile, rien n'est isolé. Il est possible de dégager dans la pensée hippocratique quatre grands concepts.

Les concepts de la médecine hippocratique

❏ **Premier concept : l'importance de la connaissance de l'organisme humain et de son environnement**

Selon Hippocrate, seules des bases solides et approfondies de connaissances sur la nature de l'homme, mais aussi sur son environnement vital et sur les rapports réciproques qui existaient entre l'être humain et le milieu écologique devaient permettre la compréhension des mécanismes des maladies.

❏ **Deuxième concept : la maladie était la conséquence d'une atteinte de l'ensemble du corps**

Selon Hippocrate, la maladie était considérée comme une affection de l'ensemble du corps dans laquelle il fallait prendre en compte non seulement les causes et les conséquences mais aussi les réactions de défense.

Le processus pathologique n'est donc pas la conséquence de l'atteinte d'un seul organe comme on l'envisageait jusqu'alors.

❏ **Troisième concept : la fonction vitale de l'organisme était liée à la sécrétion par l'organisme de quatre types d'humeur**

Hippocrate a énoncé le concept de la théorie des humeurs. Selon Hippocrate, la matière est divisée en 4 éléments indivisibles qui par leur composition en diverses proportions constituent l'ensemble de la nature :

– l'air ;
– la terre ;
– l'eau ;
– le feu.

Ces éléments s'assemblent de plus en fonction de leurs qualités : chaud, froid, sec, humide. Hippocrate a exposé le concept selon lequel les manifestations des maladies différaient selon l'organe qui était atteint. Cela expliquait qu'il n'existait aucun remède universel.

Selon la théorie hippocratique, le corps était constitué d'un ensemble d'éléments multiples.

L'originalité d'Hippocrate est d'avoir établi que la fonction vitale de l'organisme était liée à la sécrétion par l'organisme de quatre types d'humeur, à savoir :

– le sang élaboré au niveau du cœur ;
– le phlegme sécrété par l'hypophyse ;
– la bile jaune sécrétée par le foie ;
– la bile noire sécrétée par les petites veines.

À l'état normal, Hippocrate estimait qu'il existait un équilibre entre les sécrétions de chacune de ces substances. Tout excès de production de l'une de ces sécrétions était susceptible d'entraîner une maladie. La quantité en excès était expulsée de l'organisme.

❐ **Quatrième concept: la rupture de l'équilibre fondamental était la conséquence d'un facteur intrinsèque propre au malade, ou extrinsèque (lié à l'atmosphère ou au mode de vie, aux aliments) ou de la combinaison de ces deux types de facteurs**

Les facteurs favorisant la rupture de l'équilibre fondamental pouvaient être extrinsèques ou intrinsèques.

• Facteurs extrinsèques

Les quatre groupes d'influences extrinsèques susceptibles de rompre l'équilibre étaient :

– les saisons (*Traités des Eaux, des Lieux et des Vents*) :
- l'hiver qui était responsable d'une hyper-sécrétion de phlegme, humeur froide et humide,
- le printemps qui provoquait une hyper-sécrétion de sang, humeur chaude et humide,
- l'été qui entraînait une hyper-sécrétion de sang, humeur sèche et chaude,
- l'automne qui était responsable d'une hyper-sécrétion de bile noire, humeur sèche et froide ;

– les eaux (*Traité des Eaux, des Lieux et des Vents*) :
Elles pouvaient être responsables d'une affection pathologique selon :
- leur qualité,
- leur caractère impropre à la vie ;

– l'air (*Traité des Vents*) :
L'air était considéré comme le véhicule le plus important de la fonction vitale. Il pouvait entraîner une maladie dans trois situations :
- lorsqu'il était introduit en excès dans le corps,
- lorsqu'il était présent en trop faible quantité,
- lorsqu'il était trop dense ;

– les vents (*Traité des Eaux, des Lieux et des Vents*) :
Ils pouvaient entraîner une maladie en fonction de leur caractère :
- sec ou humide,
- chaud ou froid.

• Facteurs intrinsèques

Les trois groupes d'influences intérieures susceptibles de rompre l'équilibre étaient :

– l'âge de la vie :
- l'enfance est l'âge de l'afflux du sang chaud,
- l'adolescence est celui de la bile jaune, facteur des ardeurs et des passions,
- l'âge adulte et mûr est celui de l'atrabile conférant l'intelligence,
- la vieillesse est celui du phlegme ;

– les facteurs congénitaux ou génétiques ou constitutionnels ;

– les facteurs raciaux.

Les aspects évolutifs de la maladie selon Hippocrate

❒ Les trois phases évolutives de la maladie

Hippocrate a élaboré le concept selon lequel la maladie évoluait en trois phases successives :

– une phase d'incubation au cours de laquelle il rapportait le phénomène de «crudité croissante» des humeurs ;

– une phase critique au cours de laquelle le mal atteignait le maximum de son intensité et de sa violence. À ce moment-là, l'organisme agissait contre le trouble humoral dû au principe morbide par un phénomène appelé «la coction des humeurs» qui se manifestait par un mélange de toutes les humeurs qui s'adoucissaient les unes aux autres puis qui cuisaient toutes ensemble plus ou moins longtemps sous l'effet de la fièvre ;

– une phase de résolution au cours de laquelle les «dépôts» issus de la coction des humeurs sont évacués soit dans les urines, soit dans les matières, soit dans un endroit du corps en entraînant la formation d'abcès ou d'empyèmes.

Cette théorie permet d'offrir une vision hypothétique mais relativement réaliste du mécanisme de la fièvre et de la septicémie. Pour illustrer ses théories, Hippocrate donne quelques exemples qui reposent sur l'observation de certaines maladies :

– dans la conjonctivite, l'humeur était au début chaude et âcre puis devenait épaisse et douce ;

– dans la pneumonie, les crachats étaient au début visqueux puis devenaient jaunes et épais.

❒ Les fièvres

Hippocrate a souligné l'importance des fièvres qu'il séparait en quatre grandes entités bien établies :

– l'hermitritée survenant par deux crises tous les trois jours ;

– la phrénite, fièvre accompagnée d'un délire ;

– le léthargus, complication de la phrénite plongeant dans un état d'hébétude et de somnolence ;

– le causus, fièvre ardente, grave, d'évolution rapidement mortelle.

L'examen du malade selon Hippocrate

Selon Hippocrate, l'examen du malade comprenait une étude méthodique des symptômes de la maladie. Il s'agissait d'abord de savoir reconnaître les symptômes des maladies les plus courantes et d'autre part, de classer les maladies en fonction de leurs signes, de leurs symptômes et de leur durée.

L'examen du malade selon Hippocrate devait comprendre quatre étapes :

– la première étape reposait sur la reconnaissance des antécédents du malade que le médecin lui faisait préciser, tout en relevant les signes et les comportements du malade qu'il observait ;

– la seconde étape reposait sur la recherche des signes généraux de la maladie dont il a établi les signes les plus importants qui étaient :
- la fièvre qui entraîne la coction des humeurs,
- la dyspnée,
- les troubles digestifs,
- les troubles d'élimination ;

– la troisième étape était l'étude des signes locaux qui n'était réalisable que lorsque le malade avait eu un traumatisme en un point donné du corps ;

– la quatrième étape était l'examen méthodique du malade en s'attachant :
- au visage et aux yeux : leur aspect indiquait le degré de gravité de la maladie,
- à la position du malade dans le lit qui traduisait la degré de souffrance du malade. L'examen méthodique note la souplesse ou la raideur des articulations et des membres. Hippocrate accordait une valeur importante au rôle des mains et de leurs mouvements,
- à la respiration en notant le rythme,
- à l'examen des plaies dont « l'aspect préfigure de l'échéance de la mort »,
- à l'examen des sueurs dont la chaleur était le signe de la résolution de la maladie,
- à l'examen des hypochondres en notant le degré de dureté et de sensibilité,
- à l'état du sommeil,
- à l'examen des selles et des urines en observant la couleur,
- à l'examen des crachats et du pus.

Après cette étude, il était possible de poser le diagnostic et d'établir la gravité de la maladie.

Place du médecin en Grèce au temps d'Hippocrate

Au cours des VIᵉ et Vᵉ siècles avant J.-C., les médecins appartenaient à la classe des artisans. Il y avait les médecins de la haute société qui exerçaient leur activité parmi les gens de leur classe moyennant des honoraires. Ils se rendaient parfois au domicile de leurs patients surtout lorsqu'ils étaient aisés. Leur cabinet (*iatrion*) se trouvait souvent à proximité d'un temple d'Asclépios. Mais le plus souvent les médecins étaient itinérants et pratiquaient leur art d'une ville à l'autre, se fixant habituellement sur les marchés.

Il y avait également de nombreux guérisseurs et des charlatans. Tout le monde pouvait exercer la médecine et se parer du titre de médecin jusqu'en 300 avant J.-C.

Bases de la thérapeutique hippocratique

La conception des humeurs était à la base de la thérapeutique. Selon Hippocrate, la maladie ne pouvait être guérie que par l'élimination de l'excès de l'humeur selon deux moyens :

– par l'utilisation de médicaments capables de déplacer l'humeur et de la faire revenir à sa place d'origine ;

– par l'excision pour faire sortir l'humeur en trop.

La thérapeutique hippocratique reposait sur quatre types de procédés : le régime alimentaire, la pharmacopée, la chirurgie et des procédés physiques.

Le régime alimentaire

Hippocrate a souligné l'importance de l'hygiène vitale d'un homme sain. Il préconisait un régime adapté en fonction de l'un des deux états de la maladie :
– l'inanition justifiait une nourriture fortifiante et des boissons toniques ;
– l'inflammation imposait une diète sévère et durable car une nourriture riche et abondante augmentait l'intensité de cet état.

La pharmacopée

Elle reposait sur l'usage de deux types de substances :
– celles d'origine minérale étaient :
  - la fleur de cuivre, utilisée pour permettre la cicatrisation de l'intérieur de la bouche ou du nez, ce qui est possible mais dangereux,
  - l'alun, utilisé pour le même emploi ou pour guérir un ulcère,
  - le nitre, parfois aussi utilisé de même que l'argent ou l'or ;
– celles d'origine végétale étaient plus variées : il s'agissait essentiellement de l'orge, du concombre, des lentilles, de la grenade, de la courge, du chou, de l'oignon, de la centaurée, de l'euphorbe, de l'ail, de l'origan, du miel, du raisin, du vin ou du lait.

L'orge était utilisée en cas de fièvre ou de diarrhée. Pour empêcher l'infection, on appliquait du raisin ou du miel sur la plaie. Cependant, la pharmacopée n'était pas toujours utilisée autant qu'elle pouvait l'être.

La chirurgie

Les interventions chirurgicales étaient nombreuses. Il y avait des excisions de tumeurs, des incisions de la luette en cas d'inflammation, des excisions d'hémorroïdes ou de fistules anales, des incisions de paupières en cas d'inflammation.

Il semble que les Grecs aient utilisé la mandragore et le pavot pour anesthésier les patients et pour soulager les douleurs. Le *Corpus Hippocraticum* comportait peu de chapitres relatifs à la chirurgie. Il y a six traités consacrés respectivement aux articulations, aux fractures ou Mochlique, aux plaies de la tête, aux plaies en général, aux hémorroïdes et aux fistules.

Certains instruments ont été décrits dans *l'Office du médecin*, ou dans les *Traités chirurgicaux* (tels le fameux banc, l'échelle à succussion, attelles et bandages), d'autres ont été retrouvés dans les sanctuaires, notamment à Épidaure.

Les procédés physiques

Hippocrate préconisait l'utilisation :
– de bains (chauds et froids) ;
– de compresses et d'embrocations (maladie des poumons) ;
– de saignées.

Les principes thérapeutiques de l'école hippocratique variaient en fonction du type de maladie :

– en cas de maladies aiguës, comme les fièvres, le traitement reposait essentiellement sur le régime alimentaire avec une décoction d'orge suivie d'une diète sévère. Compresses et saignées sont parfois plus utiles ;

– en cas de maladies chroniques, le traitement reposait sur l'administration de substances chimiques qui tenaient lieu de médicaments, mais toujours associées à un régime alimentaire, auquel pouvaient s'associer des bains.

Hippocrate
(460 avant J.-C. - 377 avant J.-C.)

Né en 460 avant J.-C. dans l'île de Cos, Hippocrate a suivi d'abord une éducation complète (logique, philosophie, physique, géométrie, astronomie…). Son grand père, Hippocrate l'ancien puis son père Héraclidès, à la fois médecin et diététicien lui ont enseigné la médecine. Il a suivi les enseignements médicaux de Démocrite, d'Hérodicus de Sélymbir et de Gorgias. Hippocrate est parti sur le continent comme médecin itinérant (périodeute) pour approfondir ses connaissances. À partir de 443 avant J.-C., il a réalisé un grand voyage d'étude en Égypte, en Syrie, en Italie, en Sicile. Vers 440 avant J.-C., il a fondé son école à Cos où il a eu pour élèves ses deux fils, Thessalus et Dracon et son futur gendre Polybe. Le génie d'Hippocrate a été de faire la synthèse de toutes les connaissances médicales

Fig. 5.2. *Hippocrate. Van der Linden, 1665* (BIUM).

LE SERMENT D'HIPPOCRATE

Le serment d'Hippocrate que prêtent les étudiants en médecine lors de la soutenance de leur thèse régit les règles de la confraternité entre médecins, l'égalité des hommes devant la maladie, la défense de la vie avant tout et le respect du secret médical.

Version antique

« Je jure par Apollon médecin, par Esculape, par Hygie et Panacée, par tous les dieux et toutes les déesses, les prenant à témoin que je remplirai suivant mes forces et ma capacité le serment, l'engagement suivant. Je mettrai mon maître de médecine au même rang que les auteurs de mes jours, je partagerai avec lui mon avoir, et le cas échéant, je pourvoirai à ses besoins, je tiendrai ses enfants pour des frères et s'ils désirent apprendre la médecine, je la leur enseignerai sans salaire ni engagement. Je ferai part des préceptes, des leçons orales et du reste de l'enseignement à mes fils, à ceux de mon maître, et aux disciples liés par un engagement et un serment suivant la loi médicale mais à nul autre. Je dirigerai le régime des malades à leur avantage, suivant mes forces et mon jugement, et je m'abstiendrai de tout mal et de toute injustice. Je ne remettrai à personne du poison si on m'en demande, ni ne prendrai l'initiative d'une pareille suggestion, semblablement, je ne remettrai à aucune femme un pessaire abortif. Je passerai ma vie et j'exercerai mon art dans l'innocence et la pureté. Je ne pratiquerai pas l'opération de la taille, je la laisserai aux gens qui s'en occupent. Dans quelque maison que j'entre, j'y entrerai pour l'utilité des malades, me préservant de tout méfait volontaire et corrupteur et surtout de la séduction des femmes et des garçons, libres ou esclaves. Quoique je voie ou entende dans la société pendant l'exercice ou même hors de l'exercice de ma profession, je tairai ce qui n'a jamais besoin d'être divulgué, regardant la discrétion comme un devoir en pareil cas. Si je remplis ce serment sans l'enfreindre, qu'il me soit donné de jouir heureusement de la vie et de ma profession, honoré à jamais parmi les hommes. Si je le viole et que je me parjure, puis-je avoir un sort contraire. »

Version actuelle

« Je promets et je jure d'être fidèle aux lois de l'honneur et de la probité dans l'exercice de la Médecine. Je donnerai mes soins gratuits à l'indigent et n'exigerai jamais un salaire au-dessus de mon travail. Admis dans l'intérieur des maisons, mes yeux ne verront pas ce qui s'y passe, ma langue taira les secrets qui me seront confiés, et mon état ne servira pas à corrompre les mœurs ni à favoriser le crime. Respectueux et reconnaissant envers mes Maîtres, je rendrai à leurs enfants l'instruction que j'ai reçue de leurs pères. Que les hommes m'accordent leur estime si je suis fidèle à mes promesses ! Que je sois couvert d'opprobre et méprisé de mes confrères si j'y manque. »

antérieures. L'œuvre d'Hippocrate est immense et comporte près de soixante traités qui portent sur les épidémies, les songes, les pronostics, les aphorismes, le serment, les bienséances. Hippocrate a été le premier médecin à souligner l'intérêt majeur de l'interrogatoire et de l'examen du malade. Il a fixé les règles de la chirurgie (traitement des plaies et des fractures), de l'utilisation des cautères, des saignées, des purgatifs et des vomitifs. Il a élaboré le concept des quatre éléments fondamentaux entrant dans la composition du corps humain (le feu, l'eau, la terre et l'air) dans lequel s'intégraient quatre caractères (le chaud, le froid, le sec et l'humide) et quatre humeurs (le sang, la lymphe ou phlegme, la bile jaune et la bile noire ou l'atrabile). Le *Corpus Hippocratum* comporte les aphorismes édictant des principes généraux. Ces aphorismes ont été appris par cœur et déclamés par les médecins jusqu'au dix-huitième siècle.

GRANDE ÉPIDÉMIE : LA PESTE D'ATHÈNES

Cette épidémie est connue grâce au récit établi par l'historien Thucydide au moment de la guerre du Péloponnèse qui opposait Sparte et Athènes. Aux environs de 430-429 avant J.-C., Thucydide a rapporté les points suivants : «Athènes se vit frappée brusquement, et ce fut d'abord au Pirée que les gens furent touchés ; ils prétendirent même que les Péloponnésiens avaient empoisonné les puits… Puis le mal atteignit la ville haute, et, dès lors le nombre des morts fut beaucoup plus grand». Thucydide a expliqué la séquence des symptômes : «en général, rien ne lui fournissait de point de départ ; elle vous prenait soudainement, en pleine santé. On avait tout d'abord de fortes sensations de chaud de la tête ; les yeux étaient rouges et enflammés ; le pharynx et la langue étaient à vif, le souffle sortait, irrégulier et fétide. Puis survenaient, à la suite de ces premiers symptômes, l'éternuement et l'enrouement ; alors en peu de temps le mal descendait sur la poitrine, accompagnée d'une forte toux. Lorsqu'il se fixait sur le cœur, celui-ci en était retourné ; et il survenait des évacuations de bile, sous toutes les formes…». Il a précisé que le corps était «semé de petites phlyctènes et d'ulcérations». Il est difficile d'établir rétrospectivement le diagnostic de cette affection. S'agissait t-il d'une épidémie de peste ou de typhus exanthématique?

LES SECTES MÉDICALES ET L'ÉCOLE D'ALEXANDRIE

Les sectes médicales

Après la mort d'Hippocrate en 377 avant J.-C., on a assisté à un éclatement des groupes de praticiens et des professeurs en une multitude d'écoles et de sectes médicales rivales.

Le dogmatisme

Cette première école dogmatiste appelée aussi «école hippocratique» a été fondée par les fils d'Hippocrate Thessalos et Dracon et par son gendre Polybe qui prétendaient rester fidèles aux dogmes émis par l'école de Cos. Ils soutenaient l'idée selon laquelle le raisonnement supplantait l'observation. Cette école avait pour caractère essentiel de reposer sur la physique de Platon (428-348 avant J.-C.) et sa théorie du *pneuma*. Platon admettait les quatre éléments composants universels, en revanche il attribuait un rôle majeur au *pneuma* dans le fonctionnement de l'organisme. Il estimait que le *pneuma* pénétrait dans le corps humain par des voies définies depuis la bouche et les poumons puis était véhiculé jusqu'au cœur qui le distribuait à tout le corps où il présidait à la vie, à l'équilibre des fonctions, aux mouvements de la pensée. La thérapeutique des adeptes de cette secte reposait sur des mesures rigides telles que la pratique de purgations et de saignées importantes.

Les membres les plus importants de cette école étaient :

– Praxagoras de Cos (340 avant J.-C.-?) qui a souligné le rôle du pouls et a démontré qu'il était modifié en cas de maladie. Son erreur a été de penser que les artères et les veines contenaient de l'air ;

– Dioclès de Caryste (IVᵉ siècle avant J.-C.) qui a écrit de nombreux traités d'embryologie, d'anatomie, de diététique et de thérapeutique. Il a souligné le fait que la fièvre était avant tout un symptôme et non une maladie et il a établi la distinction entre la pleurésie et la pneumonie ;

– Aristote (Stagire, Macédoine, 384-Chalcis, île d'Eubée, 322 av. J.-C.), fils de médecin qui a été le précepteur d'Alexandre le Grand. Il a fondé l'école ou secte péripatéticienne (l'école de «ceux qui se promènent») à Athènes. Aristote a transposé à l'homme les découvertes anatomiques qu'il avait pu observer à l'occasion de dissections d'animaux en particulier de singes. Il a été le premier à considérer l'anatomie humaine comme une science fondamentale. Selon Aristote, le cœur était non seulement l'organe central de la circulation, mais aussi le siège de l'âme et de la pensée. Il a décrit en embryologie le punctum saliens, autrement dit le premier signe de l'embryon et la formation du cœur et des grands vaisseaux sanguins ;

– Théophraste (372-285 avant J.-C.), disciple d'Aristote qui a essayé d'expliquer les différents symptômes comme la perte de connaissance, le vertige et la transpiration

L'empirisme

L'école empirique qui est apparue au cours du IIIᵉ siècle avant J.-C. s'opposait à l'école dogmatique. Les adeptes de cette doctrine refusaient de s'encombrer avec les concepts philosophiques. Ils souhaitaient s'intéresser plus aux traitements médicaux qu'aux causes des maladies. Toutefois les dogmatistes refusaient d'admettre les acquisitions récentes de la jeune science médicale, et en particulier celles qui touchaient les connaissances anatomiques.

La détermination de la cause des maladies selon les empiristes reposait sur trois principes fondamentaux :

– l'observation et les données de l'autopsie ;

– les observations disponibles ;

– le principe d'analogie.

L'école médicale d'Alexandrie

Alexandrie, dirigée par la dynastie des Ptolémées, est devenue à partir du IVᵉ siècle av. J.-C. le carrefour de la pensée médicale. Dans cette ville prospère pour sa célèbre bibliothèque, on a assisté à l'affrontement des adeptes des différentes sectes médicales. Grâce au libéralisme dont faisait preuve Ptolémée Iᵉʳ Sôtêr, l'anatomie a bénéficié d'un essor important grâce à la tolérance de la pratique de dissections.

Deux anatomistes ont contribué au rayonnement de la pensée médicale de l'école de médecine d'Alexandrie :

– Érasistrate de Céos (v. 300-v. 240 av. J.-C.), qui a réalisé l'étude anatomo-physiologique du système nerveux. Il a différencié les nerfs moteurs des nerfs sensitifs et a souligné l'importance du cervelet et du bulbe ;

– Hérophile de Chalcédoine (v. 335-v. 280 av. J.-C.) qui a écrit un ouvrage d'anatomie à partir des dissections qu'il a réalisées. Il a étudié le système nerveux, les méninges et le cerveau et il a différencié les artères des veines.

Ces deux anatomistes ont fait faire à leur discipline des progrès considérables. Malheureusement, ils furent peu entendus de leurs confrères, peu confiants envers l'anatomie.

Les découvertes anatomiques et physiologiques de ces deux grands anatomistes n'ont pas bouleversé la pratique médicale, qui a continué à obéir scrupuleusement aux théories d'Aristote.

POUR EN SAVOIR PLUS

AYACHE L. – *Hippocrate.* PUF, Paris, 1992.

COLLOQUE FRANCO HELLÉNIQUE D'HISTOIRE DE LA MÉDECINE – Hippocrate et son héritage. Fondation Marcel-Mérieux, Lyon, 9-12 oct. 1985/Association France-Grèce. Fondation Marcel-Mérieux, Lyon, 1986.

CORVISIER J.-N. – *Santé et société en Grèce ancienne.* Préface. de Jacques Dupâquier. Economica, Paris, 1985.

GOUREVITCH D. – *Le triangle hippocratique dans le monde gréco-romain: le malade, sa maladie et son médecin.* École française de Rome, Rome, 1984.

GRMEK M. – *Les maladies à l'aube de la civilisation occidentale: recherches sur la réalité pathologique dans le monde grec préhistorique, archaïque et classique.* Payot, Paris, 1983.

GRMEK M., GOUREVITCH D. – *Les maladies dans l'art antique.* Fayard, Paris, 1998.

HIPPOCRATE DE COS – *De l'art médical.* Traduction d'E. Littré, textes présentés, commentés et annotés par D. Gourevitch, introduction par D. Gourevitch, M. Grmek et P. Pellegrin. Librairie générale française, Paris, 1994.

JOUANNA J. – *Hippocrate.* Fayard, Paris, 1992.

LONGRIGG J. – *Greek medecine: from the heroic to the hellenistic age: a source book.* Duckworth, London, 1998.

PETIT F. – *L'hydrothérapie en Grèce au temps d'Hippocrate et son évolution dans l'histoire de la médecine.* Bordeaux, 1996.

RUBIN PINAULT J. – *Hippocratic lives and legends.* E.J. Brill, Leiden, New-York, 1992.

6 | MÉDECINE ROMAINE

DATES CLÉS

295 avant J.-C. : le culte d'Asclépios (Esculape en latin) est introduit à Rome
219 avant J.-C. : installation d'Archagatus de Sparte à Rome à la demande des autorités
vers 50 avant J.-C. : fondation par Thémisson de Laodicée du concept méthodiste
46 avant J.-C. : César établit le Droit de Cité pour les médecins
91 après J.-C. : Asclépiade de Bithynie arrive à Rome
129 après J.-C. : naissance de Claude Galien
165 après J.-C. : la peste antonine sévit à Rome
400 après J.-C. : le premier hôpital, le nosoconium, est construit

FAITS ESSENTIELS

À partir de la deuxième moitié du IIe siècle avant J.-C., un grand nombre de médecins grecs comme Asclépiade, Thessalos d'Éphèse ou Soranos d'Éphèse se sont rendus à Rome qui constituait la principale puissance du monde méditerranéen pour exercer la médecine. La profession médicale jugée indigne des gens cultivés était laissée aux soins des barbiers ou des esclaves. Au premier siècle de notre ère, Celse a écrit le premier ouvrage complet sur la médecine. Il a classé les maladies en trois catégories : celles guéries par un simple régime, celles guéries par des médicaments et celles nécessitant un geste chirurgical.

Classiquement, on considère qu'il y a eu deux périodes successives dans la médecine romaine :

– la première période au cours des Ier et IIe siècles de notre ère où un certain nombre d'érudits se sont distingués par la qualité de leurs travaux médicaux :

- Dioscoride dans le domaine de la pharmacologie,
- Arétée de Cappadoce en pneumologie et en physiopathologie,
- Rufus d'Éphèse et ses travaux sur la peste et la lèpre,
- Soranus d'Éphèse en gynécologie-obstétrique et en pédiatrie,
- Celse, auteur d'un traité célèbre *De re Medica* ;

– la deuxième période qui a été marquée par les travaux de Galien.

CONTEXTE HISTORIQUE

Selon la tradition, Rome a été fondée en 753 avant J.-C. à la suite de l'union de villages installés sur sept collines au bord du Tibre. Rome a d'abord été gouvernée par des rois. Puis à partir de 509 avant J.-C., elle est devenue une république avec une classe dirigeante : les praticiens. Cet état à l'origine limité à la petite cité de Rome s'est progressivement étendu à partir du IIIᵉ siècle avant J.-C. à l'Italie puis à l'ensemble du bassin méditerranéen et à une partie de l'Europe. Les conquêtes ont contribué à l'enrichissement des Romains. En 45 après J.-C., Jules César s'est fait nommer dictateur à vie. L'apogée de l'Empire romain a eu lieu au IIᵉ siècle après J.-C. avec l'instauration sur un territoire étendu par un Empereur doté de tous les pouvoirs de la « Pax Romana » (paix romaine).

Le déclin de l'empire romain débute au IIIᵉ siècle et sa disparition date traditionnellement de la déposition de Romulus Augustule par le chef barbare Odoacre, en 476.

PENSÉE MÉDICALE

La pensée médicale de la médecine romaine a évolué au cours de trois périodes successives : la médecine divinatoire, la médecine des médecins des sectes médicales, la médecine galénique.

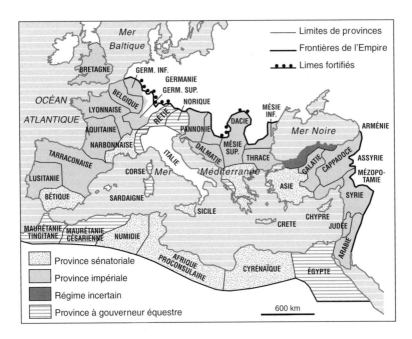

Fig. 6.1. *L'empire romain.*

La médecine divinatoire

Pline a bien résumé l'état d'esprit de cette première période au Ier siècle après J.-C. Pendant plus de 600 ans, ce qui a fait défaut au peuple romain, ce sont les médecins et non l'art de la médecine. La pratique médicale des Étrustes reposait sur la divination après examen des viscères d'animaux. À partir de 295 avant J.-C., le culte d'Asclépios (Esculape en latin) a été introduit à Rome. Selon la légende, il se serait rendu en bateau à Rome depuis le temple d'Épidaure sous la forme d'un serpent. Ils vénéraient des dieux chargés de les protéger des maladies, dont Hygie qui était la maîtresse suprême de la santé humaine.

La médecine des médecins des sectes médicales

Au cours de leurs conquêtes, les romains ont côtoyé les Grecs qui étaient plus cultivés et plus raffinés qu'eux. Ils ont rapidement apprécié leurs qualités et ont progressivement fait appel à Rome aux philosophes, aux artistes, aux rhéteurs, aux grammairiens mais aussi aux médecins.

Archagatus de Sparte a été le premier médecin grec à venir s'installer à Rome à la demande des autorités en 219 avant J.-C. dans une boutique offerte par l'État au carrefour Acilius.

Après la conquête de la Grèce en 146 avant J.-C., il y a eu l'arrivée d'un grand nombre de médecins de l'école d'Alexandrie à Rome.

Dans les siècles qui ont suivi, il n'y a eu aucun grand médecin romain, et les grandes figures de la médecine romaine étaient toutes d'origine grecque. Ces derniers se sont affrontés à Rome dans des sectes médicales rivales avec principalement les atomistes, les méthodistes, les pneumatistes, les éclectistes.

Les atomistes

Dirigés par Asclépiade de Bithynie (124-70), les atomistes rejetaient formellement la doctrine d'Hippocrate avec sa théorie des quatre éléments et considéraient que l'organisme humain était constitué d'un ensemble d'«atomes» en perpétuel mouvement qui s'échangeaient à travers des «pores». Selon Asclépiade, la fièvre, l'inflammation ou les douleurs étaient la conséquence d'une mauvaise disposition de ces atomes.

Les méthodistes

Le concept des méthodistes a été fondé vers 50 avant J.-C. par Thémisson de Laodicée (123-43 avant J.-C.). Ce concept dérivait de la philosophie épicurienne. Il estimait que le monde était formé d'une infinité d'atomes infiniment petits qui s'unissaient au hasard, sans l'intervention de la Raison. Les méthodiques rejetaient le caractère sacré des événements et avaient un système explicatif des maladies. Les méthodistes rejetaient la théorie des quatre humeurs et estimaient que dans l'organisme humain, tous les solides étaient dotés d'une propriété de contractilité ou tonus. L'excès de ce tonus ou strictum était responsable de l'apoplexie tandis que l'atonie ou laxum entraînait le choléra, les hémorroïdes… Selon cette doctrine les affections broncho-pulmonaires telles que les pneumonies et les pleurésies étaient la conséquence du mixum qui était la succession du strictum et du laxum.

Les principaux représentants de cette secte étaient :

– Soranus d'Éphèse (Iᵉʳ siècle), qui a établi les fondements de la gynécologie et de l'obstétrique ;
– Thessalos de Tralles (Iᵉʳ siècle), qui s'est installé à Rome sous le règne de Néron.

Les pneumatistes

La doctrine des pneumatistes a été fondée par Athénée d'Athalie (10 avant J.-C.-54 après J.-C.). Elle reposait sur les principes de la pensée fondamentale de la philosophie stoïcienne. Les stoïciens étendaient la doctrine du pneuma à tous les objets animés ou inanimés : «chaque corps a en lui un souffle, le pneuma dont la tension agit sur toutes les parties, assurant les densités différentes de la matière». Selon les pneumatistes, le pneuma était «l'air extérieur attiré par le larynx, l'œsophage et les pores jusqu'au cœur, et qui dans le cœur, devient le souffle psychique qui règle, tend et soutient toutes les parties du corps, assure leur croissance et leur harmonie, préside aux mouvements de la pensée, des sentiments, des sensations et des désirs».

Pour les pneumatistes, à chaque organe des sens correspondait un pneuma spécial : celui de l'œil était fin, celui de l'oreille était sec tandis que celui du sang était vaporeux et humide.

Lorsque le pneuma s'accumulait dans un organe, il se produisait des désordres sérieux :

– dans l'intestin, il entraînait la constipation ;
– dans l'utérus, il était responsable de l'hystérie ;
– dans l'organisme tout entier, il entraînait l'épilepsie.

Si le *pneuma* tournait comme un lion en cage, le vertige se manifestait.

La santé parfaite dépendait du *pneuma* et de son tonus reconnaissable au pouls. La force du pouls était «l'indice d'une force vitale activement agissante».

Les éclectistes

La doctrine des éclectistes élaborée par Archigène d'Apamée (Iᵉʳ siècle) dérivait du pneumatisme. Les éclectistes partaient du principe que les maladies étaient non seulement la conséquence de causes évidentes, mais aussi de toute une série de facteurs cachés. L'éclectisme reposait sur le concept que toute vérité médicale reposait sur l'expérience.

La médecine galénique

Elle a été marquée par la personnalité de Claude Galien qui est considéré avec Hippocrate comme le plus grand médecin de l'Antiquité. Il a exercé une influence majeure sur la médecine pendant presque 1 500 ans.

PLACE DU MÉDECIN DANS LA SOCIÉTÉ ROMAINE

Les Romains de classe supérieure qui éprouvaient un véritable dédain pour les travaux manuels considéraient que l'exercice de la médecine était indigne des gens cultivés.

Au début, les médecins grecs qui étaient souvent des esclaves limitaient leur exercice médical aux autres esclaves et aux gladiateurs. Parmi les médecins, il y avait un certain nombre d'incompétents comme le soulignait Pline : « ceux qui pratiquent la médecine sans parler le grec n'ont que peu d'autorité, même auprès de ceux à qui cette langue est inconnue ou peu familière ».

Leur statut relativement bas dans l'échelle sociale s'est progressivement amélioré au fur et à mesure que les soins médicaux ont été étendus à l'ensemble de la population. Puis ils ont bénéficié d'un certain nombre de privilèges avec la consolidation de leur reconnaissance :

– ils ont été les seuls étrangers à ne pas faire l'objet d'une mesure d'expulsion par Jules César en 46 avant J.-C. ;

– ils ont été exemptés d'impôts par Auguste après la guérison de ses rhumatismes ;

– ils ont été dispensés des obligations militaires par Hadrien.

EXERCICE DE LA MÉDECINE

Trois catégories de médecins exerçaient à Rome :

– les médecins qui avaient un exercice libéral dans les cités ;

– les archiatres ;

– les médecins militaires.

Les médecins libéraux

Les consultations de ces médecins se déroulaient dans les officines médicales ou iatreia qui se sont appelées par la suite medicatrina. Le matériel médical comprenait des instruments de petite chirurgie, des linges, des éponges, des bancs et des sièges.

Les médicaments étaient fournis par le rhizotome qui allait couper les racines, les plantes, puis les vendait au pharmacopole. Le médecin les lui achetait et réalisait lui-même les préparations qu'il vendait lui-même aux malades.

Le médecin se rendait au domicile de ses patients accompagné parfois par un aide, esclave ou non. Des trousses de visite ont été retrouvées, il s'agissait de coffrets de métal parfois ornés d'un caducée. Les médecins avaient la possibilité de citer devant le juge ceux qui refusaient de payer leurs honoraires.

Les archiatres

Il s'agissait de médecins qui dépendaient du gouvernement. Ils bénéficiaient du privilège de ne pas être obligés de loger les troupes et de ne pas être soumis à l'impôt, même en temps de guerre. Il y avait plusieurs catégories d'archiatres : les archiatres palatins, les archiatres populaires, les médecins des Portiques, les médecins des Vestales.

Les archiatres palatins

Les archiatres palatins dépendaient directement du palais et de l'Empereur. Leurs honoraires étaient proportionnels à leur réputation. Le premier à porter ce titre a été Andromaque sous le règne de Néron. Par la suite, le nombre d'archiatres palatins exerçant au palais impérial s'est accru. L'un d'entre eux qui portait le titre de « Maître des médecins » et était élu par ses collègues était chargé de s'occuper spécialement de l'Empereur.

Les archiatres populaires

Les archiatres populaires étaient installés dans les différentes villes. Ils étaient élus par les municipes. Leur nombre était fonction de la population des cités de l'Empire : dix pour les grandes villes, sept pour les villes de second ordre, cinq pour les plus petites. Les archiatres populaires étaient chargés de former des élèves et de soigner les indigents.

Les médecins des Portiques

Les médecins des Portiques veillaient à l'entraînement, à l'hygiène et à la santé des gymnastes.

Les médecins des Vestales

Les médecins des Vestales s'occupaient des personnes sacrées.

Les médecins militaires

Les médecins militaires sont apparus sous le règne d'Auguste. Ils avaient le rang de sous-officier (principal) car ils ne prenaient pas de commandement.

Ils portaient plusieurs titres : *medicus cohortes*, *medicus castrensis*, *medicus duplicarus*, *medicus ordinarus* et même m*edicus veterinarus* chargé de s'occuper des chevaux militaires.

Les médecin militaires avaient plusieurs rôles :

– ils surveillaient l'incorporation des jeunes recrues, et ils éliminait les inaptes au service. Ils donnaient le motif de l'exemption (*vacatio militiae*) : infirmité (*vitium*) ou maladie (*morbus*) ;

– ils réalisaient la consultation du congé définitif (*honesta missia*) qui avait lieu après vingt ans de service pour les fantassins, et dix pour les cavaliers ;

– ils avaient également un rôle d'hygiéniste. Ils donnaient leur avis sur l'emplacement du camp, ils étaient chargés de l'évacuation des eaux usées, de l'incinération des ordures, de l'approvisionnement en eau et de la surveillance de la ration alimentaire des troupes.

– Ils étaient chargé de donner des soins sur le champ de bataille. Le médecin savait ligaturer les artères : « si l'hémorragie résiste, il faut saisir les vaisseaux qui fournissent le sang, les lier en deux endroits autour de la plaie, et les couper dans l'intervalle afin qu'ils se rétractent tout en ayant leurs orifices fermés. Quand les circonstances ne comportent pas cette opération, on peut les cautériser avec un fer rouge».

Le plus célèbre des médecins militaires a été Dioscoride d'Anazarba qui a participé à des campagnes avec la légion romaine et qui a rédigé le célèbre *De materia medica* dans lequel il a consigné les propriétés médicales des plantes.

ENSEIGNEMENT DE LA MÉDECINE

Au début de l'Empire Romain, toute personne qui s'exprimait en grec, et qui était un tant soi peu habile avait la possibilité de se déclarer médecin.

Progressivement il s'est établi un enseignement magistral privé autour des médecins réputés. L'organisation des études, leurs moyens et la durée de l'apprentissage ne faisaient pas l'objet d'un consensus : Galien soutenait qu'il fallait onze ans pour former un médecin tandis que Thessalos de Tralles prétendait que six mois suffisaient.

En 46 avant J.-C, César a établi le droit de Cité pour les médecins, donnant à cette occasion à l'exercice de la médecine une dignité nouvelle.

L'organisation des études médicales constituait alors une nécessité pour éviter l'installation de pseudo-médecins attirés par le gain facile.

Le médecin qui avait suivi son cycle d'études médicales était appelé *medicus a republica*.

Des écoles de médecine ont été fondées dans un certain nombre de cités de l'empire Romain : Athènes, Alexandrie, Marseille, Lyon, Saragosse.

La véritable organisation des études a débuté au début du IIIᵉ siècle lorsque l'empereur Alexandre Severe (222-235) a accordé des locaux spéciaux pour l'enseignement de la médecine. Cet enseignement comportait une étude de l'anatomie animale, de la botanique médicale et des blessures.

Valentinien a établi un règlement extrêmement sévère dans les écoles de médecine. Les étudiants étaient surveillés et ceux qui faisaient preuve de laxisme à leurs leçons étaient frappés ou expulsés (*publices verberibus affectus statimque navigio superpositus, abricietur urbe*).

Julien a promulgué une loi imposant l'obligation d'être approuvé par un collège de médecins pour exercer la médecine. La patente de médecin n'était accordée qu'après l'approbation du meilleur des médecins.

INNOVATIONS MÉDICALES

L'apport de la médecine romaine peut se résumer, en dehors d'une compilation importante des connaissances des textes médicaux élaborés par les Grecs, à deux innovations.

L'apport le plus important de la médecine romaine est une contribution majeure au développement de l'hygiène publique. Les Romains ont été les premiers à préconiser des mesures de salubrité collectives perfectionnées lorsqu'ils construisaient des édifices, des cités et des citadelles. Ils ont perfectionné le système d'alimentation en eau au moyen de viaducs et de distribution par les fontaines publiques. Ils ont édifié des égouts pour évacuer les eaux usées en dehors des cités.

Une autre innovation réside dans la naissance des « infirmières ». Le début du christianisme a marqué le début des soins organisés. Cette activité était perçue comme un acte de charité, de vocation et de dévotion envers son prochain. Les veuves, les matrones ou les femmes célibataires de haut statut social participaient à cette activité. Phœbe, l'impératrice Héléna, Olympia et Fabiola sont considérées comme les premières infirmières.

THÉRAPEUTIQUES DISPONIBLES

La prescription médicale faisait suite à un examen clinique rudimentaire avec une palpation du pouls et un mirage des urines.

La thériaque

La thériaque était une substance composée de plus de 60 substances.

La formule de la thériaque a été établie par Andromachus l'Ancien, médecin de Néron, et mise en vers élégiaques par Andromachus le Jeune. La thériaque était considérée comme l'antidote idéal à administrer en cas d'affection ou d'état morbide déterminé.

La thériaque est devenue bientôt une panacée conseillée avec succès dans les céphalées, les vertiges, les diminutions de l'acuité visuelle, les délires, les cauchemars, l'épilepsie, l'asthme, les hémoptysies, l'anorexie, les vers plats, les lombrics, les calculs, les ictères, les métrorragies, les fièvres, la mélancolie, la peste.

La thériaque était également conseillée à titre préventif : son usage quotidien rend l'organisme réfractaire à l'action de tous les poisons. Marc Aurèle et Néron avaient l'habitude de prendre une petite dose par jour.

L'eau

Les Romains ont joué un rôle important dans le thermalisme. Les eaux étaient utilisées en boisson, en bain, en douche générale ou locale. Plus tard, on emploiera les boues végéto-minérales en application locale ou en bain.

À la lecture de Sénèque, Paul d'Egine, Galien attribuent des vertus au différentes eaux :

– les eaux alcalines pour ceux qui souffraient de l'estomac ;

– les eaux sulfureuses indiquées dans les maladies de peau, les algies diverses et les rhumatismes ;

– les eaux cuivreuses employées contre les affections des muqueuses et tout spécialement celles de la bouche et des yeux ;
– les eaux salines recommandées en bain aux « lymphatiques » et aux femmes atteintes de dysménorrhée.

La saignée

La médication la plus employée de son temps était la saignée, cela en soulignait l'utilisation abusive : « tirer du sang par l'ouverture d'une veine n'est pas chose nouvelle ; mais ce qui est nouveau, c'est de recourir à la saignée dans presque toutes les maladies ».

Il était favorable à la saignée surtout en cas d'inflammation, de « fièvre aiguë », quelquefois en cas d'hémorragie (pour dériver le cours du sang).

Galien employait aussi la saignée : « Il saigne surtout au commencement de la maladie, et quand le pouls est vigoureux ; il tient compte de l'état des forces, ne saigne jamais avant quatorze ans. Il ouvre surtout les veines du bras, quelquefois la jugulaire et les saphènes, et même les artères. Son but est de diminuer la pléthore et de faire diversion ou révulsion du sang.

HOSPITALISATION

À l'époque romaine, au cours des premiers siècles de l'Église, il y a eu la multiplication des asiles pour voyageurs, hostelleries pour pèlerins, hospices pour vieillards ou maisons charitables.

En 400, le premier hôpital, le nosoconium, a été construit puis il a été fondé des xenodochium qui constituaient des lieux d'accueil pour les infirmes ou les pauvres.

MÉDECINS CÉLÈBRES

Asclépiade de Bithynie (124-40 av J.-C.)

Celui qui a été baptisé à son époque le prince des médecins avait pour souhait de rénover la médecine : « la médecine des Anciens n'est autre chose qu'une méditation ou une étude sur la mort ». Il concevait le corps humain comme un agrégat d'atomes en mouvement perpétuel. Il préconisait cinq moyens pour traiter ses patients qu'il nommait moyens généraux : la diète, l'abstinence, les frictions, les promenades à pied ou à cheval. Il interdisait l'usage des vomitifs, des purgatifs et de toute thérapeutique agressive. Sa devise était « *cito, tute et jucunde* » (rapide, sans danger et agréable). Il a réalisé des trachéotomies.

Themison de Laodicee (123-43 av J.-C.)

Ce disciple d'Asclépiade a différencié les maladies en deux groupes : celles qui résultaient d'un état de tension des pores (status strictus), et celles qui étaient la conséquence d'un état de relâchement (*status laxus*). Il estimait que s'il y avait rougeur, chaleur, congestion et une soif ardente, il y avait *status strictus*. Si le sujet était pâle et son pouls faible, il y avait *status laxus*. L'objectif de sa thérapeutique consistait à relâcher ce qui était resserré, et inversement.

Les maladies aiguës résultaient d'un *status strictus* et relevaient d'un traitement antiphlogistique et répulsif.

Les maladies chroniques résultaient d'un *status laxus* et bénéficiaient d'un traitement tonique à base de vin et d'eau froide.

Antonius Musa (Ier siècle av J.-C.)

Cet ancien esclave disciple d'Asclépiade a accédé à la notoriété en guérissant l'empereur Auguste en 23 avant J.-C. qui souffrait d'une «violente hépatite» avec des bains froids et la prise d'eau glacée associés à une cure de légumes verts et de salades. Reconnaissant d'avoir pu être guéri, Auguste a couvert son médecin de gloire et de richesses.

On attribue aussi à Musa d'avoir introduit en médecine l'emploi de la chair de vipère, de la laitue et de la chicorée.

Soranus d'Éphèse (Ier siècle)

Ce disciple de l'école méthodiste a écrit une trentaine d'ouvrages médicaux.

Il a traité de l'âme, il a différencié les maladies aiguës et chroniques, puis il a étudié la théorie des pores, la fièvre, les remèdes et les cures, les pansements, l'hygiène et la diététique, la préparation des médicaments, les fractures et les luxations.

Soranus faisait preuve d'un grand sens clinique en employant notamment la palpation et la percussion qui seront abandonnées par la suite.

Son œuvre la plus remarquable était le traité *Des Maladies des femmes*.

Soranus est considéré comme le véritable fondateur de l'obstétrique : il conseillait l'usage du toucher vaginal pour s'assurer de la présentation de l'enfant.

Soranus émettait des idées d'éthique et déclarait préférer la vie de la femme à l'enfant. Après délivrance, il conseillait une double ligature du cordon «par lequel s'opérait la nutrition de l'enfant». Il demandait de ne pas omettre de nettoyer la bouche et les yeux du nouveau-né.

Rufus d'Éphèse (Ier-IIe siècles)

Rufus d'Éphèse est l'auteur *Des maladies de la vessie et des reins*, *Du nom qu'ont reçu les diverses parties du corps*, *De la goutte*. Il a été le premier à décrire le chiasma des nerfs optiques. Il a différencié les nerfs moteurs des nerfs «chargés de sensation». Il a disséqué surtout des singes et a toujours regretté de ne pas pouvoir disséquer des cadavres.

Son ouvrage *De l'interrogatoire* constitue un véritable traité de sémiologie. Il a montré la façon de procéder à l'examen des malades pour arriver à un diagnostic précis : «il faut poser des questions aux malades, car, grâce à des questions, on connaîtra plus exactement quelques-unes des choses qui concernent la maladie, et on la traitera mieux. Je veux d'abord qu'on commence par interroger le malade lui-même : on saura jusqu'à quel point son esprit est sain ou troublé, et quel est le degré de force ou de faiblesse du patient».

Pour lui, il était important de «s'informer de l'époque où a commencé la maladie, car cela importe pour le traitement et la connaissance des jours critiques; si le mal qu'on a sous les yeux s'est déjà manifesté ou si c'en est la première atteinte».

Rufus faisait preuve d'un esprit préventif : «si l'on arrive en pays étranger, on demandera ce que sont les eaux, si elles ont des vertus particulières qui relâchent le ventre, ou poussent les urines, ou si elles sont mauvaises pour la digestion, ou pour le foie et la rate».

Il a émis le concept que la fièvre constituait un excellent moyen de défense naturelle de l'organisme.

Arétée de Cappadoce (vers 50 après J.-C.)

Cet adepte de la doctrine électrique pensait que l'état de santé était le résultat d'un équilibre équitable de solides, de lies et d'esprits. Il a décrit magistralement et a isolé la «phtisie» et son hémoptysie, le tétanos avec ses contractures (opisthotonos), l'épilepsie et son aura, l'inctus apoplectique «cause de la paralysie du côté opposé à la lésion cérébrale par suite de l'entrecroisement des faisceaux nerveux».

Sur le plan thérapeutique, Arétée de Cappadoce préconisait l'usage de moyens doux tels que des cures de lait prolongées, des fruits cuits, du vin pur, des purges.

S'il conseillait l'opium, il préférait les clystères, les laxatifs, les vomitifs, les sangsues, les saignées, les ventouses, les douches, les pommades, les cautères et les frictions.

Claude Galien (129-200 après J.-C.)

Ce fils d'un architecte très cultivé et très intéressé par la logique, les mathématiques et l'astronomie a veillé personnellement sur l'éducation de son fils. À la suite d'un songe, Galien aurait décidé de faire des études de médecine. Au cours de ses voyages, il a bénéficié de l'enseignement des savants les plus connus de l'antiquité.

À Smyrne, il a étudié l'anatomie des muscles avec Pelpos, puis il a gagné ensuite Corinthe.

À Alexandrie, ville alors célèbre pour sa bibliothèque, il a participé sous la direction d'Hérophile à des dissections humaines qui lui ont permis de renforcer ses connaissances anatomiques et physiologiques.

De retour à Pergame en 158, il a pris un poste de médecin des gladiateurs, ce qui lui a permis d'affiner son habilité de chirurgien. Il a appris par exemple à humecter les blessures de vin rouge pour empêcher l'inflammation, reproduisant ainsi le plus ancien des pansements alcoolisés.

Il s'est installé par la suite à Rome où dogmatistes, empiristes et méthodistes s'affrontaient.

La célébrité de Galien et sa forte personnalité lui ont valu un succès quasi-immédiat et de nombreux ennemis parmi ses confrères.

En 166, au cours d'une épidémie qui a décimé Rome, Galien a quitté la ville, ce qui lui a valu une accusation de lâcheté. Il a été rappelé par Marc Aurèle, à Rome. En 192, au cours d'un incendie, un grand nombre des manuscrits de Galien ont disparu. Un an plus tard, il est retourné finir ses jours en Grèce.

Les œuvres de Galien ont été nombreuses, toutefois seule la moitié environ nous est parvenue. Parmi les plus importantes, on peut citer : *Du meilleur médecin et philosophe*, *Des éléments selon Hippocrate*, *Les os*, *De la dissection des muscles*, *Des dogmes d'Hippocrate et de Platon*, *Des lieux malades*, *Du pouls pour les élèves*, *Du pronostic par le pouls*, *L'art médical*.

Ses études anatomiques et ses expériences physiologiques lui ont valu d'être considéré comme fondateur de la physiologie expérimentale.

Il a contribué à améliorer les connaissances anatomiques en particulier du système nerveux.

Galien, en opposition avec Platon, Aristote et les Stoïciens, a émis le concept selon lequel le cœur n'était pas l'organe d'où partaient les nerfs mais plutôt le centre des artères tandis que le foie était celui des veines.

Le trouble ou l'arrêt d'une fonction étaient la conséquence selon lui, d'une lésion de l'organe qui en était le siège ou qui lui fournissait la matière.

Il a souligné la nécessité pour le chirurgien de bien connaître l'anatomie afin d'opérer sans blesser les nerfs et les vaisseaux.

Il a fait un certain nombre d'essais. Il a contribué à la formation du sang au foie, il pensait qu'il existait des communications intra-ventriculaires nécessaires à ses théories de la circulation. Il a soutenu l'idée selon laquelle l'utérus était bilobé, la corne gauche étant destinée à recevoir le fœtus femelle, la droite le fœtus mâle.

Selon Galien, le corps humain était composé de quatre éléments primitifs (l'eau, l'air, la terre et le feu) et de quatre éléments liés (le sang, la pituite, la bile et l'atrabile).

La physiologie humaine était sous l'influence de trois esprits :
– l'esprit vital qui siégeait dans le cœur ;
– l'esprit animal qui dépendait du cerveau ;
– l'esprit naturel qui dépendait des organes du ventre.

La santé était maintenue par le bon équilibre dans le fonctionnement des organes. En cas de rupture de cet équilibre, il survenait une maladie. Les facteurs déclenchant pouvaient être le froid, la chaleur, les traumatismes, la pléthore, la putridité des humeurs ou la cacochymie.

La pléthore était la conséquence d'une élimination incomplète des impuretés de l'organisme avec resserrement des méats. Elle était combattue par la saignée.

La cacochymie provenait d'un mauvais état, de la putridité des humeurs. Elle était traitée par les purgatifs.

GRANDES ÉPIDÉMIES

Le paludisme

Les troupes carthaginoises d'Hannibal qui ont traversé l'Italie auraient été à l'origine de l'émergence de l'épidémie palustre en Italie. Les marécages importants qui fourmillaient de moustiques ont favorisé le développement de cette affection. Mais surtout il semble que le changement de mentalités des Romains avec les conquêtes militaires ait favorisé l'exode rural vers les villes prospères. Cet abandon des campagnes a eu pour conséquence le mauvais entretien des « canaculi », systèmes de drains qui avaient été mis en place par les cultivateurs. En conséquence l'obstruction des « canaculi » a entraîné la formation de marécages dans des plaines jadis fertiles avec pour conséquence l'extension progressive du paludisme qui a décimé la population de régions entières. Selon certains auteurs, le paludisme a participé au déclin de l'Empire Romain.

La peste

La peste antonine qui a sévi sous Marc Aurèle aux environs de 165 a décimé la population romaine après le retour des armées. Selon Ammien Marcellin, historien du IIIe siècle, après la prise de Seleucie sur le Tigre un soldat romain qui avait pénétré dans le temple d'Apollon avait ouvert un coffre d'or d'où s'était dégagé un « souffle pestilentiel ». La peste aurait été attribuée à la vengeance d'Apollon. Selon la légende, Galien se serait enfui et serait revenu l'année suivante à la demande de Marc Aurèle à Rome où il aurait établi la description précise de cette affection.

POUR EN SAVOIR PLUS

ACTES DU 2e COLLOQUE INTERNATIONAL SUR LES TEXTES MÉDICAUX LATINS ANTIQUES – *Les écoles médicales à Rome*. Lausanne, septembre 1986. Édition préparée par Philippe Mudry et Jackie Pigeaud. Droz, Genève, 1991.

DEBRU A. – *Le corps respirant: la pensée physiologique chez Galien*. E.J. Brill, Leiden, New York, 1996.

DUPOUY E. – *Médecine et mœurs de l'ancienne Rome d'après les poètes latins*. Baillière et fils, Paris, 1885.

GALIEN – *L'Ars medica*. Introduction, texte critique, traduction et commentaire par Véronique Boudon-Millot. Paris, 1990.

GALIEN DE PERGAME – *Souvenirs d'un médecin*. Textes traduits du grec et présentés par Paul Moraux. Les Belles Lettres, Paris, 1985.

GOUREVITCH D. *et al.* – *Le Triangle hippocratique dans le monde gréco-romain: le malade, sa maladie et son médecin*. École française de Rome, Rome; Boccard, Paris, 1983.

JACKSON R. – *Doctors and diseases in the Roman Empire*. University of Oklahoma, Norman, London, 1988.

LANGSLOW D. R. – *Medical Latin in the Roman Empire*. Oxford University Press, Oxford, 2000.

PENSO G. – *La médecine romaine : l'art d'Esculape dans la Rome antique*. R. Dacosta Paris, 1984.

7 | MÉDECINE PRÉCOLOMBIENNE

FAITS ESSENTIELS

Dans la civilisation précolombienne, la maladie est la conséquence d'une action divine ou le produit de la méchanceté de l'homme. La thérapeutique reposait sur l'utilisation de plantes aux vertus diurétiques, laxatives ou vomitives. Il était pratiqué une chirurgie rudimentaire.

CONTEXTE HISTORIQUE

Les civilisations précolombiennes, en référence à Christophe Colomb, sont celles qui se sont développées en Amérique centrale et en Amérique du Sud avant la conquête espagnole. Les plus brillantes ont été celles des Mayas (IVᵉ-Xᵉ siècles) en Amérique centrale, des Aztèques (xᵉ-xviᵉ siècles) au Mexique et des Incas (XVᵉ-XVIᵉ siècles) au Pérou. La religion occupait une place fondamentale dans ces civilisations qui attribuaient les cataclysmes de cette région du monde (pluies irrégulières, gelées précoces, tremblements de terre) à des divinités hostiles. Dans ces civilisations guerrières, les dieux de la guerre occupaient une grande place, tout comme les sacrifices humains, fréquemment pratiqués par les Incas et encore plus par les Aztèques. Créateur suprême, *Tezcatlipoca*, qui signifie « Seigneur du Miroir fumant », était la divinité suprême de la mythologie précolombienne.

PENSÉE MÉDICALE

Conception de la maladie

Les maladies étaient considérées comme l'expression d'un châtiment des dieux pour ceux qui n'obéissaient pas aux lois divines. Elles étaient aussi la conséquence d'une malédiction jetée par un être humain. Les maladies étaient assimilées à une présence étrangère qui « possédait » ou qui « occupait » physiquement le malade et qui se révélait par des symptômes. Les peuples précolombiens considéraient que seuls certains médecins-sorciers disposant de qualités spéciales étaient capables d'entrer en rapport avec les puissances occultes. C'est par ce biais qu'ils avaient le pouvoir ou le moyen d'extraire les maladies de l'organisme. Le plus souvent, ils se mettaient en condition après une série d'opérations préliminaires : jeûnes, prise de drogues hallucinogènes, habits spéciaux, ornements magiques, danses épuisantes. Parfois, les médecins-sorciers perdaient connaissance et se trouvaient transportés dans un état de transe dans le monde des esprits. Pour invoquer la protection des dieux et contrarier la mauvaise influence des esprits à l'origine du mal, les médecins-sorciers soufflaient sur la région atteinte ou la suçaient. Après quoi, ils faisaient semblant de vomir en crachant des petites pierres, des vers, des épines ou de petits animaux qu'ils avaient préalablement cachés dans leur bouche. Le but était de convaincre le malade qu'ils lui avaient ôté son mal. En conséquence, le traitement reposait essentiellement sur des procédés divinatoires, magiques ou religieux dont l'impact psychique était indiscutable sur les patients souffrant d'affections non organiques. Toutefois les guérisseurs précolombiens, instruits par l'instinct et l'empirisme, avaient la sagesse d'associer à ces méthodes des drogues dotées d'une réelle efficacité.

Dieux de la médecine

Les différents peuples précolombiens attribuaient à certaines divinités la responsabilité de certaines maladies et à d'autres la capacité de les soigner. À cet effet, ils leur dédiaient des sacrifices, des danses sacrées, des chants et d'autres rituels.

Les dieux mayas

La médecine maya s'articulait autours de la déesse Ixchel et des dieux Citbolontun et Itzamna.

– Itzamna, dieu et homme à la fois, était considéré comme le père de la médecine. Ses fêtes se célébraient pendant le mois de Zip ou mois du péché ;

– Ixchel, la femme arc-en-ciel, avocate de la maternité, attendait silencieuse les offrandes florales des femmes stériles ou des futures parturientes.

D'autres dieux comme Zuhuykak et Ixtliton protégeaient la santé des garçons et des fillettes. Kinich-Ahau brûlait le diable de la maladie, Kukulcan soignait les fièvres, Tzapotla-Tenan — grand-mère de la thérapeutique — avait découvert la résine du oxitl (trémentine : cicatrisant cutané).

Les danses rituelles, les offrandes et les chants étaient accompagnés de sacrifices, toujours présents dans les fêtes dédiées aux dieux de la médecine.

Les dieux aztèques

Les dieux médicaux aztèques qui étaient extrêmement nombreux étaient fêtés en des jours précis, des sacrifices étaient aussi accomplis en leurs noms.

– Quetzacoatl était considéré comme celui qui avait découvert la médecine ;

– Quaro et Caxoch, étaient des divinités accessoires ;

– Xochiquetzal était la déesse des femmes enceintes ;

– Tlazoltotl, déesse de l'amour et du désir charnel, assurait la procréation ;

– Xolotl régnait sur les jumeaux et les malformés ;

– Xipe-Totec, «notre seigneur l'écorché», était responsable de la gale et des autres affections cutanées.

Les dieux incas

Les deux grands dieux incas étaient Pachamama et Viracocha. Les Incas rapportaient les maladies à de nombreux démons ou esprits, appelés *supay*, ou aux dieux irrités. Ils utilisaient des «amuletos» pour se préserver des maladies. Les forces surnaturelles, invoquées sous le nom de *huacas*, étaient distinctes des divinités et paraissaient liées à certains lieux ou à certains objets auxquels un culte était rendu.

PLACE DU MÉDECIN
DANS LA SOCIÉTÉ PRÉCOLOMBIENNE

Les médecins étaient appelés *ticitl* chez les Aztèques; *ichuri*, *comasca*, *sancoyoc* et *amauta* chez les Incas; *payé* chez les Tupi-Guaranis; ou *piache* chez les Vénézuéliens. Ils étaient chargés de soigner ou de prévenir les maladies, grâce à leurs connaissances empiriques, leurs plantes médicinales et leurs croyances. Fray Bernardino Sahagun, auteur du *Codex de Florence*, relate les qualités du bon médecin pour les Aztèques : « *...doit être un modèle, semblable à un fanal, à un miroir brillant : il doit être très instruit, conserver des livres, maintenir la tradition, connaître ses responsabilités et servir de guide. Un bon savant est comme un bon médecin, qui prend bien soin des choses; il est un conseiller, un maître dans la vraie doctrine, digne de confiance, un confesseur, un homme sûr. Il montre le chemin, rétablit l'ordre; il doit avoir des connaissances sur le domaine des morts; il est digne, à l'abri de tout reproche; il inspire confiance. Il est très compréhensif; il rassure, calme, aide, répond à ce qu'on attend de lui, donne l'espoir, fait partager son savoir. Il est complet. Un mauvais savant est un médecin borné, sot et vain, qui se prétend digne de confiance et sage; c'est un sorcier, un diseur de bonne aventure, un illusionniste, un trompeur, un brigand public; il ruine, provoque des maux, induit en erreur, détruit les êtres et les tue* ».

ENSEIGNEMENT DE LA MÉDECINE

Chez les Aztèques, l'éducation essentiellement religieuse, mais aussi artistique (chant, danse, etc.) historique, civique et ethnologique, était dispensée dans des annexes des temples. La médecine était enseignée le plus souvent de père en fils. Selon la tradition, tant que le père vivait, son fils devait se contenter d'apprendre et de l'aider. Ce n'est qu'à sa mort, ou lorsqu'il n'était plus en mesure d'exercer, que l'héritier du savoir prenait sa place comme médecin. Les femmes pouvaient exercer la médecine à condition que la ménopause les ait mises à l'abri de l'impureté menstruelle.

Chez les Mayas, ce sont les prêtres qui apprenaient à d'autres membres de la classe sacerdotale l'art divinatoire, les arts de la prophétie et l'emploi des plantes.

Chez les Incas, une élite médicale était formée dans un centre au Cuzco, (en même temps que les prêtres Quipus) pour servir la classe dirigeante. Les autres médecins-magiciens se transmettaient leurs savoirs de père en fils pour soigner le peuple.

Différentes spécialités

Une spécialisation des médecins existait, en particulier chez les Aztèques :
– *tlama tepati ticitl* était considéré comme un « interniste » ;
– *toxoxotla ticitl* était l'équivalent du chirurgien ;
– *teiztelolopati* était l'« ophtalmologiste » ;
– *tenacazpatiani* était l'« oto-rhino-laryngologiste » ;
– *tlamatqui ticitl* était la sage-femme ;
– *papiani panamacani* était l'herboriste ;
– et *tlancopinalitztli* était le dentiste.

Le médecin compétent était appelé *mimatini ticitl* tandis que le médecin ignorant était *amocencamimatini ticitl*.

Les Incas et les Mayas disposaient d'un véritable service de santé militaire attaché aux troupes en campagne. En règle générale, les sorciers, guérisseurs ou médecins étaient appelés au chevet du malade. Il y aurait eu des hôpitaux chez les Aztèques.

APPORT DE LA MÉDECINE PRÉCOLOMBIENNE

Connaissances anatomo-physiologiques

Anatomie

Un certain nombre de notions d'ordre anatomique étaient acquises au décours du rite funéraire de l'embaumement après éviscération (surtout répandu au Pérou) et de la pratique des sacrifices humains commune à tous les peuples d'Amérique, mais surtout développée chez les Toltèques, chez certains Mayas de la période tardive et chez les Aztèques. L'ostéologie était la branche anatomique la mieux connue. Ils avaient étudié la forme des os, la façon dont ils s'articulaient entre eux et leur avaient même donné des noms. Cette discipline a en outre inspiré les artistes mexicains qui ont réalisé un grand nombre de représentations. Ainsi Ah-Puch, dieu de la mort des Mayas, est représenté sous forme d'un squelette accompagné d'un chien, d'une chouette et d'un vautour. Son homologue aztèque, la déesse Coatlicue, qui présidait également aux accouchements, porte des crânes pour principaux ornements.

La pratique de l'écorchement rituel a permis aux Aztèques de connaître la structure musculaire superficielle du corps humain.

L'anatomie viscérale du thorax et de l'abdomen était, par la pratique de l'éviscération thoracique du sacrifié chez les Aztèques, bien connue et décrite.

Physiologie

La physiologie était pratiquement inconnue des peuples précolombiens qui possédaient néanmoins quelques notions sur la circulation sanguine. Ils attribuaient au cœur un rôle essentiel dans le maintien de la vie. Ils utilisaient différents termes pour désigner le pouls, reconnu comme témoin de la circulation sanguine. Les artères étaient clairement distinguées des veines. Ils avaient quelques notions sommaires sur les fonctions de l'estomac et des intestins dans la digestion. Les poumons étaient assimilés au vent chez les Mayas qui avaient parfaitement bien compris leur rôle dans la respiration.

Les affections médicales

Les peuples précolombiens savaient reconnaître de nombreuses affections médicales. Ils savaient différencier les bronchites de la tuberculose pulmonaire et de l'asthme ; le délire ; la folie ; et les rhumatismes de la goutte. En revanche, ils mélangeaient et confondaient les maladies infectieuses qui étaient toutes regroupées sous le nom de fièvre.

Les affections chirurgicales

Les peuples précolombiens avaient une audacieuse prise en charge des accidents traumatiques et des blessures de guerre :

– la suture des plaies pouvait être réalisée à l'aide de cheveux ou de fibres naturelles et d'aiguilles. La cicatrisation des plaies était réalisée grâce à des emplâtres de plantes balsamiques, aux vertus cicatrisantes et en particulier le fameux Baume du Pérou ;

– les luxations et les fractures étaient réduites par les Aztèques avec des appareils de fortune. Les membres étaient enveloppés dans des herbes écrasées ou des résines qui durcissaient. Des appareils spéciaux d'immobilisation étaient confectionnés à l'aide de bois et d'une pâte contenant des résines, des herbes et des poudres végétales. Les Incas emballaient les fractures avec des algues marines ou des feuilles fraîches de Huaripuri (*Valeriana coarctata*) ;

– les phlegmons et les abcès étaient traités par des cataplasmes et des applications d'herbes. Après l'incision, le pus était extrait en général par aspiration avec la bouche, parfois par l'intermédiaire de tubes ;

– des trépanations ont été réalisées comme l'attestent de nombreux crânes retrouvés surtout au Pérou ;

– des interventions ont été réalisées sur des cataractes, des ptérygions et des ophtalmies granuleuses.

L'anesthésie

Pour certains actes chirurgicaux, les Indiens réalisaient une anesthésie générale rudimentaire. Les Mayas employaient les graines de *Thevetia Yecotli* avec lesquelles ils préparaient une boisson appelée *Thevetl*. Ils utilisaient aussi le *Payoti* (*lophora Williamus*) et le *Tlapati* (datura stramonium). Les

Aztèques donnaient habituellement une infusion de ces plantes aux futurs sacrifiés de leurs cérémonies religieuses, pour les narcotiser et atténuer leur douleur. Les Incas se servaient de la *Chicha* fermentée pour diminuer la sensibilité et opérer dans une ambiance relativement tranquille. Ils l'utilisaient plus particulièrement dans les interventions de longue durée comme les trépanations. Ils se servaient également de la coca et des daturas.

LES THÉRAPEUTIQUES DISPONIBLES

La pharmacopée précolombienne

La pharmacopée utilisée était abondante. Elle reposait surtout sur une variété extrêmement importante de drogues végétales (herbes, racines, écorces). Un certain nombre est encore utilisé en Europe. Sahagun fait état dans ses écrits de 123 plantes médicinales, et dans le *Codex Badianus*, on trouve la description et le mode d'emploi de 251 plantes différentes. Il existait des fébrifuges, des antiseptiques, des anti-infectieux, des anti-hémorragiques, des anesthésiques, des narcotiques, des hallucinogènes. Les herbes, les feuilles et les écorces étaient administrées sous forme de décoction, d'infusion ou de suspension dans des breuvages. Les broyats d'herbes, habituellement en mélanges, étaient appliqués en nature, ou entraient dans la composition d'emplâtres, de cataplasmes. Les Mayas affectionnaient les pommades. Les précolombiens administraient des pilules, des poudres à priser, des fumigations, des bains et même des suppositoires (au Pérou) ou des gouttes auriculaires.

Prévention

Les peuples précolombiens adoptaient un certain nombre de mesures d'hygiène collective et individuelle, ainsi que les mesures préventives à proprement parler.

Hygiène collective

Un certain nombre de villes avaient une population très importante qui dépassait celle enregistrée dans la plupart des villes européennes à la même époque (le nombre d'habitants de la ville de Cuzco est estimé à 100 000, tandis que pour les villes de Tikal, Chichen-Itza et Uxmal, il aurait été de 200 000). Au moment de la conquête, Tenochtitlan qui comptait approximativement 300 000 habitants possédait même des latrines publiques où, selon Bernal Diaz, «les *passants pouvaient s'arrêter sans être vus et si l'envie de se relâcher le ventre les prenait*». Il existait un réseau de distribution d'eau potable dans toutes ces villes qui étaient approvisionnées à partir des sources des montagnes voisines (conduits souterrains, aqueducs, fontaines).

Hygiène individuelle

Les peuples précolombiens attachaient une grande importance à la propreté. On a retrouvé des baignoires en pierre dans les ruines des palais et des riches demeures de Cuzco. Les Péruviens coupables de malpropreté corporelle étaient roués de coups, lavés de force et condamnés à boire publiquement l'eau de leur bain.

Les bains de vapeur qui avaient une valeur de purification étaient très répandus chez les Mayas et les Aztèques. Placée sous la protection de Tiazolteotl « grand-mère des bains vapeurs », la thermosudothérapie avait chez les Mexicains deux fonctions distinctes. Elle servait avant tout à assurer l'hygiène et le bien-être, mais dispensait en même temps une purification physique et morale. Plus accessoirement, elle était employée à titre thérapeutique. Des cures de sueurs étaient préconisées dans de nombreux états ou maladies selon Sahagun : convalescence de maladies fébriles, infectieuses ou rhumatismales, stade préterminal de grossesse et suites immédiates de l'accouchement, goutte, piqûres et morsures venimeuses, séquelles de fractures, convulsions.

Les Indiens se barbouillaient, se protégeaient des rayons du soleil et des nombreuses piqûres d'insectes en utilisant de l'Onoto, de l'achote ou de l'uruku (*bixa orellana* appelée différemment en fonction des régions). Afin de bénéficier d'une immunisation préventive contre les serpents venimeux, ils se faisaient mordre de façon répétée par des serpents dont le venin était moins actif.

HÔPITAUX

On a retrouvé dans les principales villes du Mexique (Tenochtitlan, Tlaxcala, Teexcoco, Cholula) des lieux dans lesquels étaient isolés des malades, des infirmes, des anormaux et des sujets réputés contagieux. À Tenochtitlan, par exemple, Moctezuma II réservait aux malformés et aux incurables un local qui jouxtait son palais. À proximité du grand temple, il existait en outre un local placé sous la protection du dieu Nanahuatl, réservé aux sujets atteints de maladies de peau.

ÉPIDÉMIE

L'épidémie de variole qui a permis la conquête de l'Amérique

Quand la « *Santa Maria* » de Christophe Colomb aborda l'Amérique en 1492, il s'agissait d'un immense continent peuplé d'environ 100 millions d'Amérindiens dans lequel au moins 30 millions vivaient dans ce qui correspond à l'actuel Mexique et 20 millions dans la Cordillère des Andes. L'Amérique, isolée des autres continents depuis près de 30 000 ans, avait été peuplée à partir de populations venues d'Asie par le détroit de Behring. En conséquence, le système immunitaire des Amérindiens n'était pas préparé à affronter les multiples infections rapportées par les Européens.

Cette confrontation entre « *deux niches écologiques séparées* », survenue entre le xve et le xvie siècle, a entraîné le génocide de 90 % de la population amérindienne à la suite des épidémies de grippe, de varicelle, de rougeole, de fièvre typhoïde, de tuberculose, de typhus, de peste pulmonaire, d'oreillons et surtout de variole. Cette épidémie a été largement facilitée par l'expédition d'Hernan Cortès au Mexique. Quand il aborda le Yucatan le 4 mars 1519, son armée se composait de 508 soldats, de 16 chevaux et de 14 canons pour affronter 20 millions d'Aztèques Quelques mois plus tard, le 8 novembre 1519, Cortès atteignait Tenochtitlan (l'actuel Mexico) où il était accueilli par l'empereur Moctezuma II qui fit allégeance aux Espagnols.

Contrairement à la légende largement véhiculée, la variole n'a pas été importée par Cortés mais par les troupes de Pamphile de Narvaez qui débarquèrent à Veracruz pour limiter les ambitions de Cortés, comme l'a relaté Bernal Diaz del Castillo, compagnon de Cortés : «*Revenons maintenant à Narvaez et parlons d'un nègre de sa suite, qui arriva atteint de la petite vérole; et certes ce fut là bien réellement une grande noirceur pour la Nouvelle Espagne, puisque ce fut l'origine de la contagion qui s'étendit dans tout le pays. La mortalité fut si grande que, d'après les Indiens, jamais pareil fléau ne les avait atteints; comme ils ne connaissaient pas la maladie, ils se lavaient plusieurs fois pendant sa durée, ce qui en fit périr encore un plus grand nombre. On peut donc dire que si Narvaez fut victime personnellement d'une noire aventure, plus noir fut encore le sort de tant d'hommes qui moururent sans être chrétiens*». Il contribua à introduire la maladie dans le Nouveau Monde. Le fait que cette affection ait épargné en grande partie les troupes espagnoles contribua à semer la panique chez les Aztèques. Selon Charles Nicolle, la première épidémie qui eut lieu en 1545 aurait fait 800 000 victimes, tandis que celle de 1576 provoquait la mort de deux millions d'Indiens Au cours des années qui suivirent, un certain nombre d'épidémies se succédèrent en 1531, 1641, 1564, 1576 et en 1596, entraînant la mort de 50 à 60 millions Amérindiens.

POUR EN SAVOIR PLUS

COURY C. – *La Médecine de l'Amérique précolombienne. Appendice sur les codices mexicains, par M.D. [Mirko Drazen] Grmek*. R. Dacosta, Paris, 1969.

GUERRA F. – *La medicina precolombina*. Ediciones de cultura hispánica, Madrid, 1990.

SIRE MALLO G. – *Médecine et obstétrique précolombiennes chez les Mayas, Aztèques et Incas*. Thèse de docteur en médecine. Lyon, 1992.

8 | MÉDECINE BYZANTINE

CONTEXTE HISTORIQUE

À la suite des premières invasions barbares, l'empereur Dioclétien a décidé pour mieux administrer son empire de le partager en :

– l'empire d'Occident avec Rome pour capitale qui a été envahi en 476 après J.-C. par les Goths. Ces derniers ont déposé le dernier empereur Romulus Augustule ;

– l'empire d'Orient avec Constantinople comme capitale dont l'histoire s'est achevée en 1453 avec la conquête de cette ville par les Turcs ottomans.

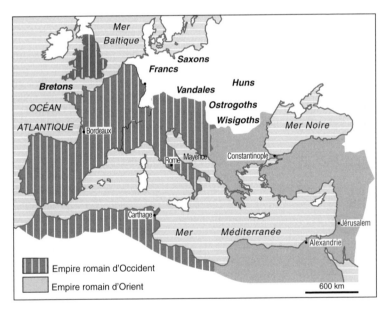

Fig. 8.1. *Le partage de l'Empire romain.*

PENSÉE MÉDICALE

En 529, après l'incendie d'Alexandrie et de sa célèbre bibliothèque, Constantinople est devenue le principal centre de la culture médicale.

La médecine byzantine a évolué en deux périodes :

– au cours de la première période (IVe siècle au VIIe siècle), les médecins byzantins ont écrit de grands recueils médicaux à partir des textes antiques en y adjoignant des recettes issues de la médecine populaire. Ils ont appliqué les théories des auteurs de l'antiquité avec un grand empirisme en puisant pour chaque maladie dans les œuvres de l'auteur qui leur semblait le plus compétent ;

– au cours de la seconde période (à partir du VIIIe siècle), des médecins ont rédigé des ouvrages en s'inspirant des acquis de la médecine arabe.

ENSEIGNEMENT DE LA MÉDECINE

L'enseignement de la médecine était dispensé dans des écoles publiques, dans des établissements privés très coûteux et dans des hôpitaux comme dans celui du monastère du Pantocrator à Constantinople. Cet enseignement comprenait une partie théorique et un stage pratique hospitalier. Il était sanctionné par un examen devant l'aktouarios, premier médecin de l'Empire qui donnait le droit d'exercer.

INNOVATIONS MÉDICO-CHIRURGICALES

La principale innovation de la médecine byzantine a été la création des hôpitaux à partir du IVe siècle après J.-C., d'abord à Edesse en Syrie et à Césarée en Cappadoce, puis bientôt à Constantinople et dans toutes les villes de l'empire byzantin.

MÉDECINS CÉLÈBRES

Oribase (325-403)

Ce médecin de l'empereur Julien l'Apostat a réalisé la compilation des principaux textes médicaux gréco-romains et a publié une encyclopédie médicale en 70 volumes intitulée *Collection médicale* qu'il a résumée en un *Synopsis*.

Alexandre de Tralles (526-605)

Alexandre de Tralles a rédigé un traité avec douze livres de médecine destinés à l'enseignement qui ont été par la suite traduits en latin et en arabe. Il a décrit toutes les maladies, les traumatismes de la tête et les fièvres (notamment l'amibiase).

Paul d'Egine (625-690)

Ce grand chirurgien, ophtalmologue et accoucheur a individualisé les affections chirurgicales des parties molles et celles des os. Il a décrit les techniques de réalisation de la trachéotomie et de drainage de l'hydrocèle vaginal. Il a réalisé un ouvrage *Epitomé* en sept volumes.

POUR EN SAVOIR PLUS

THEODORIDES J. – *Les sciences biologiques et médicales à Byzance.* Centre national de la recherche scientifique, Centre de documentation en sciences humaines, Paris, 1978.

MÉDECINE ARABE

DATES CLÉS

Vers 570 : fondation de l'Islam par Mahomet

932 : le calife Al Muktadir a imposé l'obligation de posséder un diplôme pour pouvoir exercer la médecine

873 : fondation du grand hôpital El Mansouri ou Bimarestan El Manour, du Caire

910 : publication par Rhazès de son ouvrage majeur, *Le Continent ou Kittab Al Hami*

Vers 1000 : publication du traité de chirurgie d'Abulcasis intitulé le *Kittab Al Tasrif*

Vers 1020 : publication de l'ouvrage majeur d'Avicenne, le *Quanun fit'tibb*, transcrit en grec ou latin *Le Canon de la Médecine*

FAITS ESSENTIELS

La médecine arabe représente un stade fondamental de la pensée médicale du Moyen Âge, à la charnière entre la pensée gréco-romaine et la pensée occidentale. Les médecins et philosophes arabes ont réussi avec intelligence à gérer ce vaste patrimoine intellectuel et à faire une œuvre novatrice. L'Occident leur doit une réflexion intelligente dans le domaine de l'enseignement médical, appuyée sur une solide pratique et une pharmacopée originale. Les médecins arabes ont approfondi les connaissances en chirurgie, en ophtalmologie, en pharmacopée et en physiologie. Six médecins ont laissé un acquis fondamental pour la médecine :

– Rhazès de Bagdad qui a été le premier à décrire certaines maladies éruptives, comme la variole et la rougeole ;

– Avicenne, surnommé le «Prince des médecins», auteur de 150 livres, dont le célèbre *Canon de la médecine* qui était considéré jusqu'au XVIIᵉ siècle comme l'ouvrage médical de référence ;

– Abulcasis de Cordou qui a écrit d'excellents traités de chirurgie dont le célèbre *Al-Tersif* ;

– Moïse Maimonide, à la fois médecin et rabbin qui a écrit des textes sur l'hygiène, les régimes et les premiers soins ;

– Avenzoar de Séville, auteur du *Taysir* ;

– Averroès de Cordou, auteur du *Kolliyat*.

CONTEXTE HISTORIQUE

L'Islam a été fondé au VIIe siècle par Mahomet, né à la Mecque vers 570. Au cours de son séjour à Médine, il a organisé le premier état musulman et construit la première mosquée. Il a prêché la parole d'Allah et défendu l'idée d'une société fondée sur plus d'égalité et de justice. La parole divine transmise par Mahomet a été consignée dans le Coran. Après sa mort en 632, l'Islam s'est étendu grâce à ses successeurs qui ont bâti un gigantesque empire qui s'étendait de l'Espagne à l'Inde.

PENSÉE MÉDICALE

Le Coran

Le Coran comprend un certain nombre de préceptes d'hygiène alimentaire et corporelle extrêmement novateurs.

Le raisonnement médical

Alors que l'Occident chrétien était plongé dans l'obscurantisme, la civilisation arabo-islamique a occupé entre le VIIIe et le XIIIe siècles une position prépondérante dans le domaine des sciences et de la médecine. La pensée arabo-islamique a été le trait d'union à la fois intellectuel et philosophique entre le monde gréco-romain et la Renaissance. Dans le domaine médical, les invasions barbares qui se sont succédé en Occident, les épidémies, l'anti-hellénisme de l'Église, ont contribué à la disparition de nombreux documents médicaux grecs et latins. Les Arabes, à la différence des Occidentaux ont réussi à préserver les connaissances acquises par les Mésopotamiens, les Égyptiens, les Grecs puis les Romains.

Les médecins arabes ont compris l'importance que pouvait avoir cet héritage fondamental qu'ils avaient glané au cours de leurs conquêtes du Proche-Orient et du Moyen-Orient, auquel se sont ajoutées d'autres traditions principalement hindoues.

Avec intelligence, les médecins arabes ont fait brillamment prospérer le patrimoine médical dont ils avaient hérité grâce à leur immense savoir théorique allié à une observation rigoureuse et moderne des maladies. Ils ont développé un raisonnement médical à un niveau qui était incroyablement plus élevé que celui qui existait dans l'Occident chrétien.

L'apport de la médecine judéo-arabe

Le rôle des juifs qui vivaient dans le monde arabe a été décisif car il a permis à la fois la conservation et la transmission des acquis de la médecine. Les traducteurs juifs ont joué un rôle charnière entre la science médicale arabe et latine. Ils ont participé à la traduction en arabe des acquis des cultures grecques et romaines. Plus tard, lors du déclin de la civilisation arabe, ils ont assuré la traduction en grec de l'œuvre compilée ou améliorée de la médecine arabe. Mais, surtout à partir de l'Espagne, siège d'un important contact entre les cultures musulmanes et chrétiennes, les médecins juifs ont transmis en Occident la science et la médecine arabes.

INNOVATIONS MÉDICALES

On note des innovations dans plusieurs domaines.

Maladies infectieuses

Rhazès (850-925) a réalisé des études intéressantes sur les maladies éruptives et a fait une description remarquable et précise de la variole et de la rougeole.

Les médecins arabes ont participé au perfectionnement de la variolisation, transmise de la Chine ancienne.

Les Arabes avaient une bonne connaissance de la parasitologie et avaient identifié le Sarcopte, parasite de la gale.

Hygiène

De grands médecins arabes ont élaboré des principes fondamentaux corporels, généraux et élémentaires d'hygiène déjà établis par le prophète Mahomet. L'hygiène corporelle était particulièrement développée dans le monde arabe en comparaison de ce qui se passait en Occident à la même époque. Bagdad dont la population atteignait 3 millions d'habitants possédait près de 60 000 hammams ou bains publics. L'hygiène alimentaire avait également une place importante. Rhazès recommandait de jeter la première eau de cuisson des haricots secs afin d'éviter la formation de gaz.

Chirurgie

Les Arabes pratiquaient les gestes de petite chirurgie. Ils réalisaient les incisions d'abcès, la cautérisation des plaies et des bubons. Ils pratiquaient l'anesthésie au moyen d'éponges imbibées d'anesthésiques. Ils n'ont pas fait de progrès importants dans le domaine de la chirurgie plus lourde. L'ouvrage de chirurgie d'Abulcasis *Al Tarsif* a eu un retentissement important en Occident.

Ophtalmologie

L'ophtalmologie constituait un domaine important de la médecine arabe, probablement en raison de la prévalence importante des affections oculaires qui sévissaient alors.

Les médecins ou chercheurs arabes avaient atteint un degré très élevé dans la connaissance de l'anatomie de l'œil, de ses maladies et de leurs traitements. Hunayn Ibn Ishaq est l'auteur du plus ancien traité d'ophtalmologie arabe *Anatomie de l'œil, ses maladies et leurs traitements*, qui fut plagié en grande partie par Constantin l'Africain.

Ihn Al-Haytan de Basrah (965-1038) établit les bases de l'optique physiologique dans son étude sur la vue (traité d'optique *El Hazen*) et son traité sur la réfraction. De ses travaux résultera la découverte des verres correcteurs. Pour lui les objets ne sont perçus par l'œil que dans la mesure où ils émettent eux-mêmes des rayons qui se réfléchissent sur le cristallin. Il corrige la théorie grecque de l'émission des rayons visuels.

Ali Ibn Isa ou Jésus Haly (médecin de Bagdad aux Xe et XIe siècles), dans son *Mémorandum pour les oculistes*, livre une description très précise de l'anatomie de l'œil et développe sous forme d'inventaire les différentes maladies de l'œil.

Au XIIe siècle, Effarequy, dans son traité d'ophtalmologie le *Merched*, en plus des différentes figures de nombreux instruments, rapporte pas moins de onze variantes à l'opération de la cataracte. Al Mawsili, en 1256, invente l'aiguille creuse et pratique le premier la succion de la cataracte.

Physiologie

Ibn A Nafis (1210-1288) a donné une description précise de la petite circulation pulmonaire : « Quand le sang a été raffiné dans cette cavité (ventricule droit du cœur) il est indispensable qu'il passe dans la cavité gauche où naissent les esprits vitaux. Il n'existe cependant aucun passage entre ces deux cavités car la substance du cœur y est solide et il n'y existe ni un passage visible comme l'ont pensé certains auteurs, ni un passage invisible qui permettrait le transit de ce sang comme l'a cru Galien. Au contraire, les pores du cœur y sont fermés et sa substance y est épaisse. Le sang, après avoir été raffiné, doit donc nécessairement passer dans la veine artérieuse (notre artère pulmonaire) jusqu'au poumon, pour se répandre dans sa substance et se mélanger avec l'air afin que sa partie la plus fine soit purifiée et passe dans l'artère veineuse (nos veines pulmonaires) pour arriver ensuite dans la cavité gauche du cœur, après s'être mélangé avec l'air pour devenir apte à engendrer l'esprit vital. Le reliquat moins raffiné de ce sang est employé à l'alimentation du poumon. C'est pourquoi il existe entre ces deux vaisseaux (les artères et les veines pulmonaires) des passages perceptibles. »

Ce concept n'a eu à l'époque aucun écho en Occident. Il a fallu attendre la publication par William Harvey en 1638 de son ouvrage sur la circulation sanguine *Exercitation anatomica du motu cordis et sanguinis in animalibus* pour que les théories d'Ibn An Nafis soient enfin reconnues.

Obstétrique

Les sages-femmes s'occupaient de cette spécialité. Toutefois Averroès s'est intéressé à ce domaine. Il a été un des premiers à rapporter que la femme pouvait devenir enceinte sans avoir eu de sensation de plaisir, comme c'est le cas au cours d'un viol. Il était en opposition avec tous ceux qui pensaient que la sécrétion féminine de la jouissance contribuait à la formation du fœtus.

ENSEIGNEMENT DE LA MÉDECINE

Le Calife Al Muktadir a imposé en 932 l'obligation de posséder un diplôme pour pouvoir exercer la médecine. La pratique de la médecine était interdite à ceux qui n'avaient pas été examinés par son médecin personnel, Sinan Ben Thabet. Cette autorisation d'exercer était subordonnée à la remise d'un certificat d'aptitude nommé *Idajza*. Les études médicales étaient désormais surveillées, de même que les médecins ainsi formés. Cette décision d'officialiser la validité d'un diplôme avait été prise à la suite d'une erreur thérapeutique ayant entraîné la mort d'un patient.

La médecine a été alors enseignée dans le cadre de la fréquentation d'une école hospitalière ou en suivant la pratique médicale d'un maître. Aux IXe et Xe siècles dans les hôpitaux de Bagdad, il était délivré un enseignement au lit des malades. Chaque malade faisait d'abord l'objet d'un examen par l'étudiant le plus jeune qui le présentait à un plus ancien, en particulier lorsque le cas dépassait sa compétence. Les malades qui présentaient les pathologies les plus compliquées étaient examinés devant tous par le maître.

En général, l'élève suivait l'enseignement d'un seul maître et d'un seul ouvrage. L'enseignement comportait en dehors de la médecine l'étude de la philosophie, des sciences naturelles et physiques. La chimie et la pharmacologie étaient l'objet d'une étude attentive. Il était habituel que les fils suivent le chemin professionnel de leur père. Cela explique en grande partie les raisons de la constitution de grandes dynasties médicales : les Bakhtichou, les Ibn Zohr…

L'exercice de la chirurgie était généralement considéré comme indigne du médecin et était réalisé par un personnel subalterne. Les prescriptions religieuses interdisaient les dissections anatomiques.

Des inspecteurs ou Muhtassib ont été nommés pour contrôler et surveiller aussi bien les médecins que les pharmaciens, les barbiers, les droguistes et les ventouseurs.

THÉRAPEUTIQUES DISPONIBLES

Les Arabes qui maîtrisaient la chimie ont développé les techniques telles que la distillation, la sublimation, la filtration, la dissolution et la calcination. Ils ont permis un développement fulgurant de la pharmacie galénique et chimique et l'essor d'une nouvelle profession, la pharmacie.

Jusqu'au XIe siècle, il n'y avait pas de distinction entre les sciences médicales et pharmacologiques. Les médecins examinaient les malades et prescrivaient les médicaments. Les premières acquisitions pharmacologiques des Arabes étaient celles qui leur avaient été transmises par les écrits grecs. Par la suite, ils ont importé des drogues nouvelles de l'Inde et de la Chine. Les Arabes ont appliqué à la thérapeutique médicale des remèdes issus du monde végétal et de la chimie. Ils ont créé les premières pharmacies avec leurs grands vases de faïence célique sur les rayons.

La pharmacologie arabe a introduit dans l'arsenal thérapeutique un certain nombre de médicaments comme l'ambre, le musc, la manne.

Les Arabes ont inventé l'eau forte, l'huile de vitriol, le sublimé corrosif et le nitrate d'argent. La grande innovation des Arabes est l'utilisation de l'alambic dans la préparation des médicaments, ce qui leur a permis la préparation d'alcool, des alcoolats, des essences et des eaux aromatiques.

HÔPITAUX

Les Arabes ont établi un système hospitalier à la fois performant et original. Ils étaient en avance sur les Occidentaux. Dès le VIIIe siècle, un calife Omeyyade fondait une maison des malades. Par la suite, les Arabes ont perfectionné et multiplié les établissements charitables destinés à délivrer les soins. Ils ont créé des hôpitaux sur le modèle de ceux qui avaient été fondés par les Chrétiens de Constantinople au IVe siècle. Entre le IXe et le XIIIe siècles, on a assisté à la construction de grands hôpitaux comme ceux de Damas, de Bagdad et surtout ceux du Caire qui constituaient des modèles d'originalité. Haroun Al Rachid a construit le plus grand hôpital du monde islamique au début du IXe siècle à Bagdad : « Al Adud ».

L'hôpital du Caire, le grand hôpital El Mansouri ou Bimarestan El Manour, fondé par Ahmed Ibn Touloun en 873, agrandi et rénové au XIIIe siècle (1283) par Qualaoun, constituait également une référence. En 850, il existait trente-quatre hôpitaux dans l'empire islamique. L'originalité de ces établissements hospitaliers résidait dans le fait qu'il y avait des services spécialisés avec à leur tête un chef de service. Il y avait des services pour les patients contagieux, pour ceux atteints de maladies oculaires, pour les femmes et même pour les convalescents. Les lépreux étaient isolés et soignés dans des lieux spécialisés. Des centres pour aliénés existaient dans lesquels la danse, la musique et le théâtre faisaient partie de la thérapie. Le confort et surtout l'hygiène des malades étaient pris en compte. Il y avait des fontaines pour rafraîchir l'air des salles et des lits munis de draps. Des donations importantes permettaient d'assurer aux malades un entretien confortable. Les médicaments étaient gratuits pour les plus démunis. À l'hôpital étaient annexés un orphelinat et une bibliothèque, tous ces édifices étaient centrés sur la mosquée. L'édification de ces établissements hospitaliers a permis aux médecins arabes d'acquérir des connaissances plus empiriques.

MÉDECINS CÉLÈBRES

Yuhanna Ibn Masawayh ou Jean de Mesue ou Mésué l'ancien (776-855)

Né vers 776 à Bagdad d'un père chrétien nestorien de Goundi Shapour, Mésué l'ancien était à la fois un excellent clinicien et un remarquable thérapeute. Il est l'auteur d'un brillant livre de pharmacopée intitulé *De Re Media* qui lui valut d'être surnommé « l'évangéliste des pharmaciens ».

Il a laissé une œuvre importante qui regroupe non seulement des écrits personnels où Yuhanna Ibn Masawayh traite de sujets aussi variés que l'anatomie (à partir de dissection des signes), la gynécologie ou l'ophtalmologie, mais aussi des aphorismes.

Les aphorismes de Yuhanna Ibn Masawayh, au nombre de 131, ont connu un grand succès, à tel point qu'entre le Xᵉ et le XVIᵉ siècles, ils étaient enseignés dans toute l'Europe occidentale. Dans ses aphorismes, Yuhanna Ibn Masawayh exprime d'une façon courte et facile à retenir des principes généraux qui permettent d'aider le praticien dans son exercice quotidien. En voici des exemples : « N° 1 : la vérité en médecine est une fin qui ne peut être atteinte, et le traitement par ce que prescrivent les livres, sans qu'un médecin habile n'émette son avis, est dangereux. N° 3 : faire fréquemment la lecture des livres des médecins et considérer leurs secrets est utile, car tout médecin possède une tendance de grande importance. N° 96 : il ne faut pas avoir confiance dans le jeune homme qui excelle dans son soin pour la médecine, jusqu'à ce qu'il ait atteint la maturité et qu'il ait été éprouvé. N° 42 : il importe au médecin qu'il n'omette pas d'interroger le malade sur toute chose, intérieure et extérieure, d'où a pu naître sa maladie puis, qu'il juge laquelle est la plus forte. »

Rhazès ou Abou Bakr Mohammed ou Ibn Zahariya Ar Razi (850-925)

Né à Ray vers 850 dans le Khorassan en Perse, Rhazès a été considéré comme le plus grand, le plus fécond et le plus original de tous les médecins arabes. Il n'a commencé à présenter un intérêt pour la médecine qu'à l'âge adulte. Il a acquis son renom à l'hôpital de Ray, puis il a été nommé médecin chef à Bagdad par le calife Al Mansour à l'âge de 30 ans. Selon la tradition, « Rhasès consulté par Al Mansour pour la fondation de l'hôpital de Bagdad, fit suspendre des pièces de viande dans différents quartiers de la ville et choisit l'emplacement où la décomposition se manifesta le plus tardivement (où il y avait le moins de mouches) ».

Rhazès est l'auteur de deux grandes œuvres majeures : le *Continent* ou *Kittab Al Hami*, son œuvre maîtresse, et le *Liber Al Mansouri* ou *Kittab Al Mansouri*. Le *Continent* contenant la somme de toutes les connaissances médicales au Xᵉ siècle constitue la première encyclopédie de pratique et de thérapeutique médicale. Le Roi de Naples Charles d'Anjou a exigé la réalisation en 1279 d'une traduction latine de cet ouvrage qui comporte 24 livres par un érudit juif nommé Farraguth.

Le *Liber Al Mansouri* ou *Kittab Al Mansouri* est composé de 10 traités de médecine consacrés à l'anatomie, à la chirurgie et à la thérapeutique. Il comporte d'excellents conseils dans le choix d'un bon praticien : « Informez-vous avec soin des antécédents de l'homme à qui vous avez dessein de confier ce que vous avez de plus cher au monde, c'est-à-dire votre santé, votre vie, la santé et la vie de votre femme, de vos enfants. Si cet homme dissipe son temps dans les distractions frivoles, dans des parties de plaisir ; s'il cultive avec trop de curiosité des arts étrangers à sa profession, comme la musique, la poésie, à plus forte raison, s'il est adonné au vin, à la débauche, gardez-vous de commettre en de telles mains un dépôt si précieux. Celui-là seul mérite votre confiance, qui s'étant appliqué de bonne heure à l'étude de la médecine, a fréquenté d'habiles maîtres et vu beaucoup de malades, qui joint à la lecture assidue des bons auteurs, ses observations personnelles, car il est impossible de tout voir, de tout expérimenter par soi-même et le savoir, l'expérience d'un seul individu, comparé au savoir, à l'expérience de tous les hommes et de tous les siècles, ressemble à un mince filet d'eau placé à côté d'un grand fleuve».

À côté de ces œuvres fondamentales, Rhazès a écrit *Le Livre de la Pestilence* qui regroupe les premières grandes observations cliniques concernant les maladies éruptives et traite du diagnostic différentiel de ce groupe d'affections.

Avicenne ou Abu Ali Al Hussein Ibn Abdallah Ibn Sina (surnommé le « Prince des Médecins ») (environ 980-1037)

Né à Afshana près de Boukkara aux environs de 980, Avicenne maîtrisait à 10 ans l'étude du Coran. À 16 ans, il a commencé l'étude de la médecine. Doté précocement d'une réputation médicale solide, il a été appelé pour soigner Ibn Mansour (prince Samanide qui régnait sur le Kharassan et la Transoxiane). Pour le remercier pour ses soins, ce dernier autorisa Avicenne à enrichir ses connaissances en allant consulter les livres de sa bibliothèque personnelle. Après la destruction par les flammes de cette bibliothèque quelques temps plus tard, Avicenne a été accusé par ses ennemis de cet acte sous prétexte qu'il souhaitait conserver sa science. Avicenne a mené une vie particulièrement agitée, allant de protecteur en protecteur. Il a même été jeté en prison plusieurs fois à la suite de complots de palais. Il est mort en 1037 à Hamadan.

L'ouvrage majeur d'Avicenne s'appelle en arabe le *Quanun fit'tibb*, c'est-à-dire les lois de l'art de guérir, titre que les traducteurs occidentaux ont transcrit en grec ou latin *Le Canon de la Médecine*. Ce livre constitue une encyclopédie de toutes les symptomatologies notifiées pour les maladies qui atteignent les organes anatomiquement classés de la tête aux pieds selon un ordre traditionnel et logique.

Le Canon se divise en 5 livres ou *Founoun*.

– Le livre I traite de généralités sur la médecine avec trois parties concernant respectivement l'anatomie, la physiologie, l'hygiène et la prophylaxie.

– Le livre II est un ouvrage de pharmacologie qui livre une description des effets de près de 800 médicaments.

– Le livre III est un traité des maladies des membres. Pour chaque maladie, Avicenne étudie l'anatomie, la physiologie, la clinique et le pronostic.

– Le livre IV traite des maladies «non spéciales aux membres» avec les fièvres, les maladies éruptives, la petite chirurgie et la traumatologie.

– Le livre V est un ouvrage de pharmacologie constitué de remèdes composés avec l'emploi de l'alcool et du sucre. Il comporte les indications, les proportions et les dosages.

Avicenne a donné une description particulièrement novatrice de l'apoplexie cérébrale, du diabète, des variétés de méningite. Il a livré sa propre définition du cancer : «le cancer est une tumeur qui augmente de volume. Elle est destructrice et étend des racines qui s'insinuent parmi les tissus avoisinants». Avicenne a donné les indications pour différencier la pleurésie, de la médiastinite et de l'abcès sous-phrénique.

En physiologie digestive, il expliquait que « la digestion commence à la bouche grâce à la salive et va se continuer jusqu'à l'estomac grâce à la chaleur innée. Elle se continue dans l'estomac particulièrement chaud grâce aux organes qui l'entourent : foie, rate, épiploon. Dans ce premier stade on obtient un chyle lie. Le chyle passe de l'estomac dans l'intestin et sa destinée va être celle du sang circulant, car il est pris dans la racine des vaisseaux mésentériques allongés le long des tractus intestinaux, puis passe dans la veine porte et de là dans le foie. Il circule dans les divisions qui sont de plus en plus fines et qui contribuent à l'ultime source de la veine cave, émergeant de la convexité du foie ».

Les conceptions thérapeutiques d'Avicenne sont particulièrement originales. Il propose de traiter les crises de goutte en utilisant des préparations à base de semence de colchique. Il conseille le séjour à la montagne des patients souffrant de tuberculose pulmonaire.

Arib Ibn Said Al Katib (surnommé Al Kurtubi) (918-980)

Né en 918 en Espagne, Arib Ibn Said Al Katib est considéré comme l'un des fondateur de l'obstérique. Il est l'auteur d'un ouvrage intitulé *Génération du fœtus et traitement des femmes enceintes et des nouveau-nés* dans lequel il traite dans leur ensemble de la procréation humaine, de l'obstétrique et de la pédiatrie. Al Katib aborde le problème de « l'exercice de la virilité » avec des recettes aphrodisiaques mais émet aussi les règles à suivre au cours de l'accouchement, et les précautions à prendre pour la section du cordon ombilical. Il traite également de la puberté des garçons et des filles.

Abulcasis ou Abdoul Qasim Khalaf Ibn Abbas ou Al Zahrawi (950-1013)

Né vers 950 dans une petite ville du nom de Zahira, un peu à l'Ouest de Cordoue, Aboulcassis est l'auteur d'une œuvre majeure intitulée le *Kittab Al Tasrif*. Dans cette encyclopédie de 30 volumes, il traite tous les domaines de la médecine y compris de la pharmacopée et des différents régimes diététiques à prescrire aux malades. La partie chirurgicale qui constitue environ 1/5e de l'œuvre a eu des conséquences importantes sur la chirurgie occidentale de l'époque. En effet Aboulcassis a cherché à redonner des lettres de noblesse à la chirurgie qui était alors l'apanage des charlatans et des incultes. C'était un esprit novateur et original qui avait des idées lumineuses dans le domaine de la chirurgie. Il propose l'utilisation d'un emplâtre composé de farine et d'albumine d'œuf pour la contention des fractures, de boyaux de chat pour les sutures chirurgicales. Aboulcassis a donné des conseils pour permettre l'extraction des flèches : « si la flèche est enfouie quelque part dans le corps et n'apparaît pas, cherchez-là avec une sonde. Si vous la sentez, tirez-là avec n'importe quel instrument convenable. Mais si vous ne la sentez pas à cause de l'étroitesse de la plaie ou de la profondeur de la flèche, et s'il n'y a pas d'os, de nerf ou de vaisseau sanguin dans le voisinage, alors incisez autour pour que la plaie soit assez large et vous permette de la saisir et de l'extraire ».

Il donne des conseils judicieux pour réduire les luxations de l'humérus : « sachez qu'il y a trois façons pour l'humérus de se déboîter ; l'une est une luxation vers le bas dans l'aisselle, l'autre vers le sein, il peut aussi se luxer vers le haut, ce qui est rare. Une luxation en bas dans l'aisselle peut être diagnostiquée en comparant l'humérus solide et le luxé, et vous trouverez une différence évidente entre les deux. Vous trouverez un creux à la place de la tête de l'humérus, et dans l'aisselle, la tête de l'humérus peut être palpée comme un œuf. Pour la réduire, sa main doit être soulevée en l'air par un aide, puis vous mettez vos deux pouces en dessous dans l'aisselle et vous soulevez puissamment l'articulation vers sa place, pendant que l'aide lève et étire la main en l'air, puis il la ramène en bas, la luxation reviendra aussitôt ».

L'œuvre chirurgicale d'Aboulcassis, traduite en latin par Gérard de Crémone, a eu une influence majeure sur deux chirurgiens qui ont inspiré à leur tour la chirurgie de la Renaissance : Guy de Chauliac au XIIIᵉ siècle en Languedoc et Fabrice d'Acquapendente au XVIᵉ siècle en Italie.

Avenzoar ou Abu Merwan Abd Al Malik Ibn Zohr (1101-1162)

Né à Séville vers 1101 d'une famille de médecins fortunés, Avenzoar était considéré à la fois comme un grand clinicien et un excellent thérapeute doté d'un bon sens critique. Selon Avenzoar, l'expérience pratique l'emporte sur les idées de Galien : «l'expérience est le véritable guide et la meilleure base de la pratique médicale»; «l'art de guérir ne s'acquiert pas par les discussions logiques et des subtilités sophistiquées mais bien par une pratique constante…».

Son livre principal intitulé Le Taysir comporte quelques observations intéressantes sur :

– la gale ;
– les médiastinites suppurées ;
– les paralysies du pharynx ;
– les épanchements péricardiques ;
– la trachéotomie ;
– le coma, les convulsions, l'épilepsie, l'apoplexie, la migraine, le tremblement et l'hémiplégie.

Il a l'idée de proposer l'alimentation artificielle par sonde œsophagienne.

Averroes ou Abou El Walid Mohamed Ibn Ruchd (1126-1198)

Né en 1126 dans le Califat de Cordoue, Averroes a été l'élève d'Avenzoar et le maître de Maimonide. En dehors de la médecine, il s'intéressait au droit, à la physique, à l'astronomie, aux mathématiques, à la théologie et à la philosophie. Ses contemporains l'emprisonnèrent et brûlèrent ses livres en raison de ses discussions «hérétiques» sur Platon et Aristote.

Il est l'auteur d'un ouvrage intitulé *Le Colliget* qui comprend des points intéressants sur par exemple le rôle de la rétine dans la vision ou des notions d'épidémiologie. Averroès a été considéré comme le «commentateur» d'Aristote.

Ishaq Ibn Sulayman Al-Israeli (Isaac le Juif) (IX-Xe siècles)

Ce médecin juif a vécu à Bagdad, en Égypte et à Kairouan en Tunisie. Il a réalisé deux ouvrages célèbres *Des urines* et *De l'éthique médicale* qui seront traduits par Constantin l'Africain et qui seront enseignés jusqu'au XVIe siècle.

Maimonide ou Moshé Ben Maimon en hébreu. Abou Omrane Moussa Ben Meimoune El Kortobi surnommé « l'Aigle de la synagogue » (1135-1204)

Né dans le quartier juif de Cordoue en 1135, Maimonide a été à la fois médecin, philosophe, théologien et chef spirituel du judaïsme. Il a été initié par son père à la Thora, aux mathématiques, à l'astronomie et à la médecine. À la suite de persécutions anti-juives, il a été contraint à partir en exil de 1148 à 1165 avec sa famille d'abord en Espagne méridionale, puis à Fès au Maroc, en Palestine et au Caire.

Il a exercé la médecine à la Cour du denier Calife Fatimide d'Égypte « El Adid ». À la mort de ce dernier en 1171, il est entré au service de Saladin, puis de son fils aîné l'Emir El Afdal. Après la destitution de ce dernier, il a été l'objet d'une disgrâce.

Maimonide s'est intéressé presque exclusivement à la médecine interne. Ses écrits principaux sont constitués par :

– *Mokhtassarat ou extraits des œuvres de Galien* ;

– Les commentaires ou aphorismes d'Hippocrate ;

– *Les aphorismes de Moïse*. Un de ses ouvrages les plus importants est un recueil extrait des œuvres de Galien et d'autres écrivains de l'antiquité grecque, avec une analyse critique de Maimonide ;

– *Sur le régime de la santé* dédié au fils aîné de Saladin, El Afdal, atteint d'une mélancolie. Dans ce livre, Maimonide analyse les troubles psychiques émotionnels et affectifs et évalue les effets de la colère, de la tristesse et de la joie sur la santé.

POUR EN SAVOIR PLUS

GOICHON A.-M. – *La philosophie d'Avicenne et son influence en Europe médiévale*. J. Maisonneuve, Paris, 1979.

IBN HALSUN – *Kitab al Agdiya*. Edition critique, étude et traduction par Suzanne Gigandet. Bordeaux, 1991.

JACQUART D., MICHEAU F. – *La médecine arabe et l'occident médiéval*. Maisonneuve et Larose, Paris, 1990.

MOULIN A.-M. – *Histoire de la médecine arabe: dialogues du passé avec le présent*. Confluent Editions, Paris, 1996.

PERHO I. – *The Prophet's medicine: a creation of the Muslim traditionalist Scholars*. Finnish Oriental Society, Helsinki, 1995.

SLEIM AMMAR – *Médecins et médecine de l'Islam.* Préface de Paul Milliez. Tougui, Paris, 1984.

SLEIM AMMAR – *Poème de la médecine arabe.* Préface de Jean Bernard. Alif, Tunis, 1990.

SOURNIA J.-C. – *Médecins arabes anciens: X^e et XIe siècles.* Textes choisis et commentés par. Conseil international de la langue française, Paris, 1986.

TAHA A. – *La médecine à la lumière du Coran et de la Sunna.* Editions Tawhid, Lyon, 1994.

ULLMANN M. – *La médecine islamique.* Traduction de l'anglais par Fabienne Hareau. PUF, Paris, 1995.

XXVIIe congrès arabe de médecine; Ier congrès médical tunisien, Tunis, 18-20 octobre 1991. *La Tunisie Médicale.* 1991; 69, 10.

10 | MÉDECINE DU MOYEN ÂGE OCCIDENTAL

DATES CLÉS

Vers 750 : création de l'école de Salerne
1123 : fondation de l'université de Bologne
1223 : création de l'université de Cambridge
1137 : début de l'enseignement de la médecine à Montpellier
1163 : condamnation par le clergé de l'exercice de la chirurgie au concile de Tours selon le principe « Ecclesia abhorret a sanguine » (L'Église a horreur du sang)
1256 : fondation du collège Robert-de-Sorbon à l'origine de la fondation de l'université de la Sorbonne
829 : création de l'Hôtel-Dieu de Paris
1260 : fondation du collège Saint-Côme
Vers 1300 : publication par Henri de Mondeville du traité de chirurgie *Cyrurgia*
1345-1352 : peste noire en Europe

FAITS ESSENTIELS

On considère classiquement que l'exercice de la médecine occidentale au Moyen Âge s'est déroulé au cours de deux périodes :

– la période monastique caractérisée par une pratique médicale qui s'apprenait et s'exerçait au contact des moines qui savaient lire le latin. Ils étaient les seuls habilités à dispenser des soins aux malades ;

– la période scolastique caractérisée d'abord par le développement de l'école de Salerne au Xᵉ siècle qui a eu un rayonnement particulièrement exceptionnel en Europe, accueillant un nombre important de praticiens qui ont à leur tour assuré le renouveau médical en Occident. À partir du XIᵉ siècle, il a été créé par les Salernitains des universités à Bologne (seconde moitié du XIIᵉ siècle), à Montpellier (l'enseignement y débute en 1137, mais les statuts sont établis en 1220) et dans toute l'Europe : à Padoue en 1228, Paris en 1215, Salamanque en 1230, Oxford en 1214, Cambridge en 1229 ou Toulouse en 1229. L'enseignement dispensé au sein de ces universités était très dépendant de l'Église. L'Église prenait également en charge les hôpitaux chargés d'accueillir les malades et les infirmes. Les maladreries ou léproseries étaient chargées de s'occuper des patients souffrant de la lèpre.

CONTEXTE HISTORIQUE

Le Moyen Âge débute au IVe siècle de notre ère, avec l'écroulement de l'empire romain en 476. En 395, à la mort de Théodose, l'empire d'Occident se sépare de l'empire d'Orient. Ce dernier va continuer à maintenir un certain niveau de civilisation jouant le rôle d'intermédiaire entre l'Orient et l'Occident jusqu'à la prise de Constantinople par les Turcs en 1453. Celui d'Occident est plongé dans une période de décadence. Un certain nombre de facteurs vont participer un rôle dans ce déclin : les inégalités sociales responsables de révoltes et le désarroi moral de la population avec le christianisme qui ne constitue pas encore une force morale. Dans ce contexte d'éclatement social, les peuples barbares germaniques (Vandales, Suèves) ont envahi, à partir de 407, l'Europe occidentale. C'est le début du Moyen Âge qui devait prendre fin dix siècles plus tard avec la découverte des nouveaux mondes et l'apparition de l'imprimerie à la fin du XVe siècle.

PENSÉE MÉDICALE

On considère classiquement que la médecine occidentale au Moyen Âge s'est déroulée sur deux périodes :

– la période monastique (600-1100), exclusivement religieuse et figée, au cours de laquelle la médecine s'apprenait et s'exerçait au contact des moines qui savaient lire le latin ;

– la période scolastique (1100-1400), caractérisée par le développement des écoles puis des universités.

La période monastique

Après l'effondrement de l'empire romain d'Occident, il n'a plus été dispensé d'enseignement de la pratique médicale. En Occident, le Moyen Âge a été caractérisé par une longue période d'obscurantisme médical avec une domination de la médecine par l'Église qui intervenait à plusieurs niveaux :

– l'Église s'est appropriée l'exercice de la médecine jusqu'alors réservé aux moines qui exerçaient dans les monastères, centres de regroupement et de conservation des manuscrits anciens ;

– elle interdisait les dissections sous peine d'excommunication ;

– elle attribuait le nom d'un saint à la plupart des maladies ;

– elle proposait l'application des reliques des saints comme traitement ;

– elle refusait que le corps humain soit exploré pour ne pas troubler l'ordre divin.

L'Église imposait le respect inconditionnel de certains dogmes hérités de l'Antiquité et compatibles avec le monothéisme. Tout essai de révision ou de discussion, même appuyé sur des faits était considéré comme hérétique.

Les aphorismes d'Hippocrate et les quatre ouvrages de Galien étaient accompagnés de commentaires établis par l'école d'Alexandrie jetant les bases de ce qui était appelé « le galénisme alexandrin ».

La période scolastique

Ce n'est qu'à partir du XIe siècle que les acquis des médecins arabes se sont imposés en Occident, ce qui a eu pour conséquence pour la médecine d'accéder au statut de science.

C'est dans ce cadre qu'a été élaborée au XIIe siècle, principalement à l'école de Salerne, une médecine qui s'imposa progressivement sur les pratiques empiriques. Cette évolution a permis un développement intellectuel avec l'entrée de la médecine dans les universités. La pensée médicale a été marquée par le développement de la médecine scolastique avec deux principales méthodes d'enseignement :

– *la lectio*, c'est-à-dire la lecture et le commentaire des auteurs médicaux antiques et arabes ;

– *la disputio* ou dispute au cours de laquelle il y avait une confrontation des diverses solutions des problèmes.

Fig. 10.1. *Saint Cosme et saint Damien* (BIUM).

PLACE DU MÉDECIN DANS LA SOCIÉTÉ MOYENÂGEUSE

Au cours de la période monastique, les « moines médecins » que l'on peut considérer comme les premiers médecins hospitaliers exerçaient dans les grands monastères et les écoles épiscopales. Leur exercice relevait alors d'un mélange de connaissances et de mysticisme. Le diagnostic des maladies reposait sur l'analyse du pouls et à l'observation des urines. Le fonctionnement de chacun des organes était rattaché à un astre et leurs troubles étaient interprétés en fonction de considérations astrologiques.

Au cours de la période scolastique, les médecins exerçaient leur art auprès des membres des classes élevées de la société. Parmi ces derniers, il y avait une proportion importante de médecins juifs qui disposaient de la connaissance de la médecine arabe. Les gens du peuple avaient recours aux guérisseurs, aux barbiers et aux extracteurs de dents.

PLACE DU CHIRURGIEN DANS LA SOCIÉTÉ MOYENÂGEUSE

Au Moyen Âge, la chirurgie constituait le parent pauvre de la médecine. Son exercice a même fait l'objet d'une condamnation par le clergé au concile de Tours (1163) selon le principe « Ecclesia abhorret a sanguine » (l'Église a horreur du sang).

Certaines universités obligeaient même leurs candidats médecins à jurer qu'ils n'opéreraient jamais par le fer et par le feu. La chirurgie était quasi exclusivement exercée par les barbiers et les barbiers-chirurgiens. Ils faisaient office de saigneurs, de poseurs de ventouses, d'arracheurs de dents et de rebouteux. Ils étaient chargés de raser, de couper les cheveux, d'ouvrir les abcès et d'opérer les hernies. Les barbiers parcouraient les chemins avec leur mule et leur attirail. Ils se présentaient dans les villages, dans les châteaux, pour offrir leurs services. Dans certaines villes ils étaient responsables des bains publics.

Les barbiers-chirurgiens étaient divisés en deux groupes :

– les barbiers-chirurgiens à robe courte qui réalisaient la petite chirurgie dans les villes ;

– les chirurgiens à robe longue, peu interventionnistes, qui tiraient leur instruction des doctes professeurs de la faculté et en tiraient une certaine vanité.

Les barbiers-chirurgiens étaient placés sous la protection de saint Côme et de saint Damien, deux martyrs du début du IVe siècle, fameux pour avoir remplacé la jambe d'un sacristain par celle d'un Éthiopien.

Les barbiers-chirurgiens ont cherché à faire reconnaître leur valeur en se groupant en confréries, comme par exemple à Paris dans le collège de Saint-Côme, fondé en 1230, qui est considéré comme la première faculté de chirurgie. Les médecins ne leur ont jamais reconnu un statut égal. Disséquer pour des raisons scientifiques un cadavre humain devenait de mieux en mieux admis. À partir du concile de 1130, il était interdit à tout ecclésiastique de pratiquer la chirurgie. Seuls les laïcs pouvaient devenir chirurgiens.

Au début du XIVᵉ siècle, à Bologne, Mondino dei Luzzi (1270-1326) a commencé à pratiquer des dissections humaines tout en admirant les descriptions de Galien. Il n'a pas apporté de faits réellement nouveaux en anatomie mais il a rédigé en 1316 un ouvrage intitulé *Anatomia*.

ENSEIGNEMENT DE LA MÉDECINE

Période monastique

École de Monte Cassino

Au VIᵉ siècle, saint Benoît de Nurse a fondé le couvent de Monte Cassino. Le développement de l'exercice de la médecine chez les Bénédictins et la création d'infirmeries monastiques répondaient aux « consignes » de saint Benoît qui avait demandé aux moines de soigner les malades et de les aider par des prières. La vie contemplative spécifique de leur ordre ne les autorisait pas à avoir accès à l'étude. Les directives qui étaient assez strictes au début se sont assouplies avec le temps et vers le IXᵉ siècle, l'abbé Berthier, du couvent de Monte Cassino, a écrit des ouvrages médicaux et a même donné des cours.

La réputation croissante de cette école de médecine a attiré de toutes les contrées des savants et des moines qui venaient y compléter leurs études. Le XIᵉ siècle constitue l'âge d'or de cette école avec la venue de Constantin l'Africain qui y a passé les dernières années de sa vie.

École de Salerne

Cette colonie romaine était réputée dès le Iᵉʳ cycle de notre ère comme une « station sanitaire ». Les malades venaient se reposer dans cette région considérée comme saine et ensoleillée. L'origine de l'École de médecine est très discutée, elle a été l'objet d'une légende selon laquelle elle a été fondée par quatre maîtres de nationalités différentes :

– maître Helinus qui lisait l'hébreu ;
– maître Pontus qui lisait le grec ;
– maître Adela qui lisait l'arabe ;
– maître Salernus qui lisait le latin.

À la fin du VIIᵉ siècle, les Bénédictins ont fondé un hôpital puis une corporation de médecins y a développé une école, qui était d'abord sous le contrôle de l'évêché, puis qui est devenue progressivement laïque. Cette école du savoir médical a été le point de convergence de tous les grands courants de la pensée médicale. Les préceptes élaborés par Hippocrate y ont été très tôt à l'honneur ce qui lui a valu le surnom de Cité hippocratique. Par la suite, la base de l'enseignement reposait non seulement sur les courants grecs des écoles de la basse Italie et de l'Égypte et sur les courants monastiques, mais aussi sur les connaissances juives et arabes.

L'histoire de l'école de Salerne peut être subdivisée en plusieurs époques. Durant la première période, elle va être représentée par deux grands maîtres, Warbod Gariopontus (995-1059) et Pietro Clerico dont l'originalité réside en plusieurs points : l'inspiration gréco-latine et la « vulgarisation » de leurs ouvrages, destinés à être accessibles à tous.

La deuxième période de l'école de Salerne est marquée par la pénétration de l'arabisme médical au XIᵉ siècle par l'intermédiaire essentiellement de Constantin l'Africain. Cette influence arabe va être prépondérante. L'enseignement délivré par l'école de Salerne comprenait alors un enseignement pratique avec des leçons cliniques, des démonstrations anatomiques et une étude des ouvrages de la bibliothèque. Un conseil constitué de médecins se trouvait à la tête de l'école de Salerne.

À partir du XIIᵉ siècle, il y a eu un enseignement médical sévèrement codifié. Pour exercer la médecine, il fallait avoir été examiné par le collège médical de Salerne. C'était la première fois dans le monde occidental qu'il était imposé à tout médecin l'obligation d'être détenteur d'un diplôme. Le programme de l'examen portait sur la thérapeutique de Galien, le premier livre d'Avicenne et les aphorismes d'Hippocrate. Les charlatans risquaient la prison et la confiscation de tous leurs biens.

Une des conséquences de l'école de Salerne a été la mise à disposition de la pratique médicale aux laïcs indépendamment de l'École dogmatique. Un exemple flagrant est donné par ce poème intitulé *Flos medicinae* ou *Regimen sanitatis salernitanum* qui popularise plutôt le sens critique de la pensée hippocratique. Il est écrit en vers sous forme d'aphorismes :

Aphorisme I :

Si tu veux de tes tans prolonger la durée

Soupe peu, du vin ménage la versée,

Marche après ton repas, ne dors pas dans le jour,

Chasse loin les sauces, évite la colère.

Aphorisme II :

Es-tu sans médecins? Je vais t'en donner trois

Gaieté, diète, repos, obéis à leurs lois.

Médecine scolastique

Dès le XIIᵉ siècle, une série de Conciles (Clermont 1130, Reims 1131, Montpellier 1162, Tours 1163) ont interdit désormais aux moines l'exercice de la médecine sous prétexte que ces derniers étaient pervertis par cette activité extra-spirituelle. Cette interdiction a eu pour conséquence le développement des universités qui ont assuré le relais des écoles conventuelles et épiscopales. À la suite de ce changement, l'enseignement va désormais se laïciser. Il n'y a plus d'obédience exclusivement ecclésiastique sous le contrôle de l'évêque qui est le seul à pouvoir délivrer la « licence d'enseigner ». Les universités ont été fondées à la suite des querelles qui régnaient entre les corporations constituées de professeurs « indépendants » et d'étudiants, et le pouvoir clérical local (l'évêque).

Faculté de Montpellier

C'est à Montpellier qu'a été fondée au début du XIIIᵉ siècle la première faculté de médecine (date officielle de sa fondation : 17 août 1220). La bulle du cardinal Conrad est la consécration et la reconnaissance de la faculté par l'autorité papale. Depuis le début du XIᵉ siècle, des médecins délivraient un enseignement à Montpellier. Ville commerciale, cosmopolite et florissante faisant partie intégrante du royaume d'Aragon au Xᵉ siècle, Montpellier avait l'avantage d'avoir une situation géographique privilégiée lui permettant d'entretenir des rapports préférentiels avec Salerne et l'Espagne dès la fin du Xᵉ siècle. L'école de Salerne a fourni à Montpellier d'abord des praticiens pour soigner ses malades, puis plus tard, des praticiens enseignent à leur tour. Mais surtout, Montpellier a bénéficié de l'apport scientifique de la culture islamique. Les écrits des classiques grecs et arabes étaient traduits en provençal et en catalan.

L'âge d'or de la faculté de médecine de Montpellier a eu lieu entre la fin du XIIIᵉ siècle et le début du XIVᵉ siècle. La médecine était enseignée et exercée à la fois par des médecins, arabes, des religieux catholiques et des médecins juifs réfugiés d'Espagne, surtout d'Andalousie. Ces derniers ont joué un rôle important dans cette université en servant d'intermédiaire entre les deux civilisations d'Orient et d'Occident depuis sa fondation jusqu'à l'époque de la Renaissance.

Pour attirer les médecins juifs, Guilhem n'hésite pas à proclamer que quiconque, juif, arabe ou salernitain de quelque pays qu'il vienne, désire enseigner, aura les portes de la Faculté grandes ouvertes. Dans une pièce datée de janvier 1180, Guilhem dit : «je ne donnerai à personne la prérogative et le monopole de pouvoir seul enseigner ou faire des cours à Montpellier dans la faculté de physique (mot à l'époque synonyme de médecin) car il est mauvais de concéder et donner à un seul le monopole dans une science si utile, et pour cela je veux et ordonne que tous, quels qu'ils soient, de quelque pays qu'ils viennent, puissent sans être inquiétés, donner l'enseignement de la physique à Montpellier». La déclaration de Guilhem constitue le premier statut officiel de la Faculté.

Des écoles de médecine ont été fondées par des médecins juifs à Lunel, à Narbonne et à Béziers.

La faculté de médecine de Paris

À Paris, le collège de Robert de Sorbon créé en 1256 a été à l'origine de la fondation de l'université de la Sorbonne. Dans cette faculté, les thèses aristotéliciennes étaient prédominantes contrairement à Montpellier où les idées hippocratiques étaient prééminentes.

L'enseignement de la médecine comprenait toujours l'astrologie. Nombreux étaient les médecins qui s'intéressaient à l'essor de l'alchimie pour leur pratique.

THÉRAPEUTIQUES DISPONIBLES ⎯⎯⎯⎯⎯⎯⎯⎯

Au cours de la période monastique, les thérapeutiques médicales reposaient à la fois sur l'alchimie, sur la pharmacie et sur l'astrologie.

La pharmacopée disponible reposait essentiellement sur l'utilisation de plantes. La culture des plantes médicinales est développée au sein des monastères. La pensée médiévale plus analogique que logique s'exprimait également dans le domaine thérapeutique. Elle est le support de la théorie des signatures qui repose sur le principe selon lequel la Providence a permis aux hommes de faciliter l'identification des végétaux aux vertus thérapeutiques. (Par exemple, les plantes rouges permettent de guérir les maladies du sang.)

Au cour de la période scolastique, les mesures hygiéno-diététiques, notamment l'hydrothérapie et les régimes alimentaires (le lait et les bouillons) tenaient une grande place dans les traitements dont les prescriptions continuaient à être fondées sur la théorie des humeurs. Leurs excès étaient traités par les saignées, les purges, les vésicatoires et les clystères. La pharmacopée se servait de préparations d'origine végétale et aussi de remèdes préparés à partir de produits animaux. La thériaque avait une composition de plus en plus complexe. Sous l'influence des thèses développées par les alchimistes, des minéraux pouvaient être employés pour soigner.

HÔPITAUX

Hospices et hôtels-Dieu (période monastique)

Le christianisme prônait la charité et l'assistance accordée aux pauvres, aux infirmes et aux mendiants conformément au principe de la «Miséricorde». Les évêques, à la tête des fondations mérovingiennes, ont été chargés par différents conciles (Orléans, 511, Tours, 567, Lyon, 583) d'hospitaliser les pauvres et les voyageurs. Les moines par la suite se sont substitués aux évêques. Des hospices et des hôtels-Dieu ont été fondés pour assurer cette fonction. Ils étaient situés dans les villes. L'Hôtel-Dieu de Paris a été construit en 829. Il n'y avait pas de chirurgiens et de médecins rattachés à demeure à ces établissements. En cas de besoin, un médecin de la ville ou un «barbier» était appelé.

Les hospitaliers

À partir du XIIᵉ siècle, les hospitaliers, établissements charitables, ont été installés sur les chemins de pèlerinage pour accueillir les malades, les pauvres, les pèlerins et les impotents. Les plus célèbres étaient l'ordre des chevaliers de l'hôpital de Saint-Jean de Jérusalem (ou «hospitaliers»), l'ordre des chevaliers du temple de Salomon (ou «templiers»), et l'ordre de Saint-Lazare, qui s'occupaient des lépreux.

Les maladreries

Les maladreries ou «hostels de ladres» construites à 200 ou 300 mètres de la ville étaient destinées à hospitaliser les lépreux ou ladres. Ces derniers y vivaient en communauté et devaient obéir à des règles strictes. Ils étaient autorisés à sortir pour mendier en ville à condition de se faire reconnaître au public par leur crécelle. Au début du XIIIe siècle, sous Louis VIII, il y avait environ 2 000 maladreries dans tout le «royaume».

Les autres hôpitaux «spécialisés»

Il y avait également des structures hospitalières plus petites destinés à accueillir les patients qui souffraient de pathologies spécifiques. Il y avait par exemple l'hôpital des quinze-vingt à Paris destiné à accueillir les aveugles.

MÉDECINS CÉLÈBRES

Gerbert d'Aurillac ou Gerbert l'Auvergnat (vers 938-1003)

Né en Auvergne à Aurillac, élevé à l'abbaye Saint-Géraud d'Aurillac, Gerbert l'Auvergnat a fait un séjour en Espagne en 967 sous le règne d'Al Hakem (961-976) pour enrichir ses connaissances. Ce pays constituait alors le phare culturel et scientifique où étaient transmises toutes les connaissances antiques et notamment celles des Grecs anciens. Pendant les trois années où il y est resté, il s'est imprégné de sciences médicales, de mathématiques et d'astronomie. À son retour, il est devenu chanoine capitulaire et médecin de l'hospice proche de la cathédrale de Reims. Par la suite Gerbert s'est rendu en Italie où il a été nommé archevêque de Ravenne puis premier pape français sous le nom de Sylvestre II. Il a joué un rôle important dans la transmission en Europe des chiffres arabes et de toutes les connaissances médicales qu'il avait pu acquérir en Espagne.

Constantin l'Africain (vers 1015-1087)

Constantin l'Africain est né à Carthage en Tunisie. Épris par un désir ardent de s'instruire, il a commencé à faire de longs voyages en Syrie et en Inde. Il est retourné dans son pays natal en passant par l'Éthiopie et l'Égypte. Ses voyages lui ont permis de s'initier à la grammaire, à la dialectique, à la géométrie, à l'arithmétique, à l'astronomie, à la musique et à la médecine. Il est devenu l'un des médecins les plus estimés et l'un des professeurs les plus célèbres de l'École de Salerne (moitié du XIe siècle) avant de se retirer les dix dernières années de sa vie dans le couvent de Mont Cassin où il est mort en 1087. Maîtrisant parfaitement l'arabe et le latin, il a réalisé un grand nombre de traductions d'auteurs grecs et romains (les aphorismes d'Hippocrate, l'Ars Minor et le Commentaire aux aphorismes de Galien). Mais surtout il a traduit les œuvres de trois médecins arabes du Xe siècle : le *Kitab al Maliki* d'Ali Ibn Abbas; le *Zad Il-Mouçafir* (ou viatique) d'Ibn Al Jazzar, et les deux traités *Les urines* et *Les fièvres* d'Ishaq Ibn Soleiman. Même si Constantin l'Africain est décrié pour avoir essayé de s'octroyer la paternité d'œuvres qu'il se contenta de traduire de l'arabe, il ne faut pas oublier qu'il a joué un rôle important dans l'introduction en Occident d'ouvrages arabes permettant ainsi d'élargir les bases de l'enseignement de la médecine dans les universités d'Europe pendant 5 à 6 siècles.

Fig. 10.2. *Constantin l'Africain* (BIUM).

Gariopontus (ou Guarinpontus) Warhod (995-1059)

Ce médecin d'origine lombarde est l'auteur d'une œuvre encyclopédique en cinq volumes qui est la compilation de l'enseignement de deux médecins byzantins, Aurélius et Esculapius, et qui contient les bases du langage médical moderne : le *Passionarium*.

Pietro Clerico (ou Petroncello) (Xᵉ siècle)

Il est l'auteur de la *Pratica*, compilation analogue au *Passionarium*. Il y a fait une description du tétanos.

Benvenutus Grapheus (ou Bienvenu de Jérusalem) (XIIᵉ siècle)

Médecin juif réputé, Benvenutus Grapheus a été professeur à Salerne et également à Montpellier. Il est considéré comme l'ophtalmologue le plus célèbre du XIIᵉ siècle. Il est l'auteur de *Practica oculorum* qui contient la description de 27 affections oculaires.

Ce *Compendil pour la douleur et les maladies des yeux* qui constitue l'ouvrage d'ophtalmologie le plus important de cette époque a été imprimé à Florence en 1474 et a été traduit en plusieurs langues. Un des chapitres est consacré à l'opération de la cataracte par abaissement.

Guy de Chauliac (1295-1351)

Médecin des papes d'Avignon (Clément VI, Innocent VI, Urbain V), grand théoricien de la chirurgie, auteur de plusieurs traités, Guy de Chauliac est devenu célèbre en ayant le courage de pratiquer sur Clément VI (qui souffrait de migraines) une trépanation de l'os pariétal gauche (l'exhumation du squelette de Clément VI en 1709 a confirmé la réalité de cette intervention).

Chirurgien méticuleux, Guy de Chauliac disposait d'une trousse importante. Il a perfectionné quelques instruments, comme l'aiguille à suture, triangulaire et creusée en gouttière pour loger le fil, une cabule fenêtrée placée sur le point de la peau où doit sortir l'aiguille. Il a mis au point des machines compliquées de poids et de poulies afin de mettre en extension les membres en cas de fractures.

Il a souligné l'importance de bien connaître l'anatomie pour exercer la chirurgie : « il est nécessaire aux chirurgiens de bien connaître l'anatomie, parce que sans l'anatomie, on ne peut rien faire en chirurgie ».

Courageux, Guy de Chauliac n'a pas fui devant la peste noire. Il a établi la distinction entre la peste pulmonaire et la peste bubonique.

Henri de Mondeville (1260-1320)

Après ses études à la faculté de Montpellier, Henri de Mondeville est devenu chirurgien des rois de France (Philippe le Bel et Louis X). Il a écrit un traité de chirurgie (Cyrurgia) dans lequel il a dressé avec originalité, intelligence et humour le portrait du « bon » chirurgien : « Le chirurgien doit être modérément audacieux, ne pas disputer devant les laïcs, opérer avec prudence et sagesse, et ne pas entre-prendre d'opération périlleuse avant d'avoir prévu ce qui est nécessaire pour éviter le danger. Il doit avoir les membres bien formés, surtout les mains, les doigts longs et minces, agiles et non tremblants ; tous les autres membres forts pour pouvoir exécuter virilement toutes les bonnes opérations de l'âme. » Henri de Mondeville a établi l'ordre des priorités que devait respecter le chirurgien : « Il faut que le chirurgien songe à cinq choses : premièrement à son salaire ; deuxiè-mement à éviter ou atténuer les méchants propos ; troisièmement à opérer prudemment ; quatrièmement à la maladie ; cinquièmement à la force du malade. »

Il était opposé à la suppuration et était partisan de la ligature systématique des artères au cours des amputations.

Lanfranchi ou Lanfranco da Milano

Originaire de Milan, Lanfranchi qui avait étudié à Bologne a été banni de sa ville natale en 1295. Il s'est exilé à Lyon puis à Paris. Il a écrit un ouvrage inti-tulé la *Chirurgia Magna* qui a eu un grand succès et qui a contribué à le placer à la tête de l'école de chirurgie française. Lanfranchi était un clinicien averti, et un opérateur adroit. Il a réalisé des études importantes sur les fractures du crâne et les hernies. Il a été l'un des tout premiers à protester contre le rôle prépondérant des barbiers : « Nul ne peut être médecin, écrivit-il, s'il ignore les opérations chirurgicales, et nul ne peut faire d'opérations, s'il ne connaît la médecine. »

GRANDES ÉPIDÉMIES

Les grandes épidémies étaient considérées comme le signe maléfique de la colère divine.

La lèpre au Moyen Âge

Aux Iᵉʳ et IIᵉ siècles, la lèpre s'est répandue en Gaule et en Germanie, puis en Ibérie au IIIᵉ siècle. Elle a gagné plus tard l'Angleterre, l'Écosse, l'Irlande. La lèpre a sévi à partir du XIIᵉ siècle dans les pays baltes. Au temps des Croisades (1095-1270), l'endémie lépreuse s'est développée en Europe et a pris l'allure d'une épidémie qui a atteint le maximum de son intensité en Europe occidentale entre le XIIᵉ et le XIVᵉ siècles.

Les lépreux inspiraient une telle crainte qu'ils étaient traités d'une manière inhumaine. Les suspects de lèpre étaient examinés par un représentant de l'évêque ou par un jury qui comprenait par la suite des médecins ou des chirurgiens. Celui qui était reconnu ladre (ou méseau) était, en France et dans les Flandres, soumis à une cérémonie de « mise hors du siècle » comparable à l'office des morts. Dans tous les pays d'Europe, les lépreux se voyaient notifier ce qu'on appelait les « deffenses » qui étaient un certain nombre de règles très détaillées et contraignantes qu'ils devaient respecter. Ils étaient obligés de revêtir l'habit de ladre et ils recevaient la cliquette, la crécelle ou la cloche qu'ils devaient agiter pour prévenir de leur approche. Dans certaines régions, les ladres devaient renoncer à se marier ou avaient leur mariage dissous, parfois tous leurs biens étaient partagés entre leurs héritiers. Les lépreux étaient conduits dans une « maladrerie » ou dans une cabane de bois située au bord d'une route et vivaient de la mendicité. En 1321, Philippe V le Long qui régnait sur le royaume de France pratiquement ruiné à la suite des guerres de Flandres s'est servi de la lèpre pour renflouer les caisses du royaume de France en faisant croire que les Juifs s'étaient alliés aux Lépreux pour exterminer les Chrétiens de France afin qu'ils puissent partager leur calvaire mais aussi pour s'approprier leurs biens. Sur la porte du cimetière parisien des Saints-Innocents était porté l'épitaphe : « Garde-toi de l'amitié d'un fol, d'un juif ou d'un lépreux. ». Le roi Philippe V a donné l'ordre d'arrêter les Juifs et Juives passés aux aveux sous la torture et ceux confondus par les témoins. Les biens de ceux contre lesquels on n'avait encore aucune preuve étaient confisqués « jusques à quand nous en ayons autrement ordonné », « pour le dédommagement de notre peuple ».

Les baillis et sénéchaux firent preuve d'un zèle exemplaire pour rançonner les Juifs et pour les massacrer par milliers. En revanche ils firent preuve d'un empressement modéré pour adresser au trésor royal les sommes spoliées comme en témoignent les rappels adressés aux baillis de Chaumont, Vitry, Tours, Bourges et Paris. Philippe V était malgré tout satisfait. Grâce à cette accusation fallacieuse, il avait réussi à remplir les caisses du royaume.

La grande peste ou peste noire (1345-1352)

Le premier épisode de la peste recensé en Europe et de loin le plus meurtrier a eu lieu à Gênes en 1347. Le port de Gênes était un port commercial très actif qui était un lieu d'échange très important. Cette affection a été importée au cours de l'été 1347 par des Génois qui revenaient d'un comptoir situé à Caffa, sur les rivages de la mer Noire où ils avaient subi une attaque de Mongols qui avaient jeté par dessus les murailles des corps de guerriers morts de la peste. Au cours de leur retour, les Génois ont entraîné une diffusion de la peste d'abord à

Constantinople puis en Sicile, et enfin à Marseille. Trois ans plus tard tout le continent européen était victime du fléau de la peste. On estime que la peste a été responsable en 5 ans de la mort de 25 millions d'individus, ce qui correspondait à environ la moitié de la population de l'Europe ou le tiers de la population du monde connu. Il y eut 100 000 morts à Venise, 25 000 morts à Lyon (la moitié de la ville), 50 000 morts à Paris dont la reine. Il mourait 500 personnes par jour à l'Hôtel-Dieu.

Les médecins étaient incapables de soigner les pestiférés. Ils revêtaient une tenue particulière. Cette épidémie de peste a totalement désorganisé la société moyenâgeuse. En effet, nombreux étaient ceux qui fuyaient les villes, participant parfois à la diffusion de la maladie. On estime que la peste noire de 1348, qui a tué la moitié de la population européenne, a eu des conséquences très importantes sur le plan économique.

CES MALADES CÉLÈBRES

La lèpre du prince Baudouin IV

À la suite de l'appel du pape Urbain II au concile de Clermont en 1095, les chevaliers se lancent dans la première croisade sous le commandement de Godefroy de Bouillon. Ce dernier s'empare le 15 juillet 1099 de Jérusalem. Le grand royaume, celui de Jérusalem, dure 88 ans et sera repris par le sultan

Fig. 10.3. *Saint Roch et saint Sébastien. La peste* (BIUM).

d'Égypte Saladin, en grande partie en raison de la lèpre contractée par Baudouin IV, fils d'Amaury Ier d'Anjou, roi de Jérusalem, et de la reine Agnès de Courtenay, comtesse d'Édesse. Baudouin, aveugle, mutilé des mains et des pieds, incapable de chevaucher, se rendait sur les champs de bataille pour diriger les combats à partir de sa litière. Il meurt en 1185, laissant le souvenir d'un souverain valeureux et héroïque. Deux ans plus tard, Saladin réussit à s'emparer du royaume de Jérusalem. Par la suite, ni Frédéric Barberousse, ni Philippe-Auguste, ni Richard Cœur-de-Lion ne purent reprendre Jérusalem. Il faudra attendre la sixième croisade en 1229 pour que les croisés puissent à nouveau reconquérir Jérusalem.

L'érysipèle de Saint-Louis responsable de l'échec de la huitième croisade

En 1270, le roi Louis IX décide à 55 ans de se lancer dans une nouvelle croisade. Il organise cette expédition afin d'effacer l'échec de la septième croisade qui avait débuté en 1248. Saint-Louis avait été capturé avec ses hommes en 1250 puis libéré moyennant une lourde rançon.

À la veille de cette nouvelle croisade, nombreux sont ses conseillers, en particulier Joinville, qui tentent de le dissuader de partir pour Tunis en raison de l'érysipèle dont il souffre à la jambe droite. La douleur de l'érysipèle est telle que, selon Joinville : « *Il se plaignait en gémissant* ». Quand le roi va lui faire ses adieux à Paris, Joinville doit le porter dans ses bras. « *C'est grand péché que firent ceux qui le laissèrent aller, dans la grande faiblesse où son corps était, car il ne pouvait souffrir ni d'aller en charrette ni d'aller à cheval. Sa faiblesse était si grande qu'il souffrit que je le portasse de l'hôtel du comte d'Auxerre, où je pris congé de lui, jusqu'aux Cordeliers, entre mes bras* ». Au cours des jours qui suivent son embarquement pour Tunis, où il débarque le 17 juillet 1270, son état empire progressivement pour aboutir à sa mort le 25 août 1270, entraînant par la même occasion l'échec de cette croisade. Les éléments recueillis auprès de ceux qui assistèrent à ses derniers moments suggèrent qu'il a été victime d'une septicémie dont le point de départ était l'érysipèle dont il souffrait. Pour pouvoir être ramené en France, son corps sera dépecé puis bouilli dans un mélange de vin et d'eau jusqu'à la séparation de la chair et des os.

La démence de Charles VI

Charles VI le Bien-Aimé, qui a été sacré roi à douze ans en 1380, est considéré comme vif, aimant la guerre et les plaisirs, jusqu'à une chevauchée dans la forêt du Mans par une chaude journée d'août 1392. Ce jour-là, alors qu'il se trouve presque seul à quelque distance de son escorte, un homme de mauvaise mine, vêtu d'un linceul blanc, se précipite à la tête de son cheval dont il saisit la bride, en criant d'une voix tonitruante : « *Arrête, noble roi, ne va pas plus, car tu es trahi!* ». Cette altercation déclenche la fureur du roi qui tire son épée et qui est pris d'un accès de folie furieuse en s'écriant : « *Sus aux traîtres, ils veulent me livrer!* ». L'année suivante, il subit une seconde crise lors de ce qu'on a appelé le «bal des ardents» au cours d'une fête masquée donnée à l'occasion d'un mariage. Le feu prend à sa toison et se communique à la duchesse de Berry qui le sauve en l'enveloppant dans sa longue robe.

À la suite de cet incident, le roi continue à présenter des crises de démence qui se succèdent à un rythme de plus en plus fréquent, entrecoupées de périodes de rémission au cours desquels il participe à la vie politique du royaume. À partir de 1405, il a refusé tout soin d'hygiène. Par moments, le souverain oublie jusqu'à son nom, sa fonction, ne reconnaît plus personne. Profitant de ses troubles, les Bourguignons et les Armagnacs se livrent à une guerre sans merci. En 1411, Jean sans Peur fait appel aux Anglais en leur promettant une partie du territoire français contre leur aide. La France sans véritable souverain est plongée dans le chaos dont le paroxysme est la fameuse bataille d'Azincourt, le 25 octobre 1415, qui est l'un des plus grands désastres de l'histoire de France. Charles VI décédera en 1422.

Le délire paranoïaque de Louis XI

En 1463, Louis XI âgé de 40 ans commence à se plaindre de céphalées fréquentes et d'une hyperesthésie crânienne au froid. Il adopte le port de chapeaux à larges bords qui lui enserrent la tête et le soulagent partiellement. Il se plaint auprès de ses médecins de souffrir de «*Fumisotate a la testa*», dont la traduction littérale est «fumées dans la tête», qui pourraient correspondre à des acouphènes. Selon certains historiens de la médecine, l'association de céphalées fréquentes et d'acouphènes laisse supposer que Louis XI souffrait probablement d'hypertension artérielle qui aurait eu des conséquences non négligeables sur sa personne et sur sa politique. En effet, ses troubles sont à l'origine d'un délire paranoïaque qui le rend craintif de devoir interrompre ses fonctions, accentuant toujours plus son amour du pouvoir tandis qu'il suspecte perpétuellement des complots par ses proches. Tout laisse à penser qu'il présenta en mars 1481 puis en septembre de la même année un épisode d'accident vasculaire cérébral constitué. Selon les témoignages de ses contemporains, au moment de prêter serment pour le traité d'Arras en 1482, Louis XI aurait demandé la permission de toucher l'évangile de la main gauche parce qu'il avait le bras droit en écharpe, paralysé. Une troisième attaque lui est fatale le 30 août 1483.

POUR EN SAVOIR PLUS

BARKAI.R. – *A history of medieval Jewish gynaecological texts*. Brill, Leiden, New York, 1998.

DULIEU L. – *La médecine à Montpellier*. Tome 1: Le Moyen Âge. Les Presses universelles, Avignon, 1975.

DULIEU L. – Les origines de la médecine à Montpellier. *Bulletin de l'Académie des sciences et lettres de Montpellier*. 1982;.13: 63-79.

DUPOUY E. – *Le Moyen Âge médical: Les médecins au Moyen Âge - Les grandes épidémies - Démonomanie - Sorcellerie - Spiritisme - La médecine dans la littérature du Moyen Âge - Historiens - Poètes - Auteurs dramatiques.* Librairie Meurillon, Paris, 1888.

HUNT T. – *The medieval surgery.* Boydell press, Woodbridge, Rochester, 1992.

JACQUART D. – *La médecine médiévale dans le cadre parisien, XIVe-XVe siècle.* Fayard, Paris, 1998.

JACQUART D. – *Le milieu médical en France du XIIe au XVe siècle.* Droz, Genève, 1981.

JACQUART D., MICHEAU F. – *La médecine arabe et l'occident médiéval.* Maisonneuve et Larose, Paris, 1990.

JACQUART D., THOMASSET C. – *Sexualité et savoir médical au Moyen Âge.* PUF, Paris, 1985.

MURRAY JONES P. – *Medieval medicine: in illuminated manuscripts.* British library, London, 1998.

RAMAIN M.-C. – *La médecine italienne au Moyen Âge.* Paris, 1992.

SHATZMILLER J. – *Jews, medicine, and medieval society.* University of California press, Berkeley, 1994.

SIRAISI N. G. – *Medieval and early Renaissance medicine: an introduction to knowledge and practice.* Univ. of Chicago Press, Chicago, 1990.

WICKERSHEIMER E. – *Dictionnaire biographique des médecins en France au Moyen-Age.* Droz, Genève, 1979.

11 | MÉDECINE DE LA RENAISSANCE

DATES CLÉS

1457 : le premier livre médical, qui est un calendrier des purgations, est imprimé à Mayence

1478 : la première dissection publique est autorisée à Paris

1495 : premiers cas de soldats souffrant de syphilis au cours du siège de Naples

1530 : Girolamo Frascator donne pour la première fois le terme de « syphilis » dans *Syphilis, sive de morvo gallico*

1490 : fondation à Padoue du premier amphithéâtre d'anatomie

1542 : Jean Fernel publie *De naturali parte medicinae libri septem*

1543 : André Vésale publie à Bâle son ouvrage *De humani corporis fabrica*

1545 : Ambroise Paré publie *La Méthode de traiter les playes faictes par les hacquebutes et autres bastons à fau; et de celles qui sont faictes par flèches, dards et semblables; aussi des combustions spécialement faictes par la pouldre à canon*

1553 : Michel Servet publie *Christianismi Restitutio*

1556 : Ambroise Paré publie son traité *La Chirurgie*

FAITS ESSSENTIELS

La Renaissance a été marquée d'une part par la découverte de l'Amérique qui a favorisé la survenue d'épidémies et d'autre part par le développement de l'imprimerie qui a permis la diffusion au XVIᵉ siècle du savoir médical. Cette période a constitué une période d'essor pour l'anatomie qui a évolué rapidement grâce aux autorisations des dissections anatomiques qui ont été accordées. Les artistes de la Renaissance ont aidé au perfectionnement des représentations du corps humain. Les blessures par les armes à feu ont compliqué la pratique des chirurgiens. L'exercice chirurgical s'est développé grâce à celui qui est considéré comme le père de la chirurgie : Ambroise Paré. La syphilis est considérée comme le fléau majeur de cette période.

CONTEXTE HISTORIQUE

Le monde occidental plongé pendant près d'un millénaire dans le Moyen Âge s'est transformé considérablement à partir de la fin du XVIᵉ siècle au cours d'une période que Giorgio Vasari, artiste florentin, a baptisé « Una Rinascita » (la Renaissance). Un courant de pensée qui préconisait un contact direct avec le patrimoine culturel des civilisations grecques et romaines antiques s'est développé. Le concept fondamental de l'humanisme de la Renaissance reposait sur la redécouverte du passé qui devait permettre le renouveau des sciences. Au cours de cette période, les textes anciens ont été redécouverts, tandis que les traductions ont été débarrassées des interprétations douteuses qui s'étaient accumulées au cours des siècles.

Mais surtout la Renaissance a été marquée par deux grands événements fondamentaux : l'invention de l'imprimerie en 1455 et la découverte du Nouveau Monde en 1492. En effet, la découverte par Gutenberg des caractères mobiles métalliques a permis de donner au livre et par la même occasion au savoir un caractère universel. L'imprimerie a permis la diffusion des idées des humanistes en leur permettant une propagation des textes anciens redécouverts. Les conquêtes de territoires nouveaux que les pays européens se sont partagés a entraîné un essor commercial et économique.

PENSÉE MÉDICALE

Le rôle de l'imprimerie dans la diffusion des idées médicales

Au cours de la Renaissance, la médecine a subi l'influence du courant humaniste novateur qui a régné dans la plus grande partie de l'Europe et plus particulièrement en Italie du Nord. Les médecins humanistes remettaient en question les grands concepts tout en conservant du respect pour les anciens, dont les textes antiques étaient considérés comme intouchables. La rénovation du latin et la redécouverte du grec ont favorisé ce courant de pensée. Grâce au développement de l'imprimerie, il y a eu une diffusion du savoir médical jusqu'alors réservé aux ecclésiastiques ou aux bibliothèques universitaires qui conservaient jalousement leurs écrits. En 1457, le premier livre médical, un calendrier des purgations, a été imprimé à Mayence. À partir de la fin du XVᵉ siècle, la plupart des traités médicaux ont fait l'objet d'une impression.

La découverte de l'imprimerie a permis l'évolution des connaissances en anatomie, et par voie de conséquence le développement de la chirurgie. L'autorisation de réaliser des dissections selon un rythme établi d'une ou deux chaque année dans chaque faculté, avec surtout le développement toléré par les autorités des dissections clandestines, officieuses, ont abouti à l'œuvre gigantesque de Vésale et de Paré.

L'« esprit renaissant »

En revanche, l'apport du mouvement humaniste dans les autres disciplines médicales a été plus limité en raison d'une acceptation naïve, sans critiques et presque mystique de l'œuvre des auteurs anciens. Hippocrate et Galien sont restés à la base de l'enseignement, de la réflexion et de la pratique médicale. Mais surtout les médecins humanistes qui étaient des « hommes de la Renaissance » avaient une soif d'accumuler le plus de connaissances possibles sur le maximum de sujets, ce qui ne leur permettait pas d'approfondir leurs acquis.

Ce n'est qu'à la fin du XVIᵉ siècle que des médecins ont commencé à poser des questions sur la validité des bases de connaissance, entraînant ainsi des critiques contre les concepts antiques et ouvrant la voie au XVIIe siècle avec l'essor de la physiologie. Le terme de physiologie a été d'ailleurs cité pour la première fois par le médecin français Jean Fernel (1497-1558) dans la préface de son livre *De naturali parte medicinae libri septem* (1542), puis repris dans son traité *Universa medicina* (1554).

Avec la découverte du nouveau monde, un « esprit renaissant » qui assimilait l'exploration du monde et celui du corps s'est développé. Il y a eu une collaboration étroite entre les anatomistes italiens du XVIe siècle et les plus grands artistes peintres de la Renaissance permettant la réalisation de traités d'anatomie considérés comme de véritables œuvres d'art.

Au cours de cette période, la perception du corps a changé : le corps n'était plus réduit à une enveloppe de l'âme selon les principes de l'Église.

EXERCICE DE LA MÉDECINE

Les médecins gagnaient correctement leur vie. Ils recevaient des gains de leurs patients aisés, mais ils délivraient des soins gratuitement aux indigents. Les médecins jouissaient de privilèges fiscaux. Les médecins ont commencé à se regrouper en collèges en Italie, en Allemagne, en France ou en Grande-Bretagne (création du Royal College of Physicians) pour assurer la stabilité de leur fonction. Les confréries se sont multipliées et ont accru le conservatisme. Les niveaux de culture et de richesse des médecins variaient selon les diplômes acquis, et le lieu où ils choisissaient d'exercer (ville ou campagne).

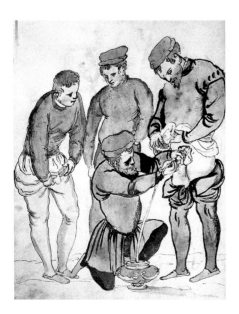

Fig. 11.1. *Médecin au XVIe siècle* (AP-HP).

EXERCICE DE LA CHIRURGIE

Les chirurgiens gagnaient mal leur vie et leur métier manuel était dénigré par des médecins qui s'estimaient plus cultivés parce qu'ils parlaient le latin. Le fossé entre les chirurgiens et les médecins a augmenté au cours de la Renaissance.

Cependant, les chirurgiens et les médecins étaient peu nombreux, et les soins aux blessés et aux malades étaient souvent dispensés par les religieuses et les moines qui distribuaient des remèdes à leurs fidèles, les rebouteux, les rhabilleurs, et les matrones qui exerçaient dans les villages. Les charlatans continuaient à exercer dans des stands de foire ou sur les tréteaux de marchés, en ameutant les clients à grands cris et en vendant des remèdes.

ENSEIGNEMENT DE LA MÉDECINE

À la fin du XVIe siècle, la profession médicale était réservée aux laïcs et elle était exercée à la condition d'être titulaire d'un doctorat d'état ou d'université. Désormais le statut des médecins, ses droits et ses obligations faisaient l'objet d'une codification. L'enseignement médical était dispensé et était largement répandu.

INNOVATIONS MÉDICALES

La redécouverte du corps humain

La principale avancée du XVIe siècle a été la redécouverte du corps humain avec l'étude approfondie de l'anatomie. Depuis l'Antiquité, la dissection des cadavres était interdite, mais l'esprit de la Renaissance a bravé cette interdiction. La première dissection publique a été autorisée à Paris vers 1478, et l'« amphithéâtre anatomique » de la faculté de médecine de Padoue fondée en 1228 est inauguré en 1490. Les dissections ont commencé à être autorisées dans certaines conditions. Le nombre annuel de dissections autorisées était limité. Trois personnes y participaient : un enseignant, un démonstrateur et un préparateur. Elles avaient lieu au début en plein air puis, progressivement elles ont été effectuées dans des amphithéâtres d'anatomie aménagés avec une table centrale et des gradins. Les dissections se déroulaient le plus souvent sur plusieurs jours et leur déroulement avait le même cérémonial, avec d'abord l'étude de l'abdomen, puis du thorax, du crâne, et enfin des membres.

Les artistes et l'anatomie

Les anatomistes ont vite compris l'intérêt qu'il y avait à diffuser leurs travaux par l'intermédiaire de livres d'anatomie illustrés élaborés dans les imprimeries. Jacopo Berengario da Carpi (v.1470-1530) a écrit le premier ouvrage d'anatomie. Très rapidement les anatomistes italiens du XVIe siècle ont collaboré avec les plus grands artistes peintres de la Renaissance afin de réaliser

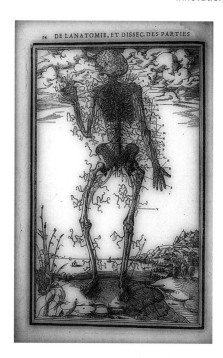

DE LANATOMIE, ET DISSEC, DES PARTIES

Fig. 11.2. *Ch. Estienne. La dissection des parties du corps humain (1546)* (BIUM).

des traités d'anatomie. La structure du corps humain a suscité le plus vif intérêt chez Albrecht Dürer, Léonard de Vinci, Raphaël et Michel-Ange.

Léonard de Vinci est considéré comme l'un des anatomistes les plus réputés de la Renaissance en raison de la qualité de ses travaux d'anatomie descriptive, topographique, fonctionnelle et comparée réalisés à partir de méthodes originales de dissection qui lui ont permis l'étude du mouvement des muscles, de la configuration mécanique du cœur, du rôle des poumons, de la structure et du fonctionnement de l'œil.

Les anatomistes Jacques Dubois (plus connu sous le nom de Sylvius, 1478-1555) ou Charles Estienne (1504-1564) ont reproché aux artistes de privilégier la perspective et la recherche de l'esthétique aux dépens de la rigueur scientifique.

Les écoles d'anatomie

Les écoles d'anatomie se sont affrontées au cours de la Renaissance dans leur recherche effrénée de la découverte du corps humain :

– en Italie, l'école d'anatomie était prestigieuse avec :

- Gabriel Fallope (1523-1562) qui a décrit la corde du tympan, l'intestin grêle, les nerfs de l'œil et les vaisseaux cérébraux,

- Girolamo Fabrici di Acquapendente (1533-1619) qui a réalisé des travaux sur la reproduction humaine, la structure des valvules veineuses et la locomotion,

- le Flamand Andreas Vésale (1514-1564) qui était professeur à Padoue. Considéré comme le plus célèbre des anatomistes de la Renaissance, il a élaboré une nomenclature des os, des muscles et des vaisseaux dans son célèbre ouvrage intitulé *De humani corporis fabrica libri septem*, paru à Bâle en 1543. Ses écrits sont les récits des observations qu'il avait réalisées au cours de ses dissections. Il a corrigé les erreurs des travaux de Galien et a souligné l'erreur qui consistait à extrapoler les anatomies animale et humaine,

- Bartolomeo Eustachio (v.1510-1574), qui a donné son nom à la trompe de l'oreille et qui a étudié les reins, la circulation lymphatique, les dents et les surrénales,

- Leonardo Botallo (1530-1571) qui a donné son nom au Canal de Botal qui fait communiquer, chez le fœtus, l'aorte et l'artère pulmonaire qui s'oblitère à la naissance. Il a également donné son nom au Trou de Botal qui est la communication entre l'oreillette droite et l'oreillette gauche qui s'obstrue à la naissance,

- mais aussi Realdo Colombo (1516-1559), Cesare Aranzio (1530-1589), Constanzo Varolio (1543-1575), Adriaan Von den Spiegel (1578-1625), Johannes Bauhin (1541-1613), Giulio Casseri (1552-1616) ou Giovanni Ingrassia (v.1510-1571);

– en Espagne, Michel Servet (1511-1553) a réalisé la description de la petite circulation. En revanche, le mot «circulation» n'a été introduit dans le langage médical qu'en 1569 par Andrea Cesalpino (1519-1603) pour signifier que le sang ne stagnait pas dans les veines.

L'essor de la chirurgie

Au cours de la Renaissance, la chirurgie a bénéficié des progrès de l'anatomie. Les innovations chirurgicales ont bouleversé la profession de chirurgien jusqu'alors exercée par les barbiers. Quelques barbiers avaient réussi à acquérir le titre de chirurgien, créé par un édit royal en 1311, mais ils continuaient à être raillés par les médecins. En Europe, il y a eu un bouleversement dans la prise en charge des affections chirurgicales grâce aux travaux d'un certain nombre de praticiens :

– en France, Ambroise Paré (1509-1590), ancien barbier, devenu le chirurgien de quatre rois de France, préconisait l'abandon de la cautérisation des plaies au fer rouge et proposait la ligature artérielle pour stopper les hémorragies. Il s'est opposé à Giovanni da Vigo (1460-1525) qui soutenait que les blessures par les armes à feu étaient empoisonnées et qu'il fallait les traiter par application d'huile bouillante. Pierre Franco (1506-v.1579) a amélioré les techniques de cure de hernie, d'extraction des calculs de la vessie et d'abaissement de la cataracte;

– en Allemagne, Fabrice de Hilden (1560-1634) bouleversait la technique des amputations et le traitement des brûlures;

– en Italie, Guido Guidi (1509-1569) et Gaspare Tagliacozzi (1545-1599) pour la chirurgie du nez;

– en Suisse, Félix Würtz (1518-1574) et Conrad Gessner (1516-1565);

– en Angleterre, William Clowes (1544-1604) et Peter Lowe (1550-1610).

Fig. 11.3. *Ambroise Paré (1582)* (BIUM).

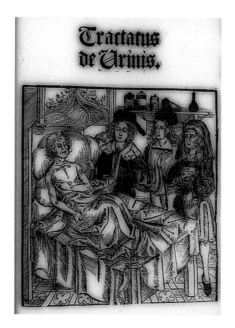

Fig. 11.4. *Jean de Cuba. Ortus Sanitatis* (BIUM).

Fig. 11.5. *Croce chirurgia joannis. Andrea de Cruce (1573)* (BIUM).

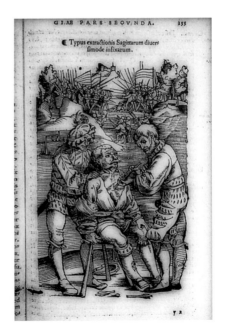

Fig. 11.6. *Aboulcassis. Chirurgia Librite. (1532)* (BIUM).

Le début de la psychiatrie

À la Renaissance, il y a eu un changement dans l'appréhension des maladies mentales. Les troubles psychiatriques n'étaient plus considérés comme une possession démoniaque relevant plus de l'Église qui condamnait souvent ceux qui en souffraient du bûcher. Cornélius Agrippa (1486-1535) a dénoncé dans son ouvrage *De praestigiis daemonum et incantationibus ac veneficiis* la condamnation au bûcher sous l'accusation de sorcellerie des personnes qualifiées démentes. Le Suisse Félix Platter (1536-1614), a été le premier à livrer une description des syndromes psychiatriques dans son ouvrage *De partium corpori humani structura et usu, libri tres* paru en 1583 et à réaliser un début de classification des maladies psychiatriques dans *Praxaeos medici tractatus* édité en 1602.

THÉRAPEUTIQUES DISPONIBLES

La thérapeutique n'a pas beaucoup évolué au cours de la Renaissance. Il y a eu néanmoins un intérêt croissant pour la flore du Nouveau Monde qui enrichissait les jardins botaniques des facultés de médecine. La teinture de gaïac et les sels de mercure ont été introduits dans la pharmacopée pour traiter la syphilis.

La balnéothérapie connaît une grande vogue. Montaigne, par exemple, fait de fréquents séjours aux eaux de Bango di Lucca en Italie pour soigner ses problèmes de lithioses urinaires.

Fig. 11.7. *Opération de la hernie scrotale* (C. Stromayr, 1559) (AP-HP).

HOSPITALISATION

Le XVIᵉ siècle a été marqué par une augmentation de la pauvreté qui a conduit les autorités religieuses à changer leur politique hospitalière qui reposait jusqu'alors sur la Charité chrétienne. À partir de cette période l'assistance est envisagée à condition d'avoir une tenue physique et morale et de participer au monde du travail. Il y avait deux types d'établissements hospitalier à la Renaissance :

– les « santés » ou « sanistats », établissements provisoires d'hébergement qui ne servaient qu'en période d'épidémie. Ces établissement n'étaient plus bâtis et gérés par l'Église mais par la ville ;

– les hôpitaux, ou hospices destinés à servir plus à l'hébergement des indigents et des infirmes qu'aux soins des malades. C'étaient souvent des léproseries reconverties après leur fermeture à la suite de la disparition progressive de la lèpre. Dans certains de ces hôpitaux, on a créé des salles réservées aux personnes atteintes de troubles mentaux.

GRANDES ÉPIDÉMIES

Mal de Naples, mal des Français, mal des Espagnols

Après la conquête de Naples par ses troupes, le roi de France Charles VIII s'était fait proclamer roi de Naples le 20 mai 1495, et il avait laissé sur place un petit corps d'occupation sous les ordres de Gilles de Montpensier. Les troupes espagnoles sous les ordres de Gonzalve de Cordoue ont par la suite assiégé les troupes françaises retranchées dans Naples. C'est au cours de cette période, qu'il est apparu pour la première fois chez un soldat une maladie considérée comme terrifiante avec des éruptions et des ulcères effroyables : « Ces ulcères étaient opiniâtres. Quand on les avait guéris dans un endroit, ils apparaissaient dans un autre, et c'était toujours à recommencer », « Le palais, la luette et le pharynx étaient quelquefois détruits. Quelques-uns perdirent les lèvres, le nez ou les yeux ; chez d'autres, les parties honteuses furent entièrement rongées… ». L'issue de cette maladie était le plus souvent la mort dans des souffrances intolérables. Cette infection inconnue jusqu'alors se transmettait avec une facilité déconcertante souvent par simple contact comme le témoignaient les nombreux proches de ce soldat qui avaient été contaminés.

La petite armée française, décimée par la maladie, s'est dispersée pendant la maladie dans toute l'Italie, puis en France, en Allemagne et en Angleterre, provoquant un vent d'épouvante. Les médecins qui ont assisté avec impuissance aux ravages du mal lui ont donné un nom qui variaient selon les pays. Les Français l'ont appelé « mal napolitain », tandis que les Espagnols, les Italiens et les Allemands lui ont donné l'appellation de « mal français ». Effrayés par la grande contagiosité du mal, les gens fuyaient et abandonnaient les malades que les médecins se refusaient à soigner. Le poète allemand Ulrich de Hutten a écrit à ce propos : « Les médecins, effrayés de ce mal, non seulement se gardaient bien d'approcher ceux qui en étaient attaqués ; ils fuyaient même leur vue, comme s'il se fût agi de la maladie la plus désespérée… ».

Un autre Allemand, le médecin Phrisius, déclarait : «Les pauvres gens qui se trouvaient attaqués de ce mal étaient chassés de la société comme de puants cadavres ; ces misérables, abandonnés à des médecins, qui refusaient de voir les malades et même de leur donner des conseils, étaient obligés de demeurer dans les champs et dans les bois…»

Pour expliquer l'origine de la maladie, des hypothèses étiologiques invraisemblables ont été élaborées : les astrologues avaient des explications tirées de la position des planètes, certains accusaient une femme qui aurait été contaminée par un lépreux, d'autres encore soutenaient qu'elle avait touché tout d'abord des soldats français qui avaient bu du vin souillé avec du sang des lépreux et abandonné par les Espagnols, ou qui avaient mangé de la chair humaine qu'on leur avait servie en guise de thon.

Fernando de Oviedo qui avait été nommé en 1513 par le roi d'Espagne «surintendant des mines d'or et d'argent du nouveau monde» a soutenu l'origine américaine du nouveau mal. En 1535, il a déclaré au roi d'Espagne : «Sa majesté peut tenir pour certaine que cette maladie vient des Indes où elle est très commune chez les Indiens mais pas aussi dangereuse que dans nos contrées. La première fois que la maladie est apparue en Espagne, ce fut après que Don Christobal Colomb eut découvert les Indes. Certains de ceux qui voyagèrent avec lui et prirent part à la découverte rapportèrent ce fléau avec eux et le communiquèrent à d'autres personnes.»

Jérôme Fracastor donne le nom de «syphilis» dans un ouvrage paru en 1530 intitulé *Syphilis sive morbus gallicus*. Il s'agit d'un long poème latin racontant l'histoire du berger Syphilus qui a offensé le soleil. Comme punition, il avait reçu du Dieu Soleil le mal vénérien qui a été désigné sous le nom de «syphilis». Cette dénomination n'a été largement utilisée qu'au milieu du XVIIIᵉ siècle, l'appellation la plus employée jusque là étant celle de «vérole».

Jean Fernel (1497-1558) en 1548 a exprimé sur la syphilis des idées intéressantes qu'il n'a pas pu prouver : «Le principe venimeux siège dans l'humeur qui lui sert de substratum et de véhicule. Le malade infecte un autre homme par liquide issu de son corps, déposé sur un point souillé de son épiderme. Par conséquent, le mal vénérien est une maladie qui se contracte par un vice caché du corps, seulement par contact (…). Celui-là même qui en est atteint dès sa naissance l'a reçu de ses parents par contagion.»

Les autres épidémies

En dehors de la syphilis, il sévissait des maladies infectieuses qui étaient responsables de ravages importants dans la population : la variole, la rougeole, la grippe, la peste et le typhus exanthématique.

MÉDECINS CÉLÈBRES

Ambroise Paré (1509-1590)

Celui qui est considéré comme le «père de la chirurgie moderne» est né à Bourg-Hersent en 1510 dans la région de Laval. Après un apprentissage chez un barbier, il s'est rendu à Paris en 1529. Il était autorisé à fréquenter l'Hôtel-Dieu de Paris, ce qui lui a permis de pratiquer de nombreuses dissections. Durant trois années, Paré a côtoyé «tout ce qui peut être d'altération et maladies au corps humain». En 1533, il a été nommé barbier chirurgien à l'Hôpital Dieu. Puis il a participé en 1537 comme chirurgien attaché au service du duc de Montejean au cours de la campagne d'Italie. Cela lui a permis d'acquérir une excellente expérience dans le traitement des blessures par armes à feu. Il s'est très vite opposé à la thérapeutique préconisée jusqu'alors qui consistait à réaliser une cautérisation au fer rouge ou à l'huile bouillante.

Ambroise Paré a eu l'idée de substituer à cette technique un remède de son invention à base de jaune d'œuf, d'huile de rosat et de térébenthine qu'il appliquait sur les plaies. Le vicomte de Rohan s'est par la suite attaché les services de ce spécialiste des blessures de guerre afin qu'il le suive dans ses campagnes militaires. Ambroise Paré a été le premier chirurgien qui a tenu compte de la souffrance du blessé et qui a cherché à l'atténuer. Il a innové dans un certain nombre de techniques chirurgicales comme la ligature artérielle en cas d'amputation, l'utilisation du bistouri à la place du cautère, l'invention d'une pince tire-balles pour extraire les projectiles et la mise au point de bandages herniaires.

Soucieux de vulgariser son expérience, il a publié en français afin qu'elle soit comprise d'un plus vaste public son ouvrage majeur en 1545 *La Méthode de traiter les playes faictes par les hacquebutes et autres bastons à fau; et de celles qui sont faictes par flèches, dards et semblables; aussi des combustions spécialement faictes par la pouldre à canon*. Il a été confronté à la violente hostilité des docteurs en médecine, qui étaient scandalisés qu'un chirurgien se permette de publier un ouvrage médical comme un médecin. Il devint le chirurgien des rois de France. En 1561 et 1562, il publia deux autres ouvrages dont son *Anatomie universelle du corps humain*. De religion protestante, Paré a échappé au massacre de la Saint-Barthélemy grâce à l'amitié que lui vouait le roi. Ambroise Paré a rédigé des livres de chirurgie dont trois étaient consacrés à l'urologie (le livre VIII traite des «chaudes pisses», le livre IX des «pierres» et le livre X de la rétention d'urine). Ambroise Paré aurait répondu à Charles IX qui lui aurait dit : «Tu me soigneras mieux que tes malades de l'Hôtel-Dieu». «Non, Sire, c'est impossible, car je les soigne comme des rois…».

Celui qui a écrit «je le pansai, Dieu le guérit» est mort en 1590, respecté de tous.

Giovanni da Vigo (1460-1525)

Giovanni da Vigo a écrit un ouvrage en 1514, *Practica in arte chirurgica copiosa*, destiné aux barbiers-chirurgiens ignorant l'anatomie qui a fait l'objet de quarante éditions.

Guido Guidi (Vidus Vidius) (1509-1569)

Médecin du roi François Ier, Guido Guidi a été nommé premier conférencier en médecine et chirurgie du Collège de France qui venait d'être fondé.

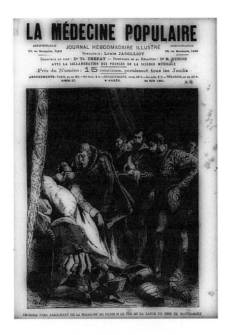

Fig. 11.8. *Ambroise Paré soignant le roi Henri II (1881)* (BIUM).

Fabrice de Hilden (1560-1634)

Fabrice de Hilden est le chirurgien allemand le plus prestigieux de la Renaissance. Il a réalisé des interventions très rares en son temps, telles que la trépanation. Surtout, il a été le premier à réaliser des amputations dans les tissus sains plutôt que dans les tissus gangrenés.

Vésale (v. 1514-1564)

Issu d'un famille de pharmaciens et de médecins, Vésale a fait ses études à Louvain à Montpellier puis à Paris sous la direction de Gontier d'Andernach et de Sylvius, et aux côtés de Michel Servet. Vésale s'est rendu à Padoue où il a réalisé de nombreuses dissections sur des cadavres. Il s'est vite illustré par son esprit critique vis-à-vis des autorités médicales de son époque : «Le cadavre est étendu sur une table au pied de la chaire ; des barbiers armés de couteaux exécutent les ordres donnés en latin, tandis que le professeur dogmatise majestueusement du haut de sa chaire et répète machinalement, à la manière des geais, des faits qu'il connaît par les livres mais qu'il n'a jamais contrôlés, tandis que les barbiers trop ignorants pour comprendre les ordres en latin du maître, ce qui fait que tout est enseigné de travers et qu'on apprendrait plus à fréquenter la boutique d'un boucher.»

Après avoir comparé le fruit de ses observations avec ceux publiés par Galien, il a relevé un certain nombre d'erreurs et il a compris que ce dernier avait fait preuve d'une expérience fondée sur l'anatomie animale que l'on ne pouvait étendre à l'homme.

L'essentiel des conclusions de ses observations a été rapporté dans un ouvrage paru à Bâle en 1543 intitulé *De humani corporis febrica, libri septem* qui comprenait vingt-cinq planches hors texte. Il y réfutait les allégations de Galien en montrant qu'il n'y avait aucune communication entre les deux ventricules du cœur, que la mâchoire inférieure est formée d'un os et non de deux. Il a décrit la forme réelle de l'utérus et s'est opposé à la théorie selon laquelle l'utérus aurait été bicorne, la corne de droite produisant les garçons et celle de gauche les filles !

Fig. 11.9. *André Vésale. Frontispice (1603)* (BIUM).

L'esprit critique dont il a fait preuve a entraîné un certain nombre d'inimitiés à son égard dans les milieux universitaires. Épuisé par les conflits, Vésale a abandonné l'enseignement et est devenu médecin de Charles Quint. Après sa Condamnation à mort à Madrid par l'Inquisition, sa peine a été commuée en pèlerinage à Jérusalem par Philippe II. Il est mort sur l'île de Zante à la suite d'un naufrage.

Paracelse, Philipp Aureolus Theophrast Bombast von Hohenheim dit (1493-1541)

Paracelse était le fils d'un médecin qui lui a enseigné la médecine, l'alchimie et la chirurgie. Il a étudié à l'université de Bâle, notamment les œuvres d'Hildegarde de Bingen et de Jean Trithème. Il prit un pseudonyme par référence au médecin Celse. Certains ont suggéré que Paracelse signifiait «celui qui est illuminé, qui est près du ciel». Il a obtenu en 1522, le diplôme de docteur en médecine à l'école de Salerne puis il a voyagé dans toute l'Europe, au Portugal, en Espagne, en Italie, au Danemark, au Pays Bas, en Suède et en Russie. Il se serait même rendu en Égypte et à Damas. Il se vantait d'avoir reçu la «Pierre Philosophale» de Salomon Trismosinus à Constantinople. Il a été nommé en 1526 professeur à l'université de Bâle, où il a créé un scandale en brûlant les œuvres d'Avicenne et de Galien, et en faisant ses cours en allemand. Il est considéré comme le précurseur de l'homéopathie. Il enseignait la théorie des signatures. Bien que ses idées n'aient pas été toutes bien comprises par ses contemporains, il est considéré comme un des pères de la médecine expérimentale. C'était un chirurgien à l'esprit novateur, il préconisait de maintenir les plaies propres et d'appliquer des huiles essentielles ou des sels de cuivre ou d'argent au lieu de brûler les chairs. Il enseignait que : «les blessures et les plaies ont leur loi de réparation» et aussi que «la nature ne suit pas l'homme c'est l'homme qui doit la suivre».

Il préconisait l'extension-contension des fractures avec l'aide de cercles de fer maintenus séparés par des tiges. Il est mort en 1541 à Salzbourg à l'hôpital St-Etienne à l'âge de 48 ans.

Pierre Tolet (1502-1586)

Ce doyen de la faculté de médecine de Lyon a institué un enseignement théorique avec un programme de cours en français et un enseignement pratique avec des visites quotidiennes à l'hôpital en associant médecins, barbiers-chirurgiens et apothicaires.

Jean Fernel (1497-1558)

Ce fils d'aubergiste du nord de la France a étudié les mathématiques et la philosophie, puis il s'est passionné pour l'astronomie (il a construit un astrolabe).

Son beau-père lui a imposé l'étude de la médecine pour subvenir aux besoins de son ménage.

Il a publié une *Universa medicina* dans lequel il a souligné l'importance de l'observation des phénomènes. Il a tenté de classer les maladies et il a emprunté à Aristote le terme «physiologie».

Girolamo Fracastor (1483-1553)

Professeur à Vérone, Girolamo Fracastor s'est intéressé aussi bien à l'astronomie, qu'aux mathématiques, à la géographie, à la musique ou à la médecine.

Il a publié un poème en 1530, «Syphilis, sive de morvo gallico», décrivant un berger, Syphilis, puni par Apollon qui lui inflige les souffrances et les plaies hideuses de ce «mal français» qui sévit dans toute l'Europe, et que l'on nomme encore syphilis. La description clinique qu'en a fait Fracastor montre que la maladie avait alors un caractère de gravité et une évolution plus rapide que celle qu'elle a aujourd'hui.

Fracastor a publié un autre ouvrage qui est passé presque inaperçu lors de sa publication en 1546, *De contagione et contagionis morbis*.

Les médecins du XVIᵉ siècle pensaient que les épidémies résultaient de l'air malsain qui exerçait une influence sur l'organisme.

À partir de ses observations, Frascator a distingué deux modes de transmission des affections :

– la contagion directe d'un individu à un autre (phtisie ou lèpre);

– la contagion indirecte due à des germes, des «seminaria», transportés par l'air, les vêtements, les objets usuels (peste ou typhus).

Fracastor a incité les autorités administratives à mettre au point des systèmes de quarantaine.

Léonard de Vinci (1452-1519)

Léonard de Vinci est considéré par certains comme le créateur de la science anatomique moderne. Il a observé par lui-même tout ce qu'il a décrit; il a utilisé des techniques qu'il a mises au point, comme par exemple, l'injection musculaire, le moulage d'organes creux, la coupe d'organes pleins, etc.

Il pratiquait ce que l'on appellerait aujourd'hui l'anatomie descriptive et fonctionnelle en étudiant les différents rapports anatomiques entre les structures du corps de façon statique ou dynamique.

Il a dessiné les différentes parties de l'anatomie du corps, se concentrant sur le fonctionnement du cœur humain et le développement du fœtus. Il s'intéressait à tout, jusqu'aux moindres détails : «La nature a placé l'os glanduleux au-dessous de l'articulation du gros orteil, parce que, si le nerf où s'attache cet os glandueux se trouvait au-dessus de cette glande, il serait très endommagé par la friction provoquée par un tel poids.» À sa mort, en 1519, il légua l'ensemble de ses notes techniques à Francesco Melzi, son élève et compagnon fidèle, afin qu'elles fussent publiées et rendues utiles au plus grand nombre. Son œuvre ne contribua pas au développement de l'anatomie car elle ne fut mise en évidence qu'au début du XXᵉ siècle après la découverte de ses croquis dans la bibliothèque du château de Windsor en 1784. L'héritage intellectuel de Léonard est ainsi resté dans l'ombre pendant quatre siècles.

ILS ÉTAIENT AUSSI MÉDECINS

Nostradamus, Michel de Notre-Dame dit (1503-1566)

Issu d'une famille juive aisée, Nostradamus a étudié la médecine à l'université de Montpellier. En 1525, il a passé ses examens avec succès, puis il est parti soigner les malades de la peste qui faisait des ravages en Europe. Ses thérapeutiques ont fait scandale car il refusait les saignées et préférait pratiquer des soins non traumatisants. Devant son succès face à la peste, il a décroché une chaire de professeur de médecine à la faculté de Montpellier pendant trois ans.

Devant les menaces des autorités religieuses qui luttaient contre ses pratiques non conformes à la pratique médicale courante, il a été obligé d'abandonner l'enseignement. Il est devenu célèbre en 1555 au moment de la parution à Lyon de ses *Prophéties* sous forme de quatrains par lesquels il annonçait les événements à venir. Il a été fait appeler par Catherine de Médicis à la cour où il a prédit la mort d'Henri II lors d'un tournoi avec le jeune Gabriel de Montmorency «Le lion jeune le vieux surmontera/En champ bellique par singulier duel/Dans cage d'or les yeux lui crèvera/Deux classes une, puis mourir mort cruelle». Il est resté célèbre pour ses prophéties.

François Rabelais (vers 1494-1553)

L'auteur de *Pantagruel* (1532), *Gargantua* (1534), *Tiers Livre* (1546), *Quart Livre* (1548) était médecin. Pour faire ses études de médecine, il a abandonné l'habit monastique et a été condamné pour apostasie (changement d'ordre sans permission). Il s'est inscrit en 1530 à la faculté de médecine de Montpellier. Il a été reçu bachelier en médecine après un an d'études. Ce succès rapide a été possible en raison de sa parfaite maîtrise du grec (la médecine s'appuyait alors essentiellement sur la connaissance des textes). Il a traduit en latin les textes de Galien et d'Hippocrate. En 1532, Rabelais a publié *L'epistolarum medicinalium* (les lettres médicinales) du médecin italien Manardi.

Par la suite, il a été nommé médecin à l'hôpital Notre-Dame de la Pitié à Lyon.

Après sa condamnation par la Sorbonne après la publication en 1533 de *Pantagruel*, il est devenu le médecin particulier de l'évêque de Paris, Jean du Bellay (cousin du poète Joachim du Bellay), qu'il a accompagné à Rome en 1533-1534. Absout par Clément VII de son crime d'apostasie, il a été autorisé par Paul III à reprendre l'habit de bénédictin à Rome en 1536.

CES MALADES CÉLÈBRES

La plaie oculaire du roi Henri II

Héritier de François Ier, le roi de France Henri II organise un tournoi à Paris le jeudi 30 juin 1559 pour commémorer la signature du traité du Cateau-Cambrésis qui met fin aux guerres d'Italie. Henri II participe lui-même au tournoi qui a été organisé devant l'hôtel des Tournelles, rue Saint-Antoine, dont on a enlevé les pavés pour ne pas gêner les chevaux. Cet homme dans la force de l'âge, âgé de quarante ans, est féru d'exercices physiques. Selon un portrait, il est *« d'une constitution très robuste et d'une humeur tant soit peu mélancolique; il est fort adroit aux exercices des armes »*.

La reine de France Catherine de Médicis, présente au tournoi, manifeste son inquiétude en raison d'une sinistre prévision qu'aurait prononcée un certain Nostradamus. Non loin d'elle se trouve la maîtresse du roi, Diane de Poitiers, qui a vingt ans de plus que lui et dont on dit qu'elle est sous le charme de son adversaire, Gabriel de Lorges, comte de Montgomery, capitaine de la garde écossaise. À la suite d'un choc d'une violence inouïe entre ce dernier et Henri II, le roi est victime d'un traumatisme facial important : « *Un gros éclat frappa le front au-dessous du sourcil droit et, déchirant la chair, vient s'enfoncer dans un coin de l'œil gauche; plusieurs fragments percèrent l'œil même; l'os frontal ne fut pas touché* ». Les premiers médecins et chirurgiens qui se portent à son chevet « *arrachent du front, de l'œil et de la tempe cinq éclats de bois dont l'un, de la longueur d'un doigt, était piqué au-dessus du sourcil* ». La taille des éclats de bois est précisée : 9,5 cm sur 1 cm pour le plus grand et 7 cm sur 0,4 cm pour le plus petit. Après avoir lavé la plaie au blanc d'œuf, les médecins administrent au roi une potion faite de rhubarbe et de camomille. L'état du roi empire : il se met à vomir et « *une grande quantité de sang acqueux* » s'échappe de sa blessure et de l'anus. Vésale et Ambroise Paré discutent la réalisation d'une trépanation. Malheureusement ce geste est récusé pour éviter un surplus de souffrance au roi qui se tord désormais de douleur.

L'état d'Henri II va se détériorer avec un cortège de signes méningés et de troubles neuropsychiques dans un contexte fébrile. Il meurt après 11 jours de souffrance, le 10 juillet 1559 « *avec spasme et attraction et une extension monstrueuse et hideuse des pieds et des mains, donnant signes évidents de la véhémence du mal* ».

Fig. 11.10. *Mort d'Henri II* (AP-HP).

La gravelle de Montaigne

Michel de Montaigne présente vers 1580, à l'âge de 47 ans, plusieurs épisodes de coliques néphrétiques qu'il décrit sous le nom de gravelle. Pour soigner son mal, il se rend dans les villes d'eau de France, d'Italie, de Suisse ou d'Allemagne. Il écrit : «*J'ay veu, par occasion de mes voyages, quasi touts les bains fameux de chrestienté ; et, depuis quelques années, ay commencé à m'en servir : car, en général, j'estime le baigner salubre, et crois que nous encourons non legieres incommoditez en nostre santé, pour avoir perdu cette coustume, qui estoit généralement observée au temps passé quasi en toutes les nations, et est encores en plusieurs, de se laver le corps touts les jours… ».*

Montaigne se méfie des médecins, même s'il leur accorde quelque crédit : «*Au demeurant, j'honnore les médecins… en ayant veu beaucoup d'honnestes hommes et dignes d'estre aymez. Ce n'est pas à eulx que j'en veulx, c'est à leur art… ».*

Montaigne relata ses nombreuses crises de coliques néphrétiques : «*J'entre des-jà en composition de ce vivre coliqueux ; j'y trouve dequoy me consoler et dequoy espérer. Tant les hommes sont acoquinez à leur estre misérable, qu'il n'est si rude condition qu'ils n'acceptent pour s'y conserver ! … Je suis aus prises avec la pire de toutes les maladies, la plus soudaine, la plus douloureuse, la plus mortelle et la plus irrémédiable. J'en ay desjà essayé cinq ou six bien longs accès pénibles ; toutes-fois, ou je me flatte, ou encores y a-il en cet estat dequoy se soutenir, à qui à l'âme deschargée de la crainte de la mort, et deschargée des menasses, conclusions et conséquences dequoy la medecine nous enteste… ».*

Il meurt à l'âge de 59 ans, victime de la gravelle, dans ce même château de Saint-Michel-de-Montaigne en Périgord où il est né.

La sténose urétrale post-gonococcique du roi Henri IV

Le journal de de l'Estoile, rapporteur des faits et gestes du roi, laisse à penser que le roi est victime d'une rétention aiguë d'urine, consécutive à un rétrécissement urétral d'origine blennorragique le 30 octobre 1598 : «*L'extrémité de la maladie du roi qui était une carnosité provenante d'une chaudepisse, laquelle, pour avoir été négligée, lui causa une rétention d'urine, qui le cuida l'envoyer en l'autre monde. Le roi avait été si malade qu'il avait été deux heures sans parler ni mouvoir* ». Le 19 mai 1603, Henri IV présente à nouveau un épisode de rétention aiguë d'urine comme le relate de l'Estoile : «*Le roi tomba fort malade d'une rétention d'urine avec la fièvre. Ce qu'il appréhenda si fort, que, voyant que le vomissement qu'il avait accoutumé d'avoir ne l'avait en rien allégé, dit qu'il se sentait fort faible et craignait que Dieu voulût disposer de lui ; et, partant, voulait donner ordre à sa conscience et à ses affaires. Se fit apporter le portrait de son Dauphin, et, le regardant, dit tout haut ces mots : "Ah ! Pauvre petit, que tu auras à souffrir, s'il faut que ton père ait mal !"* ». Le 24 mai, ses médecins se réunissent pour lui prescrire une hygiène de vie. Leur conclusion est en ces termes : «*Plus de femme, même la Reine, sinon décès avant trois mois* ».

POUR EN SAVOIR PLUS

BINET L., VALLERY RADOT P. – *Médecine et art de la Renaissance à nos jours : prestige des sciences médicales.* Expansion scientifique, Paris, 1968.

BRABANT H. – *Médecins malades et maladies de la Renaissance*. La Renaissance du livre, Bruxelles, 1966.

DUMAÎTRE P. – *Ambroise Paré : chirurgien de quatre rois de France*. Librairie académique Perrin: Fondation Singer-Polignac, Paris, 1990.

PAGEL W. – *Paracelse : introduction à la médecine philosophique de la Renaissance*. Trad. de l'anglais par Michel Deutsch. Arthaud, Paris, 1963.

PAGEL W. – *Religion and neoplatonism in Renaissance medicine*. Variorum Reprints, London, 1985.

PARÉ A. – *Des monstres et prodiges*. Edition critique et commentée par Jean Céard. Droz, Genève, 1971.

PARÉ A. – *Œuvres complètes*. Revues et collationnées sur toutes les éditions avec les variantes, ornées de 217 planches et du portrait de l'auteur, accompagnées de notes historiques et critiques et précédées d'une introduction sur l'origine et les progrès de la chirurgie en occident du sixième au seizième siècle et sur la vie et les ouvrages d'Ambroise Paré par J.F. Malgaigne. Slatkine reprints, Genève, 1970.

SIRAISI N. G. – *Medieval and early Renaissance medicine: an introduction to knowledge and practice*. Univ. of Chicago Press, Chicago, 1990.

WEAR A., FRENCH R.K., LONIE I. M – *The Medical Renaissance of the Sixteenth Century*. Cambridge Univ. Press, Cambridge, London, 1985.

WICKERSHEIMER E. – *La Médecine et les médecins en France à l'époque de la Renaissance*. Slatkine Reprints, Genève, 1970.

12 | MÉDECINE DU XVIIᵉ SIÈCLE

DATES CLÉS

1614 : publication par Santorio Sanctorius de son ouvrage intitulé *Ars de statica medecina* (*De la médecine chiffrée*)

1622 : mise en évidence des vaisseaux lymphatiques en 1622 par Gaspare Aselli

1628 : découverte de la circulation du sang par William Harvey

1640 : introduction en Europe du quinquina

1651 : découverte du circuit lymphatique en 1651 par Jean Pecquet

1659 : Francis Glisson (1597-1677) publie un exposé sur le foie, l'estomac et l'intestin

1661 : découverte des capillaires pulmonaires par Marcello Malpighi

1667 : première transfusion réalisée chez l'homme pratiquée à Montpellier par Jean-Baptiste Denis avec du sang d'agneau

1673 : découverte microscopique des bactéries par Antony Van Leeuwenhoek

1673 : découverte du follicule ovarien par Reinier De Graaf

1677 : découverte microscopique des spermatozoïdes par Antoine Van Leeuwenhoek

---

FAITS ESSENTIELS

Le XVIIᵉ siècle a été marqué par des découvertes anatomiques et physiologiques fondamentales qui ont permis l'abandon progressif de la théorie hippocratique des humeurs. Il y a eu deux écoles de pensée médicale : les iatrophysiciens ou iatromécanistes qui comparaient l'organisme humain à une machine et les iatrochimistes, qui croyaient à la prédominance des réactions chimiques dans le corps humain.

Le XVIIᵉ siècle a été marqué par le perfectionnement du microscope et les progrès de l'histologie. Mais surtout cette période a été marquée par la découverte de la grande circulation par William Harvey, et ses résultats sur le passage du sang des artères vers les veines, qu'ont confirmés les travaux de Malpighi en 1661, et de Van Leeuwenhoek en 1668.

CONTEXTE HISTORIQUE

C'est l'époque de la monarchie absolue dans le monde occidental, sauf en Angleterre où le Parlement a déposé, condamné et fait exécuter le roi Charles Iᵉʳ. Ses successeurs bénéficieront d'une autorité limitée dans le cadre d'un équilibre des pouvoirs entre la monarchie et le Parlement. L'Europe exerce son influence dans le monde et elle s'enrichit en retour de l'apport des autres civilisations. Au cours du XVIIe siècle, la civilisation a progressé, la philosophie s'est affranchie, les sciences se sont développées tandis que les lettres sont devenues florissantes. Il y a eu un développement de l'esprit humain qui a atteint un éclat remarquable avec l'éclosion de grands philosophes comme Descartes en France, Newton et Locke en Angleterre, Spinoza et Leibniz en Allemagne.

Le XVIIe siècle a été marqué par une extraordinaire production littéraire avec Corneille, Racine, Molière, Boileau, La Bruyère, La Rochefoucault, Bossuet et Fénelon en France tandis que Shakespeare et l'immortel Milton marquaient la littérature anglaise.

Le XVIIe siècle est considéré comme l'effloraison de la Renaissance. Les savants ne se contentent plus d'accepter la doctrine de l'Église, ils partent à la découverte du monde qui les entourent, effectuent des expériences et confrontent les théories à la pratique. De grandes découvertes sont accomplies et bouleversent les anciens savoirs et en particulier les sciences. Cette période mérite le nom d'âge de la raison.

PENSÉE MÉDICALE

L'avènement de la raison

Le XVIIe siècle connu sous la dénomination de l'« Âge de la Révolution scientifique » a constitué un tournant très important dans l'histoire des sciences et en particulier dans l'histoire de la médecine. Il a été marqué, dans le domaine médical, par l'avènement de la raison avec la remise en question des croyances anciennes. Les esprits du XVIIe siècle se caractérisaient par le fait qu'ils n'accordaient foi qu'à ce qui se vérifiait, s'analysait et se palpait. Sous leur impulsion, le raisonnement médical s'est attaché à comprendre l'origine des phénomènes scientifiques. L'expérimentation a définitivement supplanté la spéculation. Entraînée dans ce courant fertile sur le plan intellectuel, la médecine s'est développée de façon importante au cours du XVIIe siècle dans toute l'Europe sauf en Allemagne, écrasée et ruinée par les guerres religieuses de trente ans. Les universités d'Italie, après avoir ouvert des voies nouvelles et brillé d'un grand éclat, ont perdu progressivement leur prestige. La France, avec Paris et Montpellier, l'Angleterre avec Oxford et Londres, les Pays-Bas avec Leyden, étaient considérés comme les pays les plus en pointe du progrès médical.

Les iatrochimistes et les iatromécanistes

Le XVIIe siècle a été marqué par l'affrontement de deux écoles de pensée médicale : les iatrochimistes et les iatromécanistes.

Les iatrochimistes

Les iatrochimistes estimaient que le Dieu créateur n'avait créé que des principes, les archées, qui réglaient toutes les fonctions en particulier biologiques. Ils réduisaient à l'air et à l'eau les quatre éléments des Anciens. Selon les adeptes de cette doctrine, les phénomènes organiques relevaient uniquement de réactions chimiques.

Deux personnalités ont marqué ce courant de pensée :

– le Hollandais Jan Baptist Van Helmont (1577-1644) qui fut le chef de file des iatrochimistes au cours de la première partie du XVIIᵉ siècle. Il était un disciple de Paracelse dont il ne partageait pas la conception de l'influence de l'astrologie sur la maladie. Il considérait la maladie comme une entité parasitaire du corps et non pas comme une partie intégrante de l'individu perturbé à la suite d'un trouble des humeurs. Il s'opposait donc aux méthodes thérapeutiques préconisées par Galien qui proposait les purges et les saignées pour rééquilibrer les humeurs. En revanche il était partisan de l'usage des médicaments chimiques ;

– Franz de la Boë, plus connu sous le nom de Franciscus Sylvius (1614-1672), qui était partisan du concept de l'antagonisme des acides et des bases dans l'organisme et de leur neutralisation. Il était favorable à l'observation directe du patient.

Les iatromécanistes

Les iatromécanistes assimilaient les phénomènes organiques à des objets en mouvement soumis aux lois physiques. Leur chef de file était Giovanni Alphonso Borelli (1608-1679). Trois partisans de l'iatromécanisme ont marqué le XVIIᵉ siècle :

– Giorgio Baglivi (1669-1707) qui couplait chaque organe à une machine spécifique ;

– Santorio dit Sanctorius (1561-1636) qui a réalisé des expériences sur la physiologie du métabolisme mais qui est surtout connu pour avoir construit des thermomètres ;

– René Descartes (1596-1650), qui a publié sa doctrine dans un ouvrage intitulé *De homine* qui doit être considéré comme le premier traité de physiologie.

ESSOR DE L'ANATOMIE

L'essor de l'anatomie qui s'était engagé au cours de la Renaissance s'est poursuivi au cours du XVIIᵉ siècle grâce aux travaux de quelques anatomistes :

– Thomas Wharton (1610-1673), qui a réalisé une étude comparative des glandes et identifié la glande thyroïde et le canal d'écoulement de la glande sous-maxillaire auquel il a donné son nom en 1656 (le canal de Wharton) ;

– Marcello Malpighi (1628-1694), qui a montré que le sang passait d'abord dans les capillaires pulmonaires avant de revenir au cœur gauche. Il a été l'auteur de multiples observations histologiques, parmi lesquelles celles de la couche génératrice à la base de l'épiderme et des néphrons, unités fonctionnelles de filtration dans les reins. Ses observations ont permis de valider la théorie de Harvey sur la circulation sanguine ;

– Francis Glisson (1597-1677) qui a réalisé une étude anatomique du foie, de l'estomac et des intestins;

– Niels Stensen (en latin Nicolaus Steno) (1638 -1686). Cet anatomiste danois qui était également géologue a établi la différence entre les glandes et les ganglions lymphatiques en 1661. Il a montré que les larmes provenaient des glandes lacrymales et non du cerveau comme cela était admis depuis l'Antiquité. Il a découvert le canal excréteur de la parotide, dit canal de Sténon en 1660;

– Gaspare Aselli (1606-1692) qui a mis en évidence en 1623 les vaisseaux lymphatiques.

ESSOR DE LA MICROSCOPIE

Jusqu'au XVIIᵉ siècle, bien peu de savants se doutaient de l'existence d'êtres vivants invisibles. Dans l'Antiquité, Aristote avait formulé l'idée d'une contagion invisible de certaines maladies sans en apporter la preuve. Au XVIᵉ siècle, Von Hutten et Paracelse avaient soulevé l'hypothèse de l'existence de germes vivants invisibles sans succès. La loupe était connue depuis l'Antiquité tandis que les lunettes étaient fabriquées depuis le Moyen Âge.

Le microscope, mis au point par le Hollandais Zacharias Jansen (1588-1628) en 1604, a permis de pousser l'investigation en anatomie jusqu'aux structures invisibles à l'œil nu. La technique du microscope a eu des applications intéressantes dans un certain nombre de domaines médicaux. Les données microscopiques ont permis de compléter les données de l'anatomie comparée, et de créer de nouvelles spécialités comme l'histologie, la cytologie, l'embryologie et l'anatomopathologie. Le microscope a permis d'approfondir les concepts anatomiques et d'expliquer de nombreux mécanismes physiologiques.

Un certain nombre de savants ont amélioré le champ de la connaissance médicale grâce au microscope :

– Jan Swammerdam (1637-1680) a été le premier à observer et à décrire les globules rouges en 1658;

– Professeur Athanasius Kircher (1602-1680), un jésuite allemand, a été le premier à avoir l'idée de rechercher les causes des maladies à l'aide d'un microscope. Il a rattaché la survenue de maladies infectieuses à ce qu'il appelle un «contagium animatum», anticipant ainsi le rôle des microbes comme causes de maladies contagieuses. À la suite d'une épidémie de peste à Rome en 1658, le jésuite allemand Kircher affirma avoir observé au microscope dans le sang des malades «une innombrable éclosion de vers qui sont imperceptibles à l'œil», responsables selon lui de la peste. Ce n'était qu'une affirmation. Il est ainsi la première personne au monde à avoir vraiment décrit des microbes;

– Robert Hooke (1635-1703) a rapporté la notion de «cellule» vers 1665 pour la première fois, dans *Micrographia*;

– Antoine Van Leeuwenhoek (1632-1723), marchand de tissu à Delft sans aucune formation scientifique, a entrepris à ses heures perdues l'exploration du monde microscopique à l'aide de microscopes qu'il confectionnait lui-même. Il s'agissait d'une lentille formée d'une minuscule bille de verre sertie dans une lame métallique. L'ensemble était tenu très près de l'œil, face à la lumière, et permettait d'obtenir des grossissements allant jusqu'à trois cents. Il a eu l'idée d'étudier au microscope les dépôts entre ses dents, l'eau des mares ou son sperme. Antoine van Leeuwenhoek a été le premier à décrire et à dessiner des bactéries. L'observation en 1677 de spermatozoïdes a fait du bruit dans la bonne société cultivée européenne scandalisée par la présence dans la semence de l'homme d'«animaux semblables à des têtards» dénommés les «vers spermatiques». Cette découverte a remis en question la théorie de la «génération spontanée», c'est-à-dire la présence de «petits hommes» déjà formés dans le sperme. En dehors de la mise en évidence de spermatozoïdes, Van Leeuwenhoek a décrit les capillaires, les globules rouges, les protozoaires (appelés alors «infusoires»), les striations des fibres musculaires squelettiques et les bactéries ;

– Marcello Malpighi (1628-1694) est considéré comme le véritable fondateur de l'histologie. Il a découvert les capillaires anastomotiques entre artères et veines et il a révélé l'existence des saccules et des utricules.

EMBRYOLOGIE

Deux doctrines se sont opposées au XVIIᵉ siècle dans la conception de la formation des embryons :

– les adeptes de la théorie de la préformation estimaient qu'il y avait de minuscules individus dans le sperme. Le développement embryonnaire se manifestait par une augmentation de matière du fœtus. Cette théorie était soutenue par un médecin hollandais, Niklaas Hartsoeker (1656-1725) qui a même publié des gravures des petits hommes préformés («homunculi» qu'il avait observés au microscope dans le sperme) ;

– les adeptes de la théorie de l'épigenèse estimaient que la formation de l'être humain était l'aboutissement d'une série d'étapes qui modifiait les tissus pour aboutir à un embryon. Parmi les partisans de cette théorie, il y avait Antoine van Leeuwenhoek mais aussi William Harvey et Marcello Malpighi.

DÉCOUVERTE DE LA CIRCULATION SANGUINE

Le phénomène de la circulation sanguine n'était pas encore élucidé au XVIIᵉ siècle. Au cours de la seconde partie du siècle précédent, Michel Servet (1509-1553) avait écrit un ouvrage de théologie, *Christianismi Resti tutio* (1552), qui comportait dans le cinquième livre une explication personnelle de la circulation sanguine. Selon lui, l'âme circulait par le sang, soufflée par Dieu à travers la bouche et les narines : «L'esprit vital se forme du mélange de l'air attiré par l'inspiration avec le sang que le ventricule droit envoie au ventricule gauche, mélange qui se fait dans le poumon, car il ne faut pas croire, comme on le dit communément, que le sang passe d'un ventricule à l'autre par leur cloison moyenne. Il ne passe d'un ventricule à l'autre qu'en traversant le poumon». Michel Servet avait repris sans le savoir le concept d'Ibn al Nafis. Calvin l'a dénoncé à l'Inquisition catholique qui l'a poursuivi. Après s'être évadé, il est arrêté alors qu'il se rendait à Naples par les autorités genevoises qui l'ont condamné à l'instigation de Calvin à être brûlé sur un bûcher en 1553. Un demi-siècle plus tard, William Harvey qui s'était rendu en 1599 pour terminer ses études à Padoue a démontré la justesse des propos de Michel Servet. Après avoir participé à de multiples séances de dissections, non seulement sur l'homme, mais également sur les animaux, il a réalisé une étude extrêmement précise des veines superficielles accessibles à la vue et à la compression manuelle. Il a exposé ses conclusions en 1628 à Francfort, dans son ouvrage *L'Exercitatio anatomica de motu cordis et sanguinis circulatione (Exercice anatomique sur le mouvement du cœur et du sang chez les animaux)*, qu'il a dédié au roi d'Angleterre Charles Ier. Selon Harvey, le sang est propulsé dans les artères de toutes les parties du corps, puis il passe dans les veines et revient au cœur ; de là, il est lancé dans les poumons puis il retourne au cœur.

Grâce à ses travaux, l'explication de la circulation sanguine était enfin résolue. Sa seule erreur a été de penser que les lymphatiques transportaient du lait. Il n'a pas fait figurer dans ses études les capillaires car ils n'étaient pas accessibles à l'œil nu. Ils ont été découverts bien plus tard par Henry Power en 1649, et dans le poumon par Malpighi en 1661. Harvey a reconnu avec honnêteté que c'est la disposition des valvules des veines rapportée par Fabrice d'Acquapendente qui l'avait mis sur la voie de cette découverte. En exprimant l'idée selon laquelle « le mouvement du cœur est en somme une contraction cardiaque », il a suscité pendant de nombreuses années des querelles et calomnies à travers toute l'Europe, et en particulier à la faculté de médecine de Paris.

Les universitaires ont usé de tous leurs moyens pour dénigrer les idées de Harvey. Jean Riolan et Gui Patin se sont opposés aux théories de Harvey et persistaient à croire que les artères contenaient de l'air et non du sang. Gui Patin, doyen de la faculté de Médecine de Paris (1600-1672), affirmait : « La circulation est paradoxale, inutile à la médecine, fausse, impossible, inintelligible, absurde, nuisible à la vie de l'homme ». L'affaire a été résolue par Boileau, qui a ridiculisé les médecins officiels en faisant paraître l'*Arrêt burlesque* : « Attendu… la Cour… ordonne au chyle (suc formé dans l'intestin des substances assimilées dans la digestion) d'aller droit au foie sans passer par le cœur et du foie de le recevoir. Fait défense au sang d'être plus vagabond, d'errer et de circuler dans le corps, sous peine d'être entièrement livré et abandonné à la faculté de médecine ». De son côté, Louis XIV, favorable aux idées d'Harvey, a fait créer en 1672 un cours d'anatomie au Jardin du Roy et a demandé à Pierre Dionis d'y enseigner la circulation. La découverte d'Harvey a été complétée par la mise en évidence des vaisseaux lymphatiques en 1622 par Gaspare Aselli (1581-1626) à Pavie, par la découverte par Marcello Malpighi des capillaires pulmonaires en 1661 et par la découverte du circuit lymphatique en 1651 par le parisien Jean Pecquet (1622-1674).

ESSOR DE LA PHYSIOLOGIE

Après un début balbutiant au cours de la seconde moitié du XVIe siècle, la physiologie a connu un véritable essor au XVIIe siècle grâce au développement

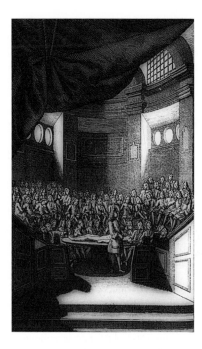

Fig. 12.1. *Pierre Dionis. Cours d'opération de chirurgie (1707)* (BIUM).

des « cabinets d'expériences » et, plus tard, des laboratoires. Cette discipline n'avait aucune ligne directrice, ce qui a eu pour conséquence la réalisation d'études minutieuses de la fonction des organes fondées sur des recherches anatomiques et complétées par des expériences d'ablation et de vivisection.

Les progrès en physiologie au XVIIe siècle ont surtout concerné cinq domaines :

– la physiologie de la reproduction avec Reinier de Graaf (1641-1674) qui est considéré comme le précurseur de cette spécialité avec la découverte en 1672 de la fonction de l'ovaire et des différentes phases de l'ovulation. Il a donné son nom aux follicules ovariens qu'il a découvert. Marcello Malpighi (1628-1694) et Gian Domenico Santorini (1681-1737) ont mis en évidence le corps jaune, le rôle des spermatozoïdes et de la nidation de l'œuf. En 1684, Francesco Redi (1626-1697) a posé les premières bases de la transmission héréditaire ;

– la physiologie de la digestion avec Lorenzo Bellini (1643-1704) qui a amélioré la compréhension des mécanisme de la physiologie du goût ;

– la physiologie oculaire grâce aux travaux de Blaise Pascal et de Pierre de Fermat qui ont élucidé le concept de l'optique géométrique ;

– la physiologie respiratoire avec les travaux de Robert Hooke (1635-1703) qui a montré qu'un animal pouvait survivre sans mouvement de sa cage thoracique si on injectait de l'air dans ses poumons, et ceux de John Mayow (1640-1679) qui a expliqué que la respiration était un échange entre l'air et le sang.

Richard Lower (1631-1691) a mis en évidence le fait que le sang veineux devenait rouge du fait de son mélange avec l'air inspiré dans les poumons ;
– la physiologie neurologique grâce à Thomas Willis (1621-1675) qui a réalisé une étude physiologique et anatomique extrêmement complète sur le système nerveux.

ESSOR DE LA CHIRURGIE

Le XVIIᵉ siècle n'a pas été marqué par des progrès notables dans le domaine de la chirurgie comme cela a été le cas en physiologie et en anatomie. L'acte chirurgical était limité par l'absence de produits anesthésiques et les risques d'infection. Sur le plan socio-économique, le fossé persistait entre les chirurgiens et les médecins. Il persistait trois catégories de chirurgiens :
– les chirurgiens qui réalisaient les interventions chirurgicales importantes telles que les fistules, les occlusions intestinales ou les interventions de chirurgie plastique ;
– les chirurgiens-barbiers qui réalisaient les saignées, qui réduisaient les luxations et les fractures, qui arrachaient les dents ou qui posaient les ventouses ;
– les guérisseurs qui opéraient les extractions de cataractes, les tailles de pierre avec des résultats souvent lamentables.

Les chirurgiens unis en 1660 ont fondé le collège de Saint-Côme pour leur instruction et pour accéder à un statut nouveau au sein de la société.

Quelques chirurgiens ont connu la célébrité au XVIIᵉ siècle :
– Jean-Baptiste Denis (1620-1704) qui a réalisé la première transfusion sanguine en injectant du sang d'agneaux dans le système veineux. Cette technique a été abandonnée après la mort d'un patient ;
– Charles-François Félix (1635-1703) qui a réalisé avec succès l'intervention chirurgicale de la fistule anale du roi Louis XIV ;
– Georges Mareschal (1658-1738), successeur de Félix auprès de Louis XIV ;
– Johann Schultes (1595-1645) qui a illustré des traités de chirurgie ;
– Matthaus Gottfried Purmann (1649-1711) qui a souligné l'importance de maîtriser parfaitement l'anatomie pour réaliser les interventions chirurgicales ;
– Giuseppe Zambeccari (1655-1728) considéré comme le pionnier de la chirurgie expérimentale ;
– Bernardino Genga (1620-1690) qui a publié un recueil de données anatomiques dans lequel apparaît pour la première fois le terme d'« anatomie chirurgicale ».

INNOVATION MÉDICALES

Les découvertes anatomiques et physiologiques réalisées au cours du XVIIᵉ siècle n'ont pas eu de répercussions importantes dans le domaine de la clinique. La seule innovation dans le domaine de la médecine a été l'amélioration des descriptions médicales des maladies grâce à quelques médecins :

– Thomas Sydenham (1624-1689) surnommé l'« Hippocrate anglais », grand ami du philosophe Locke, a bouleversé la conception de l'exercice de la médecine. Il a rejeté tous les concepts émis par les médecins de l'Antiquité et n'a retenu que ceux exposés par Hippocrate selon lequel le médecin devait d'abord étudier, observer son malade avant de poser le diagnostic de sa maladie et de donner son traitement. Syndenham s'est donc attaché à l'observation attentive du patient afin de rechercher les symptômes. Fidèle à la médecine hippocratique, il a réalisé une description clinique de chaque affection et il a insisté sur les différentes variations symptomatologiques. Il a décrit précisément la goutte, la grippe, la rougeole, la scarlatine, la pneumonie, l'hystérie, l'érysipèle, la dysenterie, la chorée. Le mérite de Thomas Sydenham a été d'établir pour chaque maladie les symptômes précis qui en permettaient l'identification. C'était un bon thérapeute. Il a créé la potion opiacée connue sous le nom de potion de Sydenham ;

– Thomas Willis (1621-1675) a cherché à établir les relations qui existaient entre les symptômes cliniques et les troubles anatomo-physiologiques. Il a mis en évidence en 1673 la présence de sucre dans les urines d'un patient souffrant de diabète et il a montré les conséquences sur le système cardio-vasculaire et pulmonaire de la section du nerf vague chez le chien ;

– Hermann Boerhaave (1668-1738) a souligné l'importance de la corrélation entre les troubles anatomiques et les affections cliniques en réalisant des dissections. Il a suggéré l'intérêt de la prise de température en pratique clinique.

ESSOR DE L'OBSTÉTRIQUE

L'obstétrique a acquis une place honorable au cours du XVIIᵉ siècle. Jusqu'à présent, seules les femmes étaient autorisées à présider aux accouchements. Progressivement, les hommes ont commencé à participer activement à la prise en charge médicale des parturientes. Trois médecins ont été considérés comme les deux fondateurs de l'obstétrique moderne :

– François Mauriceau (1639-1709), un chirurgien parisien qui a publié en 1668 un traité important intitulé *Des maladies des femmes grosses et de celles qui sont accouchées* dans lequel il délivrait les conseils pour réaliser un accouchement et soulignait l'importance de bien connaître l'anatomie et la physiologie obstétricale ;

– Peter Chamberlen (1601-1683), médecin anglais qui a inventé le forceps, dont il a gardé précieusement le secret, ne transmettant cet instrument qu'à ses enfants ;

– Hendryck Van Deventer (1651-1724), chirurgien hollandais auteur d'une étude précise sur le bassin de la femme. C'est au XVIIᵉ siècle que l'on a pratiqué la première césarienne sur le vivant.

Louise Bourgeois (1564-1644) a mis en place un enseignement méthodique pour les sages-femmes.

ENSEIGNEMENT

Au XVIIᵉ siècle, l'enseignement de la médecine n'était pas de bonne qualité. Il se limitait à l'étude sans réflexion ni critique des écrits des auteurs de l'Antiquité et du monde arabe. Les niveaux des études de médecine variaient en fonction des pays et des villes :

– à l'étranger, les diplômes de villes comme Cambridge ou Leyde étaient réputés. En effet, Leyde a été la première université à instituer un enseignement clinique en 1636 tandis que le niveau des enseignants de Cambridge était excellent ; – en France, sur les 25 écoles de médecine, seules quatre bénéficiaient d'une bonne réputation : Paris, Montpellier, Strasbourg et Toulouse.

Les premiers journaux publiant des articles médicaux ont été créés afin de permettre une meilleure diffusion de l'information :

– *Le Journal des savants* en 1665 ; – *Le Journal des nouvelles découvertes* sur toutes les parties de la médecine en 1679.

THÉRAPEUTIQUES DISPONIBLES

Au XVIIe siècle, l'arsenal thérapeutique des médecins comportait toujours les méthodes ancestrales telles que la saignée, la diète, l'exercice et les purges. En revanche, la pharmacopée s'est enrichie grâce à la découverte de la route des Indes et des Amériques. Il est apparu quelques médicaments qui ont bouleversé les habitudes thérapeutiques :

– le quinquina ou cinchona a été introduit en Europe au terme d'un périple particulièrement original. La légende inca avait révélé la guérison des fièvres par ceux qui buvaient une eau de mare dans laquelle étaient tombés des arbres à quinquina détruits par la foudre. Juan Lopez, un missionnaire jésuite du Pérou avait été soigné du paludisme par une poudre extraite d'un de ces arbres. Il avait transmis le secret à Francisco Lopez de Canizares, gouverneur de Loja (province de l'Équateur) qui l'avait communiqué au vice-roi du Pérou dont la femme, la comtesse de Cinchon souffrait de paludisme. Elle a ramené en Espagne cette poudre à laquelle elle a donné son nom : le cichona. Cette écorce a d'abord été l'apanage des jésuites qui l'ont gardée secrètement pour leur usage puis elle a été répandue après 1640 en Occident pour soigner les fièvres, notamment celles dues à la malaria (« mauvais air ») ou paludisme (du latin *palus* : marais) ; – l'ipéca ou hipécacuantha qui guérissait la dysenterie grâce à Legras ; – le café et le thé.

Il a été publié à Paris, en 1638, un registre des médicaments, le *Codex medicamentarius seu pharmacopea Parisiensis* — il en existe un autre à Lyon.

L'administration de plantes médicinales était toujours recommandée dans certaines affections. Il a été créé dans les universités, des jardins botaniques afin de disposer de plantes médicinales ; le premier a été construit à Montpellier à l'initiative d'Henri IV et de Pierre Richer de Belleval.

HOSPITALISATION

Les hôpitaux se sont développés pour héberger les pauvres et les infirmes. L'hôpital Saint-Louis a vu le jour à Paris à l'initiative d'Henri IV. L'édit du

Fig. 12.2. *Le mireur d'urine (1527)* (BIUM).

22 avril 1656 ordonnait la création, à Paris, de l'Hôpital général, qui avait pour mission l'enfermement de tous «les gueux, les vagabonds, les insensés et les libertins». Cette mesure a été généralisée à l'ensemble du royaume en 1662. Louis XIV a interdit en 1670 les procès en sorcellerie, dont les malades mentaux étaient souvent victimes. Par ailleurs, Théophraste Renaudot (1586-1653), créateur du Mont-de-Piété, a développé les consultations gratuites pour les pauvres.

En Hollande, dès le XVIIᵉ siècle, des médecins comme François De La Boë (dit Silvius) et, un peu plus tard, Hermann Boerhaave ont été les premiers à demander à ce que l'hôpital soit le lieu de l'enseignement clinique, et par conséquent qu'il acquière une justification noble. Les enseignants de la faculté de médecine de Paris refusaient ce projet et continuaient à professer les leçons d'Hippocrate, de Galien, d'Avicenne et de Rhazès loin des souffrances.

GRANDES ÉPIDÉMIES

La peste

Une nouvelle épidémie de peste sévère a sévi en France entre 1629 et 1631. À l'occasion de cette épidémie, il a été mis en place à Lyon un Bureau de Santé qui a instauré un système de surveillance rigoureux. Ses ordonnances imposaient le nettoyage des logements des pestiférés, la mise en quarantaine de leurs familles, l'interdiction de la vente de leurs vêtements.

L'épidémie de peste a été très importante à Londres en 1664 et 1665. Elle a entraîné la mort de près de 100 000 personnes sur une population qui dépassait à peine 450 000 habitants. Cette épidémie de peste a épargné Paris et le nord de la France grâce aux mesures mises en place par Colbert, des mesures préventives malgré les conséquences sur le plan économique.

Le paludisme qui a ralenti la construction du château de Versailles

La construction du château de Versailles qui a duré près d'un demi siècle a été ralentie par le paludisme qui a affecté un grand nombre d'ouvriers. En effet, le château avait été construit au milieu de marécages qui étaient infestés d'anophèles et avaient nécessité d'importants travaux de drainage. Le roi Louis XIV a contracté le «mal du mauvais air» au cours d'une inspection de l'avancée des travaux. Lorsqu'il s'est installé avec sa Cour en 1682, les travaux de terrassement étaient loin d'être terminés, et le paludisme a continué à sévir pendant tout le XVIIe siècle à Versailles.

MÉDECINS CÉLÈBRES

Santorio Sanctorius (1561-1636)

Celui dont le surnom était «le pape des iatromécaniciens» est considéré comme le précurseur de la physiologie expérimentale qui reposait sur l'utilisation d'instruments de précision permettant des mesures quantitatives. Il a établi des appareils originaux : un lit suspendu pour les malades, un thermomètre pour prendre la température du corps humain, un pulsilogium ou horloge pour mesurer le pouls et enfin un hygromètre. Il a publié en 1614 un livre intitulé *Ars de statica medecina* (*De la médecine chiffrée*) où il démontre après avoir minutieusement et scrupuleusement pesé leur poids que le poids total des excrétions était inférieur au poids des substances ingérées. Ses recherches expérimentales ont permis d'établir pour la première fois le rôle fondamental du métabolisme basal et de la transpiration cutanée.

Harvey William (1578-1657)

William Harvey a fait ses études de médecine à l'université de Cambridge puis à Padoue, en Italie où il a eu pour enseignant Fabrice d'Acquapendente qui était alors connu pour avoir décrit les valvules des veines. Il est revenu s'installer à Londres en 1602, où il a acquis une excellente réputation de praticien. Il a été nommé en 1609 médecin-chef de l'hôpital Saint-Barthélemy, ensuite professeur de chirurgie et d'anatomie, et enfin médecin personnel du roi Charles Ier. Dès 1613, il a commencé à expliquer à ses étudiants ses découvertes, mais c'est seulement en 1628 qu'il a publié sa célèbre *Étude anatomique du mouvement du cœur et du sang chez les animaux*. Dans ce petit ouvrage de soixante-douze pages, Harvey a rapporté avec précision, clarté et concision, le rôle du cœur dans la circulation sanguine. Malgré la rigueur de ses descriptions, ses conclusions ont entraîné de nombreuses polémiques dans le monde scientifique.

Après l'exécution du roi Charles Ier, Harvey a été l'objet de persécutions sous le règne de Cromwell, ce qui ne l'a pas empêché pas de poursuivre ses travaux. Il a publié, en 1651, une théorie en faveur de l'épigenèse. Il est mort en juin 1657.

Malpighi Marcello (1628-1694)

Ce médecin du pape Innocent XII a été l'un des précurseurs de l'étude des tissus vivants au microscope. Il a découvert les capillaires pulmonaires en 1661, les glomérules du rein auxquels il a donné son nom, le corps muqueux qui constitue la partie profonde de l'épiderme, les corpuscules de tissu lymphoïde situés autour des artérioles de la rate. Il a été le premier à décrire la maladie de Hodgkin.

ILS ÉTAIENT AUSSI MÉDECINS

René Descartes (1596-1650)

Philosophe et savant, Descartes était préoccupé par le problème de la certitude scientifique. Il est né à la Haye (Touraine), dans la petite noblesse. Il a fait ses études au Collège des jésuites de la Flèche (1604-1612).

Après avoir passé ses diplômes de droit à Poitiers, il s'est engagé en 1617 dans l'armée de Maurice de Nassau. Durant l'hiver 1619, ayant pris ses quartiers à Neubourg, il a découvert le principe de sa méthode.

À partir de 1629, il s'est retiré en Hollande où il a vécu pendant 20 ans. Considérant la santé comme le bien essentiel, René Descartes s'est livré à l'étude de la médecine dès le début de son séjour en Hollande. Il est considéré comme le fondateur de la géronto-prophylaxie et de la médecine psychosomatique. En 1633, alors qu'il se préparait à publier son *Traité du Monde*, il a appris la condamnation de Galilée et a décidé de tenir son manuscrit secret : aussi *Le Monde* ou *Traité de la lumière* ne sera-t-il publié qu'en 1664.

En 1637, il publie *Le discours de la méthode* avec *La dioptrique* et *La géométrie*, rédigés en français ; puis en 1644 les *Principia philosophiae* dans lesquels il s'est efforcé de présenter l'ensemble de sa doctrine.

Théophraste Renaudot (1586-1653)

Après des études de médecine à la faculté de médecine de Montpellier qui ont duré neuf mois, Théophraste Renaudot a été nommé docteur en médecine en 1606. Il s'est rendu par la suite à Paris où il s'est perfectionné au collège de Saint-Cosme et à l'hôtel-Dieu car la faculté de médecine refusait les protestants.

Il a d'abord eu l'idée de créer la voirie pour améliorer l'hygiène publique puis des bureaux pour centraliser les offres et les demandes d'emploi. Il a obtenu en 1612 le poste de médecin du roi chargé du «règlement général des pauvres du royaume et de la création des bureaux d'adresses». Il a publié le 30 mai 1631 le premier numéro de *La Gazette française*. En 1636, il a fondé les monts de piété. Par la suite, il s'est entièrement consacré à son journal.

Denis Papin (1647-v. 1712)

Après des études de médecine à l'université d'Angers, Denis Papin s'est installé comme médecin à Paris à l'âge de 24 ans. Il a vite été passionné par les sciences, et il est devenu assistant de Christian Huygens. Il a réalisé des études sur le travail mécanique obtenu par l'exercice alterné d'une pression et d'une dépression de gaz.

En 1675, il est devenu l'assistant de Robert Boyle à Londres avec qui il a travaillé sur la pompe à air. Il a été nommé à Londres en 1684 conservateur à la Royal Society.

En 1688, il a montré que la condensation de la vapeur produisait des effets comparables à ceux de la dépression des gaz et il a élaboré une machine basée sur ce principe. La machine de Papin était donc la première du genre. Il a publié son invention en 1707 dans *Nouvelle machine pour élever l'eau par la force de la vapeur*.

CES MALADES CÉLÈBRES

La fistule anale de Louis XIV

Le 15 janvier 1686, Louis XIV, âgé de 48 ans, commence à se plaindre d'un abcès entre l'anus et les testicules, assez profond et sensible au toucher. Les médecins du roi essayent d'abord l'application des cataplasmes de farine, des emplâtres de ciguë, du sparadrap de gomme et de térébenthine et même du baume du Pérou sans obtenir l'amélioration escomptée. Le handicap causé par cet abcès de la marge anale est tel que le roi est dans l'impossibilité de monter à cheval et que la cour est obligée d'interrompre la plupart des fêtes. L'illustre malade qui passe ses journées au lit signe pendant ce temps-là un certain nombre d'ordres, livrant les protestants à la politique de Louvois qui disposait de pouvoirs exorbitants (révocation de l'édit de Nantes le 18 octobre 1685). Deux cent cinquante mille huguenots se sont ainsi exilés sans que le roi ne s'en émeuve. Le rôle de la fistule anale dans cet acte politique aux conséquences importantes sur l'histoire de France a été souligné par de nombreux auteurs. En effet, en s'expatriant les protestants ont privé le royaume de leur énergie (maréchal de Schomberg, Denis Papin…) et de leurs capitaux.

L'épilogue de la fistule anale a le 18 novembre 1686 dans la chambre du roi, l'actuel salon de l'œil-de-bœuf à Versailles. Ce jour-là, Félix, chirurgien du roi, réalise la fameuse Grande intervention qui permet de guérir définitivement le souverain.

La gangrène de Lulli

C'est le 8 janvier 1687, au moment ou il fait répéter un *Te Deum* qu'il a composé pour la guérison du roi à l'église des Feuillants de la rue Saint-Honoré, que Jean-Baptiste Lulli, âgé de 54 ans, frappe son pied de sa canne alors qu'il bat la mesure. Le lendemain, il présente un volumineux hématome qui se transforme rapidement en un abcès malgré les différents cataplasmes qu'on lui a appliqués. L'abcès laisse place quelques jours plus tard à une gangrène. Le médecin consulté propose de réaliser l'amputation de l'orteil, ce que refuse formellement Lulli. La gangrène gagne progressivement la jambe puis la cuisse. Le 22 mars 1687, après une lente agonie, Lulli qui sent venir la fin fait appel à un prêtre. Pour le plus grand désespoir de Lulli, ce dernier qui est un casuiste sévère demande à Lulli de détruire la partition de l'opéra qu'il est en train de composer, pour prouver sa volonté de se repentir de tous les opéras qu'il a jusqu'alors réalisés. Lulli agonisant désigne au prêtre un tiroir duquel le prêtre extrait la partition d'*Achille et Polyxène*. Le fils de Lulli hurle alors : «*Père, vous n'avez pas le droit de détruire cette partition*». Lulli qui agonise lui murmure tout doucement : «*Tais-toi, j'ai une autre copie!...*». Lulli dans ses dernières volontés demande qu'on l'allonge dans un lit de cendres, qu'on lui place une corde autour du cou, puis il compose un dernier air qu'il intitule : «*Il faut mourir pécheur*».

POUR EN SAVOIR PLUS

3ᵉ COLLOQUE DE MARSEILLE – Madame de Sévigné, Molière et la médecine de son temps. Janvier 1973. Colloque organisé par le Centre méridional de rencontres sur le XVIIᵉ siècle. Imp. municipale, Marseille, 1973.

FRENCH R. – *William Harvey's natural philosophy*. Cambridge Univ. Press, Cambridge, 1994.

FRENCH R., WEAR A. – *The medical revolution of the seventeenth century*. Cambridge university press, Cambridge, 1989.

GRMEK M. D. – *La première révolution biologique: réflexions sur la physiologie et la médecine du XVIIᵉ siècle*. Payot, Paris, 1990.

HARVEY G. – *Etude anatomique du mouvement du cœur et du sang chez les animaux*. Aperçu historique et traduction française par Charles Laubry. G. Doin, Paris, 1950.

LEBRUN F. – *Se soigner autrefois: médecins, saints et sorciers aux 17ᵉ et 18ᵉ siècles*. Seuil, Paris, 1995.

LÉVY-VALENSI J. – *La médecine et les médecins français au XVIIᵉ siècle*. J.-B. Baillière et fils, Paris, 1933.

MILLEPIERRES F. – *La Vie quotidienne des médecins au temps de Molière*. Librairie générale française, Paris, 1983.

PEUMERY J.-J. – *Les mandarins du grand siècle*. Institut Sanofi-Synthélabo, Paris, 1999.

13 | MÉDECINE DU XVIIIe SIÈCLE

DATES CLÉS

1762 : découverte des microbes par Marcus Anton von Plenciz
1774 : isolement de l'oxygène par Joseph Priestley
1779 : publication du *Système de politique médicale* par Johann Peter Franck
1796 : première vaccination antivariolique sur Edward Phipps par Edward Jenner
1743 : fondation en France de l'Académie royale de chirurgie
1781 : publication du *Traité des accouchements* par Jean-Louis Baudelocque

---

CONTEXTE HISTORIQUE

Le XVIIIe siècle est connu sous le nom de «siècle des lumières» en raison de l'intense activité intellectuelle des écrivains et des philosophes qui ont remis en question les connaissances traditionnelles. Mais il est aussi appelé «siècle des révolutions» en raison des profondes mutations qui ont eu lieu sur le plan économique, politique, scientifique, artistique et social. L'Angleterre a été considérée comme l'instigatrice des mouvements idéologiques qui ont supprimé l'absolutisme et l'intolérance. Elle est également novatrice dans le domaine de l'industrialisation avec l'introduction à la fin du XVIIIe siècle de la machine à vapeur et de la mécanisation dans les fabriques. La population urbaine s'est accrue avec l'apparition d'un groupe social. Sous l'influence des idées propagées par les philosophes, de nombreux pays ont remis en question leur gouvernement. En Amérique du Nord, les colonies britanniques ont acquis leur indépendance. En 1789, la Révolution française a mis fin à la royauté.

FAITS ESSENTIELS

La médecine du siècle des Lumières a été marquée par le développement de la physiologie et de l'anatomie pathologique grâce à l'essor de l'expérimentation et au développement des sciences fondamentales. La clinique est restée archaïque avec l'absence de nosologies. Toutefois, des spécialités ont commencé à se dessiner au cours du XVIIIe siècle. Surtout, la première vaccination antivariolique a été réalisée par Edward Jenner. Le mouvement intellectuel amorcé au XVIIe siècle a trouvé son plein essor au siècle des Lumières. La chirurgie a fait un bond en avant avec une ébauche de spécialisation. Ce siècle a été marqué par la réhabilitation des chirurgiens français qui pouvaient devenir docteurs. Il y a eu un véritable changement dans l'approche des traitements des troubles psychiatriques.

PENSÉE MÉDICALE

La médecine du XVIIIᵉ siècle a subi l'influence des philosophes. Locke, Leibniz et Condillac ont souligné les limites de la matière et ont envisagé de nouvelles conceptions pour approcher la vie organique. L'homme n'était plus considéré comme un automate mais plutôt comme une étonnante mécanique constituée de fibres, de liquides, de gaz, de leviers et de pompes, complètement séparée de l'âme. Les médecins ont continué à s'intéresser aux modifications subies par l'organisme malade à défaut de pouvoir expliquer les causes exactes des maladies.

La médecine du dix-huitième siècle est marquée par l'avènement d'un grand nombre d'écoles de pensée, plus ou moins métaphysiques, au milieu des mécanistes toujours présents.

Au cours du XVIIIᵉ siècle, à côté des iatrophysiciens et des iatrochimistes qui ont continué à poursuivre leurs démonstrations sur le rôle respectif des lois physiques et chimiques dans les mécanismes biologiques humains, les partisans de trois autres nouvelles théories sont apparus :

– les vitalistes considéraient que le corps humain était animé par un «élan vital» impossible à matérialiser, complémentaire aux échanges physico-chimiques mais dont l'altération provoquait la maladie. Les chefs de file de cette doctrine étaient Paul Joseph Barthez (1734-1806) et Théophile de Bordeu (1722-1776) qui exerçaient à Montpellier. Ce dernier estimait que l'estomac, le cœur, les testicules et le cerveau sécrétaient des substances spécifiques qui se répartissaient dans le sang, entraînant une modification de l'état de santé. Il est considéré comme le pionnier de l'endocrinologie ;

– les animistes, avec Georg Ernst Stahl (1660-1734), médecin et chimiste de l'université de Halle comme chef de file estimaient que la vie était due à une «âme sensible», l'anima, qui réglait les échanges à l'intérieur du corps. La maladie était la conséquence d'un dérèglement de l'activité de l'âme. Le stahlisme, ou animisme, était surtout répandu dans les pays protestants de l'Europe du Nord ;

– les Brownistes avec L'Écossais John Brown (1735-1788) comme chef de file concevaient la vie comme le résultat de forces nerveuses répondant plus ou moins à des excitations. Le brownisme a eu de nombreux adeptes en Angleterre, en Allemagne et en Italie ;

– les mécanistes, avec Frederich Hoffmann (1660-1742), un médecin allemand de l'université de Halle, estimaient que l'état de santé était sous la dépendance d'un tonus contrôlé par un «éther nerveux» provenant du cerveau. Ce tonus exerçait une force mécanique faisant contracter ou dilater les fibres qui étaient censées composer l'organisme.

Des médecins ont élaboré de nouvelles classifications des maladies en se calquant sur celles utilisées en botanique, en zoologie ou en chimie :

– l'Écossais William Cullen (1712-1790) a classé les maladies selon les solides et les liquides altérés, selon le manque ou la pléthore, etc. ;

– François Boissier de la croix de Sauvages, à Montpellier, a divisé les maladies en dix grandes catégories dans son ouvrage *La Pathologica methodica* en 1759 en s'inspirant des travaux du botaniste Carl von Linné (1707-1778).

ANATOMIE

Le XVIIIe siècle a été marqué par le développement d'un véritable engouement pour l'anatomie générale.

Dans le domaine de l'anatomie, un certain nombre de médecins se sont illustrés en Europe :

– en Angleterre, deux frères, John (1728-1793) et William (1718-1783) Hunter ont rassemblé plus de 13 000 spécimens anatomiques, ont disséqué plus de 500 espèces d'animaux et ont amélioré les connaissances dans le domaine de la chirurgie et de la pathologie expérimentales. William Hunter a fondé la célèbre Great Windmill Street School of Anatomy de Londres ;

– en Allemagne, les trois générations de Meckel (le grand-père Johan Friedrich, le fils Philip Friedrich Theodor et le petit-fils Johan Friedrich) et Bernhard Siegfried Albinus (1697-1770) ont contribué à la renommée de l'école allemande d'anatomie ;

– en Italie, Antonio Scarpa (1747-1832) qui enseignait à Pavie a contribué à améliorer la connaissance anatomique des nerfs cérébro-spinaux, des plexus et des ganglions nerveux, des oreilles, des yeux et des membres inférieurs ;

– en France, le Danois Jacques Bénigne Winslow (1669-1750), professeur d'anatomie au jardin du roi à Paris, a contribué à améliorer l'étude de la cavité abdominale et du fonctionnement du diaphragme.

– En Écosse, les deux Monro, père et fils, des Écossais, ont contribué à étendre la réputation de l'école d'Edimbourg.

Ce siècle a encore été marqué par le grand développement des cires anatomiques (véritables œuvres artistiques réalisées par Mascagni, Fontana ou Fragonard).

Toutefois cette période a été marquée par la naissance de nouvelles spécialités comme l'anatomie comparée, l'anatomopathologie et l'embryologie.

ANATOMIE COMPARÉE

L'anatomie comparée consistait en l'étude, à travers le règne animal, de l'évolution structurelle et des adaptations, anatomique et physiologique, des organismes en réponse aux caractéristiques de leur environnement. Deux savants ont participé activement au développement de cette discipline :

– Georges Buffon (1707-1788) a effectué un colossal travail de recherche sur l'anatomie comparée. Il a traité de ce sujet sur les quinze premiers volumes des trente-six que comportait son ouvrage *Histoire naturelle, générale et particulière* publié de 1749 à 1804 ;

– le baron Georges Cuvier (1769-1832) a réalisé un travail de synthèse important sur l'anatomie comparée et écrit une encyclopédie, en neuf volumes, intitulée *Le règne animal distribué d'après son organisation*.

DÉVELOPPEMENT DE L'HISTOLOGIE

L'histologie a progressé au XVIIIe siècle avec l'amélioration du microscope, l'invention du microtome, appareil utilisé pour découper de fines sections de tissus animaux ou végétaux, et la mise au point de techniques de coloration. Xavier Bichat (1771-1802) a ouvert le champ de l'étude de l'histologie. Il a relaté les similitudes entre tissus topographiquement différents, ce qui lui a permis de définir trois catégories : les tissus nerveux, musculaires et conjonctifs.

EMBRYOLOGIE

Les travaux de l'anatomiste allemand Kaspar Friedrich Wolff (1735-1794) de Berlin ont permis de faire progresser la compréhension de l'embryologie du rein et de l'appareil génital masculin. Il a donné son nom au canal et au corps de Wolff ou mésonéphros qui est à l'origine de la partie excrétrice du rein et de l'appareil génital masculin. Il était partisan de la théorie de l'épigenèse qui reposait sur le concept de l'élaboration de l'embryon par division d'une seule matière non différenciée.

ANATOMOPATHOLOGIE

Jean-Baptiste Morgagni (1682-1771) qui a occupé la chaire d'anatomie de la célèbre faculté de Padoue a développé l'étude des tissus lésés recueillis sur les cadavres au cours des séances de dissection. Il a tenté d'établir une corrélation entre la symptomatologie clinique et l'anatomopathologie.

Son livre *Adversaria Anatomica prima* paru en 1719 a permis d'améliorer les connaissances anatomiques. Mais sa grande œuvre a été l'ouvrage intitulé *De sedibus et causis perum per anatomen indagatis* (*Du siège et des causes des maladies étudiées à l'aide de l'anatomie*), dans lequel il a décrit la structure et les rapports dans l'espace des différents organes et tissus à partir des résultats de 640 dissections.

PHYSIOLOGIE

La physiologie est devenue une science bien individualisée à partir de la deuxième moitié du XVIIIe siècle.

Essor de la physiologie neuro-musculaire

La physiologie neuro-musculaire a progressé grâce à :

– Albrecht von Haller (1708-1777), médecin suisse, a étudié le système nerveux. Il a rejeté le concept en vigueur sur la théorie du fluide nerveux. Il a confirmé expérimentalement le concept d'irritabilité, propriété qu'ont certaines parties de

l'organisme humain de se contracter lorsqu'on les touche sans que cela entraîne de douleurs. Il a établi que la contraction était provoquée par les muscles tandis que la sensibilité était sous la dépendance des fibres nerveuses. Il a défini les relations entre le cerveau et les fibres nerveuses. Albrecht von Haller est considéré comme le pionnier de la pensée moderne en physiologie. Il a laissé une œuvre considérable avec près de 14 000 lettres, 2 000 articles scientifiques et surtout un ouvrage intitulé *Elementa physiologiae corporis humani*, qui a été publié entre 1757 et 1766 (9 vol.) ;
– Luigi Galvani (1737-1798) qui a émis l'hypothèse d'un influx électrique propre aux tissus. Il a montré qu'une décharge électrique à distance provoquait une contraction de la cuisse de la grenouille suggérant ainsi que l'influx nerveux était lui-même bel et bien de l'électricité ;
– Alessandro Volta (1745-1827), l'inventeur de la pile électrique, qui a découvert le phénomène physiologique de l'électrostimulation, et l'a appliqué à la surdité.

Développement de la physiologie respiratoire

La physiologie respiratoire a progressé grâce aux travaux de :
– Joseph Priestley (1733-1804) et Karl Wilhelm Scheele (1742-1804) qui ont réussi à isoler l'oxygène dans l'air ;
– Antoine-Laurent Lavoisier (1743-1804) qui a livré l'explication du mécanisme de la respiration (absorption d'oxygène et rejet d'oxyde de carbone et de vapeur d'eau) jusque-là presque ignoré. Il a démontré que l'air était composé d'oxygène ainsi que d'azote. Son association avec Laplace a été importante, puisqu'elle a abouti à la compréhension du mécanisme de la transpiration et de la respiration cutanée.

Les autres travaux en physiologie

D'autres physiologistes ont réalisé des travaux intéressants :
– René Réaumur a déterminé la composition chimique du suc gastrique et a livré une explication de son mode d'action ;
– Jean Astruc (1684-1766) a effectué des travaux sur la digestion et étudié l'action de la salive, de la bile et des sécrétions pancréatiques ;
– Lazzaro Spallanzani (1729-1799), expérimentateur ingénieux, a réalisé d'importants travaux sur la reproduction, l'hémodynamique et la digestion. Il a réalisé en 1777 la première expérience de fécondation artificielle en arrosant des œufs de crapaud pris chez la femelle avec du sperme de crapaud mâle, puis il a effectué une fécondation artificielle chez une chienne. Il a étudié la digestion en faisant avaler à des dindons des éponges attachées à un fil qu'il réétudiait ensuite pour démontrer l'action du suc gastrique. Il est considéré comme le pionnier de la microbiologie. Il a été le premier à cultiver des microbes en utilisant un milieu nutritif constitué de jus de viande. Il a démontré à cette occasion que les microbes ne poussaient pas si le jus de viande avait préalablement été bouilli et mis à l'abri de l'air. En revanche, il avait observé que si le liquide venait en contact avec l'air, les microbes se multipliaient. Cette expérience lui a permis de réfuter la théorie de la génération spontanée

considérée alors comme acquise. Il a mis en évidence le fait que les microbes se multipliaient en se divisant par deux, puis encore par deux. À la suite des travaux de Spallanzani, un certain nombre de chercheurs ont continué à observer et à décrire des microbes sans suspecter leur importance écologique, épidémiologique et économique ;

– Stephen Hales (1677-1761), fondateur de la physiologie végétale, a réalisé la première mesure des pressions sanguines artérielle et veineuse chez la jument.

ESSOR DE LA CHIRURGIE

Le XVIIe siècle va être marqué par des progrès sensibles dans le domaine de la chirurgie. Au début du siècle, les chirurgiens étaient toujours dominés sur le plan intellectuel par les médecins qui restaient les seuls aptes à juger de l'opportunité des interventions chirurgicales. Ce siècle est marqué d'abord par la réhabilitation des chirurgiens français qui ont pu devenir docteurs, puis par la fondation de l'Académie royale de chirurgie en 1731 et enfin par le décret royal de 1743 qui a interdit aux barbiers toute pratique chirurgicale à l'exception des interventions mineures. En France, cette situation a changé grâce à quelques hommes qui ont contribué à donner des lettres de noblesse à la chirurgie pour en faire un art :

– Jean-Louis Petit (1674-1750) a été le chirurgien le plus prestigieux du XVIIIe siècle. Il a été le premier à refuser de prêter serment devant le doyen de la faculté de médecine car cela reconnaissait la suprématie de la médecine sur la chirurgie. Il a réalisé un certain nombre d'innovations en matière de technique opératoire en réalisant les premières paracentèses, la première trépanation de la mastoïde. Ce brillant chirurgien a mis en évidence le phénomène de l'hémostase et il a inventé le garrot en 1744. Il a rédigé un *Traité sur les maladies des os* de grande valeur, et a décrit magistralement les entorses, les ruptures du tendon d'Achille, la cholécystite. Il a participé au rayonnement de la chirurgie française qui est devenue si renommée que l'empereur Frédéric II de Prusse envoyait ses cadets recevoir leur formation médicale militaire en France ;

– Pierre Desault (1744-1795) a inventé un certain nombre de techniques chirurgicales telles que les techniques de bandage pour les fractures de la clavicule et l'extension continue pour certaines fractures. Desault a mis au point un nouveau procédé de ligature des polypes, et il a réglé l'usage des sondes élastiques dans les cathétérismes et les tubages. Il a fondé en 1791 le *Journal de Chirurgie* ;

– Georges Mareschal (1658-1738), premier chirurgien de Louis XIV et fondateur de l'Académie de chirurgie, a vulgarisé l'opération de la taille des calculs vésicaux avec incision latérale ;

– François La Peyronie (1678-1747) de Montpellier a obtenu la séparation entre les chirurgiens et les barbiers ;

– Pichault de La Martinière (1696-1778) a créé quatre hôpitaux d'instruction des armées en 1774 pour former les médecins militaires.

La Grande-Bretagne a compté également de grands chirurgiens avec :

– William Cheselden (1688-1752), chirurgien à l'hôpital St Thomas de Londres. Il était réputé pour sa dextérité et sa rapidité qui constituaient des atouts à une période où il n'y avait pas d'anesthésie. Il était capable de couper une jambe en dix secondes et d'extraire un calcul de la vessie en moins d'une minute ;

– Percival Pott (1714-1788), qui est bien connu pour sa description de l'effondrement de la colonne vertébrale, le mal de Pott, et la fracture malléolaire qui porte son nom ;

– John Hunter (1728-1793), anatomiste distingué qui a été un précurseur de la chirurgie vasculaire. Il est mort victime d'une expérience qu'il avait réalisée sur lui-même : l'auto-inoculation de la syphilis et de la blennorragie afin d'en étudier la dualité ;

– John Abernethy (1764-1831), chirurgien au St Bartholomew Hospital de Londres qui a été le premier à réaliser la ligature de l'artère iliaque externe en cas d'anévrysme de l'artère crurale ;

– Alexander Monro (1697-1767) qui a soulevé l'intérêt qu'il y avait à protéger de l'air les fractures ouvertes.

Le XVIIIe siècle marque la naissance de la chirurgie moderne. Il était dispensé un véritable enseignement qui avait lieu au lit du malade, les chirurgiens ont affiné leur sémiologie qui est devenue rigoureuse. Toutefois, l'acte opératoire était limité en raison des risques d'infection purulente, de septicémie. Les interventions au niveau du thorax et de l'abdomen étaient formellement proscrites. Pour évoluer, il fallait trouver le moyen de lutter contre ce qui constituait la hantise des chirurgiens, la douleur et l'infection.

DÉVELOPPEMENT DE L'OBSTÉTRIQUE

L'obstétrique a progressé au cours du XVIIIe siècle sous l'impulsion de :

– Jean-Louis Baudelocque (1745-1810) qui a contribué à faire de l'obstétrique une science. Il a été le premier titulaire de la chaire d'obstétrique à l'École de santé, devenue la faculté de médecine de Paris. Il a fondé en 1802 l'école des sages-femmes. Il est l'auteur de nombreux traités dont *L'Art des accouchements* (1781) dans lequel il insistait sur l'intérêt de la pelvimétrie systématique et sur l'indication de l'utilisation des forceps, de la pubiotomie, de la symphysectomie et de la césarienne ;

– William Smellie (1697-1763), professeur d'obstétrique à Londres qui a inventé un forceps muni d'une longue courbure et de lanières de cuir pour éviter le contact avec le métal.

ESSOR DE L'OPHTALMOLOGIE

L'ophtalmologie a progressé au cours du XVIIIe siècle sous l'impulsion de l'école française avec :

– Michel Brisseau (1676-1743) qui a différencié le glaucome de la cataracte dont il a affirmé qu'elle siégeait dans le cristallin ;

– François Foufour Petit (1664-1741), à Montpellier, fondateur de la biométrie oculaire ;

– Maître Jan, qui a livré en 1709 la première description du décollement de la rétine ;
– Jacques Daviel (1693-1762) qui a mis au point l'extraction «extra-capsulaire» du cristallin en 1745.

INNOVATIONS MÉDICALES

Sur le plan médical, quelques cliniciens ont réalisé des travaux qui ont permis d'anticiper les progrès de la médecine clinique qui devaient se dérouler au siècle suivant :
– Xavier Bichat (1771-1802), qui était à la fois un excellent anatomiste et un talentueux physiologiste, considérait la vie comme «la somme totale des fonctions qui résistent à la mort». Il a créé l'école de médecine biologique française ;
– Jean-Baptiste Sénac (1693-1770) est un des pionniers de la cardiologie moderne ;
– William Heberden (1710-1801) a réalisé la première description de l'angine de poitrine et a fait la première distinction entre les nodules arthrosiques et les tophus goutteux ;
– Caleb Hillier Parry (1755-1822) a réalisé la première description du goitre exophtalmique ;
– Leopold Auenbrügger (1722-1809) a défini le procédé de la percussion après avoir observé son père qui était aubergiste en train de frapper les tonneaux avec un maillet pour juger de l'importance de leur contenu.

INNOVATIONS PSYCHIATRIQUES

Au cours du XVIIIᵉ siècle, on a assisté à un changement dans l'approche des traitements des troubles psychiatriques.

Quatre médecins ont incarné le bouleversement de cette spécialité :
– Philippe Pinel (1745-1826), partisan du vitalisme, est considéré comme le pionnier de la psychiatrie moderne. Il est célèbre pour avoir rompu les chaînes qui entravaient 49 aliénés enfermés à Bicêtre ;
– Franz Joseph Gall (1758-1828) a fondé la phrénologie qui attribue à chaque fonction mentale une zone du cerveau ;
– William Tuke (1732-1822), quaker anglais, a milité pour une thérapeutique plus humaine des maladies mentales ;
– Georges Baker (1722-1809) est considéré comme le pionnier de la médecine psychosomatique.

LE CHARLATANISME

Le XVIIIᵉ siècle a été marqué par l'essor du charlatanisme avec des individus qui ont eu parfois des réputations importantes :

– Joanna Stephens prétendait avoir découvert un produit miracle susceptible de dissoudre tous les calculs urinaires ;

– Franz Anton Mesmer (1734-1815) prétendait guérir toutes les maladies à l'aide du magnétisme. Cette thérapeutique reposait sur la soi-disant théorie du fluide magnétique produit par tout corps vivant qui provoquait une force particulière. Sa méthode consistait à réunir ses patients autour d'un baquet contenant notamment de l'acide sulfurique dilué, d'où émergeaient des tiges de fer. Les malades, mis en contact les uns avec les autres, devaient appliquer ces barres sur l'endroit ou siégeait leur affection. Il a créé à Paris un Institut magnétique qui a eu un énorme succès.

LA SANTÉ PUBLIQUE

La vaccination antivariolique

La santé publique a fait un grand pas au dix-huitième siècle avec la découverte de la vaccination. Le procédé de variolisation avait été importé de Constantinople (où il avait été utilisé dès 1701 par Giacomo Pylarini) par Lady Mary Wortley Montagu (épouse de l'ambassadeur d'Angleterre en Turquie) et avait été introduit à Versailles par le Docteur Théodore Tronchin (1709-1781). Cette technique d'inoculation, parfois dangereuse, a été remplacée à partir de 1796 par l'invention de la vaccination antivariolique d'Edward Jenner (1749-1823), médecin de campagne britannique. Cette invention constitue la découverte la plus importante du XVIIe siècle. Son idée lui était venue après qu'il eut constaté que les fermières dont les mains étaient en contact avec le pis des vaches lors de la traite ne contractaient jamais la variole. Or ces animaux étaient touchés par une maladie, le *cow-pox* (ou vaccine), qui semblait être à l'origine de l'immunisation contre la variole. Pendant près de 20 ans, Jenner a étudié, testé et séparé la vaccine des autres éruptions des bovidés. Le 14 mai 1796, il a eu l'idée de réaliser l'inoculation à un jeune garçon nommé James Philips du contenu du pus prélevé à partir d'une pustule de paysanne, qui avait contracté la vaccine. Il a noté la survenue d'une pustule au point d'injection 10 jours après qui a guéri sans incident. Jenner a alors tenté d'inoculer la variole à l'enfant à partir du pus prélevé de pustules varioliques humaines plus d'une vingtaine de fois, mais sans résultat. Jenner avait prouvé que le pus de la vaccine introduit par scarification dans l'organisme humain permettait de le protéger de la variole. On a donné le nom de « vaccin » à ce procédé nouveau par référence au mot latin *vaca* qui signifie « vache ». Cette expérience a été rapportée par Jenner, dans un article soumis à la Société royale de médecine. Il a été refusé et critiqué par ses adversaires (Woodvile et Pearson) qui s'insurgeaient contre le fait que Jenner veuille être considéré comme l'inventeur de la méthode, alors que celle ci était connue et déjà pratiquée.

Jenner n'a pas été découragé et a entrepris d'autres expériences. La méthode de Jenner a été appliquée dès 1803 en Orient, en Asie, aux Antilles et en Amérique méridionale. L'Angleterre l'a adopté mais la vaccination n'y a jamais été obligatoire, contrairement à la France où elle l'est devenue en 1902.

L'hygiène publique

Le souci de l'hygiène publique et de la préservation de la santé publique a commencé à préoccuper les pouvoirs publics. Cela a entraîné un changement dans la réglementation sur les établissements de travail dangereux, un déplacement des cimetières en périphérie des villes, une amélioration des conditions d'internement des prisonniers, la réglementation des usines chimiques ou des abattoirs et un aménagement d'égouts dans les grandes agglomérations.

Il y a eu un certain nombre d'innovations dans le domaine de la santé publique :

– André Simon Tissot (1728-1791) a insisté dans son ouvrage intitulé *Avis au peuple sur sa santé, ou Traité des maladies les plus fréquentes*, destiné au grand public et paru en 1761, sur l'intérêt de l'aération des logis, sur l'importance des exercices physiques et sur la nécessité d'une bonne hygiène alimentaire ;

– l'économiste allemand Gottfried Achenwall (1719-1772) a souligné pour chaque nation l'importance qu'il y avait à tenir à jour un registre des naissances, des décès, des maladies et des épidémies ;

– Félix Vicq d'Azyr (1748-1794), secrétaire de la Société royale de médecine, a constitué un réseau national de correspondants afin de notifier les éventuelles épidémies, l'état de nutrition de la population, son habitat ou encore son hygiène de vie ;

– Georges Baker (1722-1809) a établi la relation entre la mortalité à la suite des « coliques de Devonshire » et les empoisonnements par le plomb qui recouvrait les cuves à cidre ;

– James Lind (1716-1796) est considéré comme le pionnier de l'hygiène navale. Il a établi les vertus du jus de citron et du jus d'orange dans la prévention du scorbut.

THÉRAPEUTIQUES DISPONIBLES

Dans l'ensemble, la thérapeutique a peu évolué au XVIIIᵉ siècle. Les anciennes thérapeutiques étaient encore utilisées. Toutefois, il est apparu dans la pharmacopée deux substances intéressantes :

– la digitale pourprée dont l'intérêt dans le traitement de l'hydropisie a été souligné par William Withering (1741-1799) en 1785. Il a découvert l'activité thérapeutique de cette molécule grâce à une guérisseuse et il a réalisé la première expérimentation en faisant boire une infusion de digitale à son confrère le docteur Cawley atteint d'hydropisie ;

– la colchique qui a commencé à être employée dans le traitement de la goutte.

La mode était de disposer d'un remède miraculeux comme la « jouvence de l'abbé Soury » qui était un cocktail de onze plantes dont la recette établie en 1764 était tenue rigoureusement secrète.

Les « pharmaciens » ont remplacé progressivement les « apothicaires » au cours du XVIIIᵉ siècle.

Fig. 13.1. *Médecin pratiquant la saignée (1602)* (BIUM).

ENSEIGNEMENT

Il y a eu une évolution de l'enseignement de la médecine. Plusieurs facultés bénéficiaient d'une excellente réputation en raison bien souvent du charisme de certains de leurs enseignants :

– l'université de Leyde avec la personnalité charismatique d'Hermann Boerhaave (1668-1738) qui préconisait l'enseignement des étudiants au lit des malades et qui soulignait l'intérêt de réaliser les dissections des patients décédés afin d'établir la corrélation entre les manifestations cliniques et l'altération des tissus. Un autre enseignant a marqué cette université, l'anatomiste Bernhard Siegfried Albinus (1697-1770) ;

– l'université de Vienne avec Leopold Auenbrügger (1722-1809) ;

– l'université d'Edimbourg en Écosse avec l'anatomiste Alexander Monro (1697-1767).

HOSPITALISATION

À la fin du XVIIIe siècle, sous l'impulsion des idées développées par les penseurs et philosophes, les structures hospitalières ont commencé à être remises en question : «Ces établissements ne feraient qu'augmenter le nombre de pauvres par la certitude de secours, sépareraient les hospitalisés de leur famille, alors qu'au milieu des leurs ils seraient traités avec plus de sollicitude.» Les hôpitaux militaires avaient un statut différent et bénéficiaient d'un peu plus de crédits parce que le roi se devait de bien traiter ses soldats. Madame Necker, sensible aux discours de son compatriote Théodore Tronchin qui prônait l'adoption de mesures d'hygiène et la création de salles communes assez hautes de plafond pour qu'on y puisse respirer, a fait édifier à Paris, en 1778, l'établissement qui porte son nom. En effet, selon un rapport de Jacques Tenon (1724-1816), *Mémoire sur les hôpitaux de Paris*, paru en 1788, les hôpitaux étaient dans un triste état et servaient toujours plus de refuges que de lieux de soins. À partir de 1789, la gestion des établissements hospitaliers a été attribuée aux municipalités avec pour conséquence une désorganisation liée aux importants problèmes de personnel. Les lits restaient trop serrés, les malades non valides ne bénéficiaient d'aucun soin de propreté, ce qui favorisait le développement d'épidémies qui s'abattaient aussi bien sur les patients que sur le personnel hospitalier, présent 24 heures sur 24.

MÉDECINS CÉLÈBRES

Marie François Bichat (1771-1802)

Surnommé le « Napoléon de la médecine », ce fils d'un médecin du Jura a fait ses études à Lyon, Montpellier et Paris. En 1796, à 25 ans, il a fondé avec Corvisart la Société médicale d'émulation de Paris. Ses travaux reposent sur les centaines de dissections qu'il a réalisées. Il est considéré comme le fondateur de la théorie tissulaire en médecine avec la publication en 1799 du *Traité des membranes en général et des diverses membranes en particulier* dans lequel il a individualisé pour la première fois la notion de tissu en histologie et en a décrit 21 variétés selon leurs caractères distinctifs et leurs maladies propres. En 1800, il a été nommé médecin de l'hôtel-Dieu où il a appliqué scrupuleusement la méthode anatomo-clinique. C'était un travailleur infatigable et un excellent enseignant qui a publié de nombreux ouvrages. En 1800, il a publié ses magistrales *Recherches physiologiques sur la vie et la mort* dans lesquelles il a différencié la « vie animale » et la « vie organique ». Il a donné une brillante définition scientifique de la vie : « la vie est somme totale des fonctions qui résistent à la mort ». En 1801, il a publié *Anatomie générale appliquée à la physiologie et à la médecine* et a commencé son monumental *Traité d'anatomie descriptive* qui comprenait 5 volumes inachevés, en raison de son décès prématuré.

Il a présenté à l'âge de 31 ans en 1802 dans le grand escalier d'honneur de l'hôtel-Dieu la première attaque de tuberculose qui l'a emporté en 14 jours seulement malgré les soins de Corvisart. Corvisart a prononcé son éloge funèbre : « Personne, en si peu de temps, n'a fait autant de choses et aussi bien ».

Philippe Pinel (1745-1826)

Philippe Pinel est célèbre pour la lutte implacable qu'il a menée pour l'humanisation des conditions de vie des aliénés dans les asiles.

Ce fils d'un médecin du Tarn a fait ses études de médecine à Montpellier et à Toulouse. Il s'est rendu ensuite à Paris.

Nommé médecin-chef à Bicêtre en 1793, il a fait libérer les aliénés de leurs chaînes. Il est nommé à la Salpêtrière en 1795. Il a permis la reconnaissance de l'autorité du médecin-psychiatre dans les asiles, autorité qui a remplacé celle détenue jusqu'alors par le lieutenant de police. Il est l'auteur d'un ouvrage publié en 1784 intitulé *Nosographie philosophique ou de la méthode de l'analyse appliquée à la médecine* et du *Traité médico-philosophique sur l'aliénation mentale ou la manie* paru en 1801 qui ont largement contribué à l'amélioration du sort des aliénés. Ce clinicien a réalisé en pleine Révolution française, en 1793, un acte riche de signification dans le service des aliénés de Bicêtre. Il a fait retirer les chaînes des aliénés et a essayé de transformer le régime carcéral qui leur était imposé. Sur le plan thérapeutique, il a insisté sur le rôle de l'hygiène, de l'alimentation et sur le nécessaire climat de confiance qu'il fallait établir avec les patients souffrant de troubles mentaux. Il a réalisé une nouvelle classification des maladies mentales, fondée sur l'observation.

GRANDE ÉPIDÉMIE : LA PESTE DE MARSEILLE

Le 27 mai 1720, contrairement aux règlements de la police sanitaire, les autorités ont autorisé le capitaine du navire «Le grand Saint-Antoine» en provenance du Levant à faire débarquer ses hommes d'équipage alors que la mort de plusieurs matelots au cours de la traversée avait été rapportée. En donnant cette autorisation, les magistrats municipaux, plus intéressés par la cargaison que par les édiles municipaux, ont eu la responsabilité de ce fléau qui a tué entre 1720 et 1722, 40 000 personnes à Marseille et 100 000 en Provence. Devant la gravité de la situation, le régent Philippe d'Orléans a établi des mesures d'isolement qui ont permis de circonscrire l'épidémie de peste à la Provence.

ILS ÉTAIENT AUSSI MÉDECINS

Antoine Jussieu (1686-1758), Bernard Jussieu (1699-1777)

La famille Jussieu est une famille de botanistes français, d'origine lyonnaise.

Antoine Jussieu, botaniste, professeur au Jardin du Roi (futur Muséum d'histoire naturelle) et son frère Bernard Jussieu, auteur d'une classification naturelle des plantes étaient tous les deux médecins.

Jean-Paul Marat (1743-1793)

Après des études de médecine à Bordeaux puis à Paris, Marat s'est établi comme médecin de 1767 à 1777, en Angleterre et en Écosse. Il y a écrit plusieurs textes comme, dès 1774, *Les Chaînes de l'esclavage*, une dénonciation de la tyrannie et de la corruption de la Cour. À son retour en France, il est devenu médecin des gardes du comte d'Artois. Marat s'est adonné à l'étude des sciences, à la manière de tant de philosophes de son temps. Il a réalisé des expériences sur le feu (*Recherches physiques sur le feu*, 1780), sur la lumière (*Découvertes sur la lumière*, 1780) et sur l'électricité (*Recherches sur l'électricité*, 1782). Sa notoriété était telle qu'il avait dans son cabinet une clientèle aisée, voire aristocratique. Toutefois, malgré sa réputation de médecin, ses mémoires scientifiques sur les sujets les plus divers ne lui ont pas permis d'entrer à l'Académie des sciences. En revanche, ses textes ont retenu l'attention de Goethe comme celle de Franklin. Son *Plan de législation criminelle* proposait, en 1780, une profonde réforme de la justice. Les échecs de Marat à l'entrée à l'Académie des sciences sont une explication à son amertume et à son aigreur à la veille de la révolution. Par ailleurs, il n'a jamais supporté que son *Traité sur les principes de l'Homme* n'ait pas été reconnu par ses collègues.

Le 12 septembre 1789, Marat a sorti le premier numéro de son journal, *L'Ami du Peuple*, pour déchaîner les passions populaires et obtenir ce qu'il cherchait à tout prix, la gloire. Marat journaliste ou pamphlétaire devait devenir le dénonciateur des ennemis de la Révolution. Il nourrissait un amour exclusif des masses populaires, dans lesquelles il voyait les éléments les plus efficaces de la Révolution. Il était partisan de mesures énergiques vis-à-vis de ceux qui étaient opposés à un pouvoir révolutionnaire implacable. Sa colère, sa hargne, lui ont valu à plusieurs reprises d'être poursuivi, d'être incarcéré, de devoir s'exiler. Les appels à la vigilance de Marat ont contribué à accroître la psychose obsidionale qui allait marquer tant d'épisodes de la Révolution. Les massacres de Septembre, dont il a été par son intransigeance l'un des responsables, étaient justifiés par le complot monarchiste qui menaçait Jacobin, député de Paris à la Convention. Marat se voulait le porte-parole des sans-culottes, le plus intraitable des montagnards.

Il allait se trouver bientôt en butte aux attaques des députés plus modérés, élus principalement en province, qui devaient être par la suite connus sous le nom de Girondins et qui voyaient en Marat un des plus représentatifs des Montagnards élus de la capitale. Il a été responsable de l'insurrection du 2 juin 1793 qui a entraîné leur chute. Les haines qu'il suscita aboutirent à son assassinat par Marie-Anne-Charlotte Corday d'Armans, dite Charlotte Corday. Le 13 juillet 1793, alors que Marat prenait un de ses bains qui apaisaient la maladie de peau qui le rongeait, il reçut une jeune Normande qui venait lui dénoncer un complot. C'était Charlotte Corday. Quelques minutes à peine après avoir été mise en présence de Marat qui corrigeait les épreuves de son journal, elle lui enfonça jusqu'au manche son couteau dans le cou. Martyr de la Révolution, Marat fut enterré au Panthéon d'où son corps a été enlevé après Thermidor.

Joseph Ignace Guillotin (Saintes, 1738-Paris, 1814)

Joseph Ignace Guillotin a enseigné l'anatomie, la physiologie et la pathologie à la faculté de médecine de Paris. Il était le médecin personnel du frère du roi Louis XVI. Il était l'ami de Buffon et de Lacepède, mais aussi des artistes et des écrivains comme Greuze, Voltaire ou Condorcet. Il a fréquenté les cercles politiques où se propageaient les idées nouvelles. Il a été élu député de Paris aux États généraux le 20 mai 1789, aux côtés de Sieyès et de Bailly, puis il a été nommé secrétaire de la Constituante.

Il a été le partisan de la guillotine par souci d'humanité et d'égalité afin d'établir un châtiment qui soit similaire pour tous les coupables, le plus rapide et surtout le moins douloureux possible. Il s'est retiré de la vie politique après avoir été emprisonné sous la Terreur. Il est mort de maladie en 1814, à Paris, refusant que le nom de l'instrument d'exécution auquel il avait donné son nom soit prononcé devant lui.

Jean Antoine Claude Chaptal, comte de Chanteloup (1756-1832)

Après avoir fait des études de médecine à la faculté de médecine de Montpellier, Chaptal a participé à l'implantation en France de l'industrie chimique (acide sulfurique, poudres, colorants) et de l'industrie sucrière. Il est le fondateur des chambres de commerce et de la première école des Arts et Métiers. Il a participé au développement des routes et des canaux et il a favorisé l'introduction du système métrique.

CES MALADES CÉLÈBRES

La variole de Louis XV

Louis XV a été victime d'une erreur médicale dont l'origine remonte à 1728. Cette année-là, le jeune roi âgé de 18 ans présente à Fontainebleau une éruption que les médecins diagnostiquent comme une petite vérole autrement dit une variole. Par la suite, en 1768, la cour de France bénéficie d'une variolisation, sauf Louis XV dont les médecins étaient persuadés qu'il n'en avait pas besoin puisqu'il était censé avoir déjà contracté la maladie. Le 27 avril 1774, alors qu'il se trouve à Trianon en compagnie de Mme Du Barry et de quelques personnes, Louis XV présente des maux de tête et des frissons qui sont suivis d'une éruption trois jours plus tard. Le roi s'exclame alors en se regardant dans son miroir : « *Si je n'avais pas eu la petite vérole, je croirais l'avoir présentement* ». Tout Versailles est informé de la maladie royale sauf la principale personne concernée : le roi… Après 5 jours d'agonie, le roi meurt le 10 mai 1774. Son corps couvert de pustules croûteuses dégage une fétidité si repoussante qu'il ne subit ni autopsie ni embaumement. Il est transporté à l'abbaye de Saint-Denis dans un cercueil de plomb de sel marin pour retarder la putréfaction du cadavre. Louis XVI succède à son grand-père ; on rapporte qu'en apprenant la mort de Louis XV, le jeune roi aurait pris la main de son épouse Marie-Antoinette en murmurant : « *Mon Dieu, protégez-nous, nous sommes trop jeunes pour régner* ».

Le phimosis de Louis XVI

Louis XVI a présenté un banal rétrécissement congénital du fourreau préputial auquel les médecins donnent le nom de phimosis dont les conséquences ont été importantes pour l'histoire de France. En effet le jeune roi, qui a de grandes difficultés à accomplir son devoir conjugal, attendra plus de huit ans avant d'avoir un héritier, ce qui contribue à le ridiculiser et à augmenter grandement l'impopularité de son épouse Marie-Antoinette, surnommée « L'Autrichienne ». Certains écrivent des pamphlets qui circulent sous le manteau :

« Malgré tant et tant de leçons
Dont on lui fait bonne mesure,
Louis ne sait de quelle façon
Mettre la clef dans la serrure.

Pour qu'il en trouve l'ouverture,
Faudra-t-il vraiment que Gamain
Tout comme un maître d'écriture,
Un beau soir lui tienne... la main ? »

De toutes parts, les épigrammes pleuvent pour lui trouver des excuses. En voici un qui fit le tour de Paris :

« Le grand ménage couronné
Est du mot puce enfariné
Mais chacun l'est à sa manière
La reine a le "puce" inhérent
Le roi a le prépuce adhérent
C'est le pré qui gâte l'affaire »

Il faut attendre l'année 1778 pour que Louis se décide enfin à se faire opérer par Lassonne, son chirurgien. Dans les jours qui suivent, Louis écrit : « *J'aime beaucoup le plaisir et je regrette de l'avoir ignoré pendant tant de temps ! »*. Marie-Antoinette accouche un an plus tard de son premier enfant. Qu'importe, la popularité du roi Louis XVI et de son épouse est bien entamée. Louis XVI est considéré comme un roi indolent, sans caractère, qui se laisse mener par sa femme et par tous ses ministres. En outre, les finances de la France sont désastreuses, ce qui contribue à monter la France contre son roi. Un certain nombre de facteurs va contribuer à la Révolution française : la guerre d'indépendance américaine qui a coûté très cher, les récoltes de 1787 et de 1788 qui ont été détruites par le mauvais temps, la levée d'impôts successifs et surtout les idées nouvelles défendues par les philosophes dans les nombreux journaux de l'époque.

L'angor de Mirabeau

Mirabeau a été considéré comme le plus grand orateur de l'Assemblée constituante. Il s'est rendu célèbre en prononçant son fameux : « *Nous sommes ici par la volonté du peuple, nous n'en sortirons que par la force des baïonnettes* ». L'étude de sa correspondance montre que Mirabeau a souffert au moment de la Révolution française d'un cortège de signes de : « *suffocations diaboliques* », de « *battements de cœur inconcevables* », d'« *état d'oppression* », d'« *obscurcissement presque absolu (de la vue) le soir* ». Tout laisse à penser que l'illustre révolutionnaire a présenté de nombreux épisodes d'angor et qu'il souffrait également d'une insuffisance cardiaque : « *Les bras et la poitrine étaient attaqués par intervalles d'un rhumatisme vague, qui n'occasionnait pas des souffrances aiguës, mais qui ne se terminait aussi par aucune crise complète* ». Il est probable qu'il a présenté des troubles neurologiques en rapport avec ses troubles cardio-vasculaires : « *Quelques membres de l'Assemblée m'assuraient d'ailleurs que, depuis deux ou trois mois, Mirabeau ne jouissait pas sans effort de toute l'activité de sa tête, et que cet esprit si fertile dans les détails, si prompt à faire des combinaisons sans nombre, marchait souvent avec une lenteur pénible, ou même cherchait en vain quelquefois, et ses idées, et ses expressions.* »

Le mercredi 30 mars 1791, Mirabeau est à nouveau victime d'une douleur angineuse : « *Les spasmes se réveillent à la poitrine, ils se jettent tour à tour sur l'omoplate droite, la clavicule et la région du diaphragme (...), le pouls redevient intermittent et convulsif (...), puis se développe un état bilieux très caractérisé, le teint jaunit, la langue se charge* ». Il meurt trois jours plus tard en déclarant : « *J'emporte dans mon cœur le deuil de la monarchie, dont les débris vont être la proie des factieux* ».

POUR EN SAVOIR PLUS

ACTES DU CONGRÈS INTERNATIONAL DES LUMIÈRES. – *Médecine et sciences de la vie au XVIIIᵉ siècle*. Juillet 1983, Bruxelles. Albin Michel, Paris, 1984.

BEDEL C., HUARD P. – *Médecine et pharmacie au XVIIIᵉ siècle*. Hermann, Paris, 1986.

BODINAUD J. – *L'enseignement et la diffusion de la médecine au XVIIIᵉ siècle*. Th. doct. Médecine, Rennes, 1963.

DARMON P. – *La longue traque de la variole: les pionniers de la médecine préventive*. Libr. académique Perrin, Paris, 1985.

DELAUNAY P. – *La vie médicale aux XVIe, XVIIᵉ et XVIIIᵉ siècles*. Hippocrate, Paris, 1935.

DOBO N., ROLE A. – *Bichat: la vie fulgurante d'un génie*. Perrin, Paris, 1989.

FAURE O. – *Histoire sociale de la médecine (XVIIIᵉ-XXᵉ siècles)*. Anthropos, Paris, 1994.

HAIGH E. – *Xavier Bichat and the medical theory of the eighteenth century*. Wellcome institute for the history of medicine, London, 1984.

HUNEMAN P. – *Bichat, la vie et la mort*. PUF, Paris, 1998.

LOUDON I. – *Medical care and the general practitioner 1750-1850*. Clarendon press, Oxford, 1986.

MULVEY ROBERTS M., PORTER R. – *Literature and medicine during the eighteenth century*. Routledge, London, 1993.

REY C. – *État des connaissances médicales au XVIIIᵉ siècle*. Th. méd., Montpellier, 1992.

14 | MÉDECINE DU XIXᵉ SIÈCLE

DATES CLÉS

1805 : découverte de la morphine par Friedrich Sertürner (Allemagne, 1783-1841)

1815 : invention du stéthoscope par René Laënnec

1819 : Rudolph Brondes isole l'atropine

1820 : découverte de la quinine par les Français Joseph Pelletier et Joseph Cavantou

1820 : fondation de l'Académie de médecine par Louis XVIII

1871 : découverte de l'agent responsable de la lèpre par Hansen

1879 : découverte de l'agent responsable de la blennorragie par Neisser

1880 : découverte de l'agent responsable du paludisme par Laveran

1880 : découverte du staphylocoque et du streptocoque par Louis Pasteur

1881 : découverte de l'agent responsable de la fièvre jaune par Ross et Finlay

1882 : découverte de l'agent responsable de la tuberculose par Robert Koch

1882 : découverte de l'agent responsable de la diphtérie par Klebs

1884 : découverte de l'agent responsable du tétanos par Nicolaïer (Allemagne)

1858 : Rudolf Virchow introduit la notion de pathologie cellulaire

1853 : mise au point des seringues à injections hypodermiques

1844 : découverte de l'anesthésie par le protoxyde d'azote par Horace Wells

1846 : découverte de l'anesthésie par l'éther par William Thomas Morton

1847 : découverte de l'anesthésie générale au chloroforme par James Young Simpson

1863 : mise au point de l'antisepsie par Joseph Lister

FAITS ESSENTIELS

La médecine du XIXᵉ siècle a fait un gigantesque bond en avant grâce à l'accumulation des connaissances et des découvertes médicales. La médecine anatomo-clinique s'est imposée et a bénéficié des acquis de la physiologie expérimentale. La nosologie médicale s'est enrichie tandis que la sémiologie est devenue de plus en plus précise, ce qui a permis aux médecins de poser des diagnostics de plus en plus précis. Sous l'impulsion de médecins, un certain nombre de disciplines médicales ont acquis leur lettres de noblesse comme la cardiologie, la neurologie, la dermato-vénéréologie et la psychiatrie. Grâce à Louis Pasteur et à Robert Koch, la microbiologie a subi un bouleversement qui s'est traduit par la découverte de nouveaux agents infectieux et surtout par la mise au point de vaccins. La thérapeutique a bénéficié des progrès de la chimie analytique qui a permis la mise au point de principes actifs.

Le XIXᵉ siècle peut être considéré comme celui du triomphe de la chirurgie qui a bénéficié de l'introduction de l'anesthésie, de l'antisepsie et de l'asepsie.

CONTEXTE HISTORIQUE

Le XIXᵉ siècle a été caractérisé par des progrès importants en particulier dans le domaine de la science. Ce phénomène s'est accéléré après 1850, avec le perfectionnement des instruments et des techniques de travail, l'apparition de structures universitaires et d'une étroite coopération entre les scientifiques. Les mathématiques et surtout l'astronomie, la physique, la chimie et les sciences de la vie avec Darwin et Mendel ont fait un gigantesque bond en avant. Mais surtout il y a eu au cours du XIXᵉ siècle un essor important de leurs applications pratiques avec des inventions qui ont révolutionné les modes de vie : la machine à vapeur, les rotatives en imprimerie, les convertisseurs dans la sidérurgie, les machines agricoles, et pour les loisirs, la photographie inventée en 1822...

Les phénomènes sociologiques les plus importants du XIXᵉ siècle ont été l'essor de l'industrialisation, la croissance de l'urbanisation, et le développement du capitalisme. Sur le plan démographique, ce siècle a été marqué par une augmentation de l'exode rural, ce qui a eu pour conséquence d'entraîner un accroissement de la population urbaine. Sur le plan idéologique il y a eu l'émergence de deux grandes idées qui s'opposaient, le libéralisme et le socialisme.

INNOVATIONS MÉDICALES

Première moitié du XIXᵉ siècle

Essor de la médecine anatomoclinique

Avec la Révolution et l'Empire, il y a eu un essor important de la médecine sous l'impulsion des cliniciens français.

Les médecins ont cherché à comparer systématiquement les données de la clinique avec celles de l'anatomie pathologique. Au cours de la première partie du XIXᵉ siècle, les médecins sont devenus partisans de la méthode anatomoclinique qui avait été exposée par Xavier Bichat (1771-1802) dans ses deux célèbres ouvrages, *Le Traité des membranes* et les *Recherches physiologiques sur la vie et la mort*. Selon Bichat, il fallait prendre en compte les tissus humains en fonction de leur structure anatomo-fonctionnelle et de leur rôle physiologique. Désormais, l'enseignement de l'anatomie s'est fait au niveau des tissus et non plus seulement des organes. Progressivement, le diagnostic est devenu plus précis et s'est centré sur l'organe malade et sur le tissu affecté. L'examen clinique du malade avec l'interrogatoire et l'inspection constituait jusqu'au début du XIXᵉ siècle le seul moyen de poser le diagnostic. Parfois le médecin complétait son examen par une étude (couleur, odeur, aspect, saveur…) des urines, des expectorations ou d'autres excrétions.

Deux nouveaux modes d'investigation clinique ont été introduits dans la pratique médicale quotidienne :

– la percussion thoracique, préconisée par Jean Nicolas Corvisart des Marets (1755-1821), spécialiste des maladies du cœur et des vaisseaux, médecin de Napoléon qui avait relevé l'importance de ce moyen diagnostique dans la pathologie pleuro-pulmonaire. Corvisart avait traduit en 1808 un ouvrage passé inaperçu de Johann Leopold Auenbrügger sur la percussion paru en 1761, à Vienne ;

– l'auscultation pulmonaire et cardiaque, découverte en 1897 par René Laënnec (1781-1826) qui utilisait un cylindre en bois précurseur du stéthoscope dont il avait fixé les règles en 1819 dans son *Traité de l'auscultation médiate*.

Ces moyens diagnostiques novateurs étaient considérés comme remarquables car les données recueillies coïncidaient avec celles observées à l'autopsie. La confrontation des signes cliniques et autopsiques ou confrontation anatomo-clinique était un principe fondamental pour l'enseignement de la médecine à la faculté de médecine de Paris.

De nombreux médecins français se sont illustrés durant cette période :

– Pierre Bretonneau (1778-1862) a décrit avec précision la fièvre typhoïde et l'angine diphtérique ;

– Gaspard Laurent Bayle (1774-1816) a décrit la tuberculose ;

– Jean-Baptiste Bouillaud (1796-1881) a décrit le rhumatisme articulaire aigu ;

– Matthieu Orfila (1787-1853) est considéré comme le pionnier de la toxicologie et de la médecine légale ;

– Joseph Récamier (1774-1852) a mis au point un spéculum vaginal en 1812 ;

– Jean Cruveilhier (1791-1874) a décrit l'ulcère simple de l'estomac ;

– Pierre Charles Louis (1787-1872) a mis au point la « méthode numérique » qui consiste à suivre l'évolution des maladies en notant régulièrement toutes les variations des constantes cliniques. Grâce à cette méthode, des études statistiques ont été réalisées et ont permis de déterminer avec précision le pronostic et l'évolution clinique de maladies, et l'efficacité thérapeutique.

La méthode anatomoclinique a été adoptée par la suite en Autriche, en Angleterre et en Allemagne.

Essor de la biologie

Un certain nombre de médecins ont très vite compris les limites que présentait la méthode anatomoclinique pour évaluer l'importance des troubles pathologiques. Sous leur impulsion, la physiologie a perdu son côté hypothétique et est devenue une véritable science expérimentale dont l'évaluation allait désormais reposer sur la rigueur scientifique avec des méthodes physiques et chimiques. Cette spécialité a eu un véritable essor grâce à deux médecins français :

– François Magendie (1783-1855), qui a étudié le fonctionnement des organes pendant la première moitié du XIXᵉ siècle en réalisant un grand nombre d'expériences animales. Il est considéré comme le fondateur de la physiologie expérimentale. Il a effectué le premier cathétérisme cardiaque, découvert la double fonction, sensitive et motrice, du nerf rachidien et étudié les échanges gazeux pulmonaires ;

– Claude Bernard (1813-1878), élève de Magendie auquel il a succédé au Collège de France. Il a résumé sa pensée dans l'*Introduction à l'étude de la médecine expérimentale* (1865) : la physiologie doit s'appuyer sur des preuves obtenues « dans la physique et la chimie appliquées au domaine particulier de la vie ». Il a établi le rôle du foie dans la fonction glycogénique et dans la régulation de la glycémie. Il a étudié le pancréas, les nerfs vasomoteurs, les glandes à sécrétion interne (endocrines) et à sécrétion externe (exocrines). Il a découvert le rôle du cervelet dans la fonction de l'équilibre.

Seconde moitié du XIXe siècle

Biologie fondamentale

François Magendie puis Claude Bernard ont jeté les bases de la physiologie qui a connu un essor important au cours de la deuxième partie du XIXe siècle. La maladie était désormais définie comme un trouble du milieu intérieur précédant la lésion cellulaire ou tissulaire. La correction de ce milieu intérieur est l'indication thérapeutique fondamentale de tout état pathologique. Ce concept a permis le développement de la médecine moderne et le perfectionnement des moyens d'investigation du corps humain. Parallèlement à l'essor de la physiologie il y a eu le développement de la cytologie, de l'anatomo-pathologie et de l'embryologie.

❐ Physiologie

Cette spécialité a connu un essor important grâce aux travaux de :

– Pierre Flourens (1794-1867) qui a établi que le cervelet était le siège de l'équilibre ;

– Justus Liebig (1803-1873) qui a mis en évidence la valeur calorifique des aliments ;

– Julius Robert von Mayer (1814-1878) qui a établi que l'énergie restait indestructible quelles que soient ses différentes formes (chaleur, travail) ;

– Hermann Helmholtz (1821-1894) qui a différencié l'énergie libre de l'énergie « retenue » ;

– Charles Bell (1774-1842), médecin écossais qui a établi la localisation des fonctions motrice et sensorielle des nerfs rachidiens (*The Nervous System of the Human Body*, 1830) ;

– Emil Du Bois-Reymond (1818-1896), fondateur de l'électrophysiologie, qui a mis en évidence la nature électrique de l'influx nerveux ;

– Auguste Chauveau (1827-1917) qui a réalisé les premiers tracés électriques du cœur en introduisant des sondes cardiaques ;

– Johannes Müller (1801-1858) qui a amélioré les connaissances des mécanismes sensoriels de la vision et de l'audition ;

– Carl Ludwig (1816-1895) qui a établi la physiologie de la mécanique cardiaque ;

– Étienne Jules Marey (1830-1904) qui a perfectionné les connaissances sur les mouvements musculaires et qui a proposé la méthode graphique pour étudier l'exploration cardio-vasculaire. Il a été le premier à utiliser la photographie pour étudier les mouvements de l'être humain ;

– Charles Brown-Sequard (1817-1894) qui a étudié le rôle de la moelle épinière et des glandes endocrines ;

– Ivan Pavlov (1849-1936) qui a mis en évidence en 1897 les réflexes conditionnés chez le chien.

❐ Cytologie

Rudolf Virchow (1821-1902) est considéré comme le fondateur d'une nouvelle spécialité, la pathologie cellulaire, qui va donner à la médecine une nouvelle dimension. Il a été le premier à souligner l'importance de la cellule dans le processus vital. Il a montré que chaque cellule se formait par division ou par bourgeonnement d'une cellule préexistante. Il a résumé sa pensée dans sa célèbre citation «Omnis cellula a cellula» («Toute cellule provient d'une autre cellule»). Son ouvrage paru en 1858, *Pathologie cellulaire, théorie fondamentale en histologie physiologique et pathologique*, offrait une approche de la maladie sous un angle jusque-là inédit. Ses travaux constituaient le prolongement de l'œuvre de Xavier Bichat. Virchow démontrait que les cellules donnaient une spécificité à chaque tissu et que les anomalies des tissus, en particulier les tumeurs étaient la conséquence des proliférations anarchiques.

Les travaux de Virchow ont permis de jeter les bases d'une autre spécialité qui a bénéficié du développement technique des microscopes, de la découverte de nouveaux colorants cellulaires : l'anatomie pathologique qui doit sa dénomination au fait qu'elle permettait la reconnaissance et l'explication des processus morbides grâce à l'examen des modifications anatomiques entraînées par ceux-ci sur les organes et les tissus. Jean Cruveilhier (1791-1874) a débuté en 1825 l'enseignement de cette discipline à la faculté de médecine de Paris et il a été le titulaire de la première chaire d'anatomie pathologique en 1836.

❐ Embryologie

Cette discipline a connu un essor important au cours de la deuxième partie du XIXᵉ siècle grâce aux travaux de plusieurs chercheurs :

– Oskar Hertwig (1849-1922), qui a montré chez les oursins que la fécondation résultait de la fusion du noyau d'une gamète mâle avec celui d'une gamète femelle après la pénétration d'un seul spermatozoïde dans l'ovule ;

– Karl Ernst von Baer (1792-1876) qui a réalisé une description précise du développement de l'œuf ;

– Ernst Haeckel (1834-1919), partisan de la théorie de Darwin, qui a émis le concept selon lequel «l'ontogénie récapitule la phylogénie», autrement dit que le développement de l'individu passe par le développement des espèces.

La naissance des spécialités médicales

Les découvertes dans le domaine de la physiologie et de l'histologie ont permis la multiplication des descriptions cliniques et l'individualisation d'un grand nombre de maladies. Certains médecins ont commencé à approfondir certaines spécialités comme la cardiologie, la neurologie, la dermato-vénéréologie et l'hématologie.

❑ Neurologie

La sémiologie neurologique a fait un bond en avant au cours de la deuxième partie du XIXᵉ siècle grâce à un certain nombre de praticiens qui ont laissé grâce à leurs travaux leur nom associé à nombre de signes ou syndromes neurologiques :

– Douglas Argyll Robertson (1837-1909) qui a décrit l'abolition du réflexe pupillaire à la lumière dans les syphilis nerveuses ;

– Joseph Babinski (1857-1922) qui a différencié les maladies nerveuses organiques et psychiques ;

– Guillaume Duchenne de Boulogne (1806-1875) qui a décrit le tabès ;

– Alfred Vulpian (1826-1887) qui a identifié la sclérose en plaques ;

– James Parkinson (1755-1824) ;

– John Jackson (1835-1911) qui a décrit l'épilepsie partielle qui avait été évoquée par François Bravais ;

– Jean Martin Charcot (1825-1893) qui a identifié la sclérose latérale amyotrophique ;

– Vladimir Kernig (1840-1917) qui a décrit le signe méningé en 1882 ;

– Jules Déjerine (1849-1917) qui a étudié le Tabès et le syndrome thalamique ;

– Georges Huntington (1851-1916) qui a rapporté la chorée chronique en 1872 ;

– Carl Wernicke (1848-1905) qui a identifié les aphasies sensitives en 1874 et qui s'est intéressé en 1881 aux encéphalites opto-pédonculaires ;

– Wilhelm Erb qui s'est intéressé à la myasthénie en 1879 ;

– Thomsen qui a identifié la myotonie en 1876 ;

– Pierre Paul Broca (1824-1880) qui a découvert en 1863 « le » centre du langage.

Au cours de la deuxième partie du XIXᵉ siècle, il y a eu une remise en question de la théorie de Franz Joseph Gall (1758-1828) connue sous la dénomination de phrénologie (1810) qui considérait que des régions localisées du cerveau contrôlaient les qualités et les sentiments des individus. Le fonctionnement du cortex cérébral a été l'objet d'autres interprétations, et les études microscopiques de Golgi et de Ramon Y Caial ont confirmé ces thèses.

❑ Cardiologie

L'activité cardio-vasculaire a fait l'objet d'une étude plus approfondie grâce à deux découvertes qui ont permis un enrichissement de la nosologie et de la sémiologie :

– la mesure du pouls au moyen du sphygmomètre réalisé par Hérisson ;

– la mesure de la pression sanguine dans les artères au moyen du sphygmomanomètre mis au point par Pierre Potain (1825-1901).

Un certain nombre de médecins ont permis l'essor de la cardiologie :

– Wiliam Stokes (1804-1878) a décrit en 1846 le bloc cardiaque déjà rapporté par Robert Adams (1791-1875) ;

– Maurice Raynaud (1834-1881) a écrit une thèse intitulée *La gangrène symétrique des extrémités* ;

– Léon Bouveret (1851-1929) a décrit les tachycardies bénignes ;

– Henri Roger (1809-1891) a identifié la communication interventriculaire ;

– Étienne Fallot (1850-1911) a décrit la tétralogie en 1888.

❑ Endocrinologie

Cette spécialité a progressé sous l'impulsion de médecins :

– Karl Basedow (1799-1854) a décrit le goitre exophtalmique ;

– Hermann Fehling (1811-1885) a proposé sa liqueur pour déceler le sucre dans les urines des diabétiques ;

– Thomas Curling (1811-1888) a décrit le myxœdème infantile ;

– Thomas Addison (1793-1860) a rapporté l'insuffisance surrénale ;

– William Gull (1816-1890) a étudié l'hypothyroïdie ;

– Franz Chvostek (1835-1884) a décrit le signe de la tétanie ;

– Pierre Marie (1853-1940) a identifié l'acromégalie ;

– Bouchardat (1806-1886) a amélioré les connaissances sur le diabète.

❑ Dermatologie, vénéréologie

Le XIXe siècle a été marqué dans le domaine de la dermatologie par l'élaboration d'une classification des affections dermatologiques sous l'instigation de Jean Louis Alibert (1766-1837) et par une amélioration des connaissances sur la syphilis avec la création d'une nouvelle spécialité : la syphilologie qui a été appelée par la suite la syphiligraphie. Trois hommes ont indiscutablement marqué cette spécialité :

– Philippe Ricord (1800-1889) qui a établi la distinction entre la syphilis, la blennorragie et le chancre mou. Il a donné l'impulsion à l'étude clinique moderne de la syphilis. Il a préconisé l'usage du spéculum pour l'examen gynécologique et il a affirmé la spécificité de la syphilis en rejetant de son cadre les végétations vénériennes et surtout la blennorragie ;

– Paul Diday (1812-1894) qui a étudié la syphilis congénitale ;

– Alfred Fournier (1832-1914) qui a différencié les différents stades de la syphilis et qui a établi l'origine syphilitique du tabès et de la paralysie générale.

❑ Hématologie

Dans le domaine de l'hématologie, on a noté une amélioration des connaissances grâce à :

– Louis Malassez (1842-1909) qui a proposé son hématimètre ;

– Otto Kahler (1849-1893) qui a décrit le myélome ;

– Henri Vaquez (1860-1936) qui a rapporté la polyglobulie essentielle ;

– Thoma Hodgkin (1798-1866) qui a identifié la lymphogranulomatose.

Fig. 14.1. *Caricature de Daumier : le strabisme* (AP-HP).

LES PREMIÈRES MÉTHODES D'INVESTIGATION

Au cours du XIXᵉ siècle, il y a eu le développement de méthodes d'investigation avec l'introduction de :

– l'endoscopie qui a permis l'exploration interne des organes et des conduits creux. Filippo Bozzini (1773-1809) a été le premier à jeter les bases de cette technique en créant un spéculum avec un éclairage transmis par des miroirs. Max Nitze (1848-1906) a contribué à améliorer cette méthode en 1879 en y adjoignant dans son uréthroscope et dans son cystoscope un circuit de refroidissement à eau. Toutefois le problème résidait dans la chaleur dégagée par la source lumineuse (une bougie ou une lampe à incandescence), qui limitait la durée de l'examen. L'introduction de l'électricité et l'utilisation de tubes en caoutchouc flexibles ont permis de développer l'endoscopie ;

– la ponction lombaire mise au point par Heinrich Quincke (1842-1922) en 1890 qui a permis d'étudier la composition chimique, cellulaire et bactériologique du liquide céphalo-rachidien ;

– la mesure des constantes biologiques du corps, qui s'est intégrée dans la pratique médicale grâce à Fernand Widal (1862-1929) ;

– le thermomètre médical mis au point en 1856 par Karl Wunderlich (1815-1877) ;

– le spiromètre construit par John Hutchinson (1811-1861) en 1846 qui permettait de mesurer l'activité respiratoire ;

– l'ophtalmoscope élaboré en 1851 par Hermann Helmholtz (1821-1894) pour réaliser le fond d'œil.

LE TRIOMPHE DE LA BACTÉRIOLOGIE

Jusqu'à la moitié du XIXᵉ siècle, la relation entre les maladies infectieuses et les microbes n'avait pas été établie. Les travaux d'Agostino Bassi (1773-1856) étaient totalement ignorés du corps médical. Il avait pourtant montré en 1835 que la maladie du ver à soie était due à un champignon et qu'elle était contagieuse. Mais surtout, il avait établi en 1844 le fait que la rougeole, la syphilis, la peste et la variole étaient dues à des «parasites vivants». Deux hommes ont bouleversé la microbiologie : Louis Pasteur et Robert Koch.

Louis Pasteur (1822-1895)

En 1877, le chimiste Louis Pasteur qui avait acquis une célébrité en raison de ses travaux sur la fermentation, le vin, la bière, le vinaigre, la «pasteurisation» (qui supprimait les germes responsables de l'altération du vin et du lait) et les maladies des vers à soie a décidé de s'intéresser aux maladies infectieuses. Cette décision était consécutive à ses travaux sur la fermentation, qui lui avaient permis d'étudier cette spécialité. Il avait détruit le mythe de la «génération spontanée» défendu par le médecin et naturaliste Félix-Archimède Pouchet (1800-1872), directeur du muséum de Rouen, en démontrant que le choléra des poules était bien une maladie contagieuse provoquée par une bactérie. Le fait qu'il n'était pas médecin lui causa de grandes difficultés pour faire admettre ses conceptions microbiologiques auprès du corps médical.

Pasteur est considéré comme le plus grand savant de son siècle en raison de ses travaux dans le domaine des maladies infectieuses autour de trois axes :

– l'étude du rôle des «microbes» dans la survenue des maladies infectieuses qu'il a identifiées : le staphylocoque des furoncles et de l'ostéomyélite en 1878 et le streptocoque de la fièvre puerpérale en 1879. Grâce à ses travaux, il a bouleversé le diagnostic et le pronostic des maladies infectieuses dont les causes étaient identifiables ;

– l'établissement de conceptions novatrices dans le domaine de l'antisepsie et de l'asepsie. Il avait déclaré le 30 avril 1878 : «Si j'avais l'honneur d'être chirurgien, après m'être lavé les mains avec le plus grand soin et les avoir exposées à un flambage rapide, je n'utiliserais que de la charpie, des bandelettes, des éponges préalablement exposées dans un four à une température de 130 à 150 degrés et je n'emploierais jamais qu'une eau qui ait subi la température de 110 degrés.» ;

– la mise au point de la vaccination avec l'inoculation du vaccin antirabique. Pasteur avait eu cette idée en étudiant le choléra des poules. Il avait découvert que l'injection d'une préparation vieillie du microbe était susceptible de protéger les animaux contre l'infection. Il appelle le phénomène «vaccination» en hommage à Edward Jenner (1749-1823). Il avait compris que le vieillissement d'une culture entraînait une atténuation de sa virulence. Il avait réalisé des essais concluants de vaccination contre la maladie du charbon chez les moutons le 31 mai 1881, devant une foule de journalistes, de médecins et de vétérinaires. Toutefois, Pasteur n'a pris la décision de réaliser la première vaccination antirabique que quatre ans plus tard, le 6 juillet 1885, chez le jeune Joseph Meister âgé de 9 ans, qui venait d'être mordu par un chien enragé.

Robert Koch (1843-1910)

Ce médecin allemand ingénieux a mis au point des techniques microbiologiques fondamentales telles que les milieux nutritifs permettant la multiplication de toutes sortes de bactéries, la culture des bactéries sur milieu solide, les colorations spécifiques des germes, etc. Il a réussi à montrer que les maladies infectieuses étaient dues à un germe spécifique après avoir isolé le bacille du charbon en 1876. Robert Koch a réalisé deux découvertes importantes :

– l'isolement en 1882 du bacille tuberculeux en utilisant la coloration au bleu de méthylène. Il a réussi la mise en culture du bacille tuberculeux sur du sérum animal et son inoculation à des animaux de laboratoire ;

– l'identification du vibrion du choléra en 1884. Pasteur a échoué dans cette compétition scientifique au cours de laquelle il a perdu un de ses collaborateurs (Thuillier), atteint par la maladie.

La course entre les chercheurs dans la découverte des agents infectieux et leurs modes de transmission

À partir de 1876, on a assisté à une frénésie des chercheurs, qui ont réussi la découverte d'un certain nombre d'agents infectieux grâce aux nouvelles techniques microbiologiques mises au point par Koch et par Pasteur.

La peste

Alexandre Yersin (1863-1943) en 1894 a découvert le bacille de la peste à l'occasion d'une épidémie de peste qui était survenue à Hong-Kong.

Lorsque ce jeune médecin suisse qui avait travaillé à l'Institut Pasteur et qui occupait un poste de médecin des messageries maritimes et de voyage en Extrême-Orient avait appris qu'une épidémie de peste avait éclaté, il avait juré qu'il découvrirait l'agent pathogène responsable. Il a réussi à devancer les bactériologues japonais de la mission de Kitasato venus spécialement du Japon pour découvrir l'agent responsable de la peste. Yersin avait pu obtenir clandestinement des cadavres de personnes qui avaient succombé à la peste. L'examen des liquides des bubons au microscope lui avait permis de découvrir une véritable «purée de microbes» tous semblables. Yersin a également découvert à la même occasion le rôle du rat dans la transmission de la peste après avoir constaté que les «rats crevés que l'on trouve dans les maisons et les rues contiennent presque tous dans leurs organes le microbe en grande abondance ; beaucoup d'entre eux présentent de véritables bubons». En revanche, Yersin n'a pas découvert le rôle de la puce dans la transmission de rat à rat et de rat à l'homme. Il a écrit en 1897 : «l'homme prend la maladie comme les animaux, soit par les plaies de la peau, soit par le tube digestif…».

Le rôle de la puce comme agent vecteur de la peste n'a jamais été soupçonné par Yersin ; il a été établi par le pasteurien Paul Louis Simond.

La lèpre

L'agent responsable de cette affection, le mycobacterium leprae (ou bacille de Hansen) a été identifié en 1873 par le norvégien Gerhard Hansen (1841-1912) à partir de préparations fraîches non colorées.

Le paludisme

Les hématozoaires du paludisme ont été découverts par Alphonse Laveran (1845-1922) à Constantine en 1881. Il avait été envoyé par l'école impériale du service de santé militaire de Strasbourg à Constantine en 1878. Cette découverte lui a permis d'obtenir le prix Nobel en 1907.

Les différentes variétés d'hématozoaires ont été identifiées par la suite :

– *Plasmodium malariae* par Ronald Ross (1857-1932) en 1897 ;

– *P. vivax* par Giovanni Grassi (1854-1925) en 1890 ;

– *P. falciparum* par Weleb en 1897 ;

– *P. ovale* par Stephens en 1922.

En 1897, Ronald Ross démontra le rôle du moustique dans la transmission du paludisme.

La tuberculose

La tuberculose, baptisée «Le Mal Anglais» ou encore «Maladie de Poitrine» ou «Phtisie» était particulièrement redoutée dans les sociétés industrialisées du XIXe siècle. En 1880, on estimait qu'au total 9 millions de Français seraient morts de tuberculose au cours du XIXe siècle, soit 20 fois plus que le nombre de victimes du choléra. Elle est souvent décrite comme la maladie de l'innocence, de la jeunesse, dans nombre de romans de l'époque. Marguerite Gartier, l'héroïne de *La Dame aux Camélias* d'Alexandre Dumas fils, en est la tragique victime, de même que Raphaël dans *La peau de chagrin* de Balzac. Elle touchait toutes les couches de la société avec une nette prédilection pour les milieux défavorisés, en particulier la classe ouvrière. La promiscuité des travailleurs entassés dans les logements insalubres des quartiers populaires des grandes cités favorisait la propagation de la tuberculose.

Au cours du XIXe siècle, des progrès ont été accomplis dans la description des différentes manifestations de la tuberculose grâce à un certain nombre de médecins :

– René Laënnec (1781-1826) qui a admirablement décrit en 1814 la symptomatologie clinique de cette maladie grâce au stéthoscope qu'il a inventé. Paradoxalement il a pensé que cette affection avait une origine héréditaire et il ne croyait pas à sa nature contagieuse bien qu'il en fût lui-même atteint ;

– Jean-Antoine Villemin (1827-1892) qui a démontré dans une note à l'Académie de Médecine en 1865 la contagiosité de la tuberculose sur la base d'une expérimentation animale en soulignant le fait «qu'elle appartenait donc à la classe des maladies virulentes» ;

– Robert Koch (1843-1910) qui a découvert le bacille responsable de la tuberculose en 1882. Il a réussi à le cultiver sur du sérum animal et à l'inoculer à des animaux de laboratoires.

Le choléra

Après la découverte de l'agent pathogène responsable du choléra par Robert Koch en 1884, Ferran en 1885 puis Waldemar Haffkine en 1892 ont préparé les premiers vaccins anticholériques efficaces à partir de vibrions chauffés.

La diphtérie

Les connaissances concernant la diphtérie ont été établies grâce à quelques médecins :

– l'identité de nature entre «angine couenneuse» et «croup» démontrée en 1821 par Pierre Bretonneau (1778-1862) qui a utilisé pour identifier la maladie le terme de «diphtérie» (*diphteria* = membrane). Il a suggéré que l'agent pathogène se trouvait dans l'air mais il n'a pas réussi à établir sa contagiosité ;
– la découverte de l'agent responsable en 1883 par Theodor Klebs (1834-1913) : le *Corynebacterium diphteriae* ;
– la mise en culture par Friedrich Löffler (1852-1915) du germe en 1884 ;
– l'isolement par Pierre Roux (1853-1933) en 1888 de la toxine du bacille diphtérique par filtration d'une culture de germes ;
– l'immunisation en 1890 par Emil Behring (1854-1917) d'animaux après des injection de doses croissantes de toxine ;
– le traitement en 1894 avec succès des malades par sérothérapie.

La fièvre jaune

Cette maladie qui avait entraîné le décès de milliers d'ouvriers panaméens était responsable de l'échec du creusement du canal de Panama par Ferdinand de Lesseps et du futur scandale financier de la troisième république. En 1881, Carlos Juan Finlay (1833-1915), médecin cubain, a suggéré le rôle d'un moustique, le *Stegomyia fasciata* (appelé plus tard *Aedes aegypti*) dans la transmission de la fièvre jaune. Il n'a jamais réussi à isoler le virus responsable. En revanche, dans les années qui ont suivi, il a fait de nombreuses expériences de tentatives de transmission de la maladie à des sujets sains en les faisant piquer par des moustiques ayant été en contact avec des malades souffrant de la fièvre jaune. Finlay n'a pas publié ses travaux parce qu'il n'était pas totalement convaincu de ses résultats.

Près de deux décennies plus tard, en 1900, l'administration des États-Unis a envoyé à Cuba une commission sous la direction de Walter Reed (1851-1902) pour étudier la fièvre jaune. Les premières recherches n'ont pas permis en 1901 de mettre en évidence un virus filtrant dans le sang des malades. Dès lors, Reed et son équipe ont repris les expériences déjà faites par Finlay et ont découvert que le Stegomyia fasciata était bien responsable de la transmission du virus filtrant en omettant le rôle capital de Finlay dans la découverte du rôle du moustique. Sa découverte a incité alors les autorités américaines à entreprendre dans la zone du canal de Panama une destruction efficace des moustiques, ce qui a eu pour conséquence une diminution de l'incidence de la fièvre jaune et la reprise en 1904 du percement du canal qui a été achevé en 1914.

La typhoïde

Cette affection a été individualisée par Bretonneau qui l'a baptisée « dothienen-térite » (conjonction de deux termes grecs signifiant « bâton » et « intestin »).

En 1880, Carol Eberth (1835-1926) a décrit les bacilles auxquels il a donné son nom. Fernand Widal à Paris et Max von Gruber en Allemagne ont démontré en 1896 que le sérum des malades victimes de la fièvre typhoïde agglutinait le bacille typhique. La même année, Émile Achard et Raoul Bensaude isolaient des bacilles aux caractéristiques biochimiques proches de celles des bacilles d'Eberth, mais antigéniquement différentes. Ce sont les bacilles « paratyphiques ».

Les autres agents infectieux

D'autres agents infectieux ont été découverts au cours de cette période :

– le bacille du tétanos par Arthur Nicolaïer (1862-1921) en 1884 ;

– le colibacille par Theodor Escherich (1857-1911) en 1885 ;

– l'agent de la fièvre de Malte par David Bruce (1855-1931) en 1886 ;

– le méningocoque par Anton Weichselbaum (1845-1920) en 1887 ;

– l'agent responsable du chancre mou par Augusto Ducrey (1860-1940) en 1889 ;

– le clostridium perfringens par Pierre Achalme en 1891.

PLACE DU CHIRURGIEN DANS LA SOCIÉTÉ DU XIXᵉ SIÈCLE

Les chirurgiens militaires

La chirurgie a connu son heure de gloire pendant les campagnes de Napoléon grâce aux barons Jean Dominique Larrey, médecin-chef de la Garde impériale de la Grande Armée, et Nicolas Desgenettes, médecin-chef de l'armée d'Égypte. Entre 1815 et 1846, le chirurgien était considéré comme une personnalité reconnue au sein du corps médical. Il était généralement instruit et il connaissait parfaitement l'anatomie et la sémiologie chirurgicale. En revanche, il était beaucoup plus conscient de ses limites et il intervenait moins que dans les siècles qui avaient précédé car il était conscient des dangers qui guettaient les patients pendant et après l'intervention. Les chirurgiens célèbres tenaient leur réputation de la rapidité, de la dextérité et de la virtuosité de leurs gestes chirurgicaux.

L'infection, l'hémorragie et la douleur

Jusqu'à la fin du XIXᵉ siècle, trois facteurs majeurs limitaient le champ d'investigation de la chirurgie : l'infection, l'hémorragie et la douleur. Les chirurgiens opéraient en tenue de ville, sans gants ; il pouvaient passer d'une séance de dissection à une intervention sans prendre la précaution de se laver les mains ; ils ne désinfectaient pas les plaies opératoires et opéraient sans utiliser de produits anesthésiques. La mortalité per- et postopératoire était colossale, et les souffrances des patients qui se faisaient opérer étaient importantes. En raison de ce dernier facteur, la réputation d'un chirurgien reposait au XIXᵉ siècle avant tout sur sa rapidité opératoire, résultat d'une dextérité acquise par de nombreuses répétitions sur des dissections de cadavres. Jean Marjolin (1770-1849), professeur à la faculté de médecine de Paris qui ne se faisait pas beaucoup d'illusions sur le devenir de la chirurgie, a écrit en 1836 : « La chirurgie est parvenue au point de n'avoir presque plus rien à acquérir. »

Les grands chirurgiens

Parmi les grands chirurgiens du XIXᵉ siècle, il faut retenir :

– Dominique Larrey (1766-1842), médecin-chef de la Garde impériale de la Grande Armée, réputé pour la rapidité avec laquelle il avait réalisé deux cents amputations de membres pendant la seule bataille de Borodino ;

– Guillaume Dupuytren (1777-1835), réputé pour son audace dans les interventions chirurgicales. Cet élève de Corvisart était capable de désarticuler une épaule en quelques secondes. Il a rapporté une maladie caractérisée par une rétraction de l'aponévrose palmaire et des doigts à laquelle il a donné son nom ;

– Joseph Récamier (1774-1852) qui a mis au point le curetage utérin et qui a pratiqué la première hystérectomie en 1825 ;

– Jacques Lisfranc (1790-1847), célèbre pour avoir mis au point un procédé de désarticulation du pied ;

– Joseph Malgaigne (1806-1865) qui a inventé des appareils pour réduire les fractures. Il a publié en 1834 son *Traité de médecine opératoire* qui était une excellente mise au point des techniques chirurgicales ;

– Auguste Nélaton (1807-1873) qui a inventé la sonde en caoutchouc ou en gomme et le procédé d'entérostomie auquel il a donné son nom ;

– John Bell (1763-1820), spécialiste de la chirurgie des gros vaisseaux considéré comme le précurseur de la chirurgie vasculaire ;

– Sir Astley Cooper (1768-1841) qui a été le premier à réaliser la ligature de l'artère sous-clavière ;

– Harl Graefe (1787-1840) qui a été le premier à opérer le bec-de-lièvre congénital et qui a amélioré la technique de la césarienne ;

– Bernard Von Langenbeck (1810-1887) qui est considéré comme le fondateur de la chirurgie réparatrice. Il a mis au point de nouvelles techniques de résection, d'ostéotomie et d'autoplastie ;

– Victor Von Bruns (1812-1883) qui a été le premier à employer le coton charpie pour les pansements des plaies ;

– Antoine Mathijsen (1805-1878) qui a été le premier à réaliser un procédé d'immobilisation avec un plâtre.

INNOVATIONS CHIRURGICALES

L'acte chirurgical se limitait essentiellement au XIXᵉ siècle aux actes de chirurgie de grande nécessité comme la chirurgie de guerre, les traitement des plaies suppurées et les techniques de chirurgie orthopédique non sanglantes telles que la réduction des fractures et des luxations. Le fantastique bond en avant de la chirurgie a été possible grâce au perfectionnement de l'instrumentation chirurgicale et surtout grâce à l'amélioration des connaissances dans le domaine de l'asepsie, de l'antisepsie et de l'anesthésie.

Le perfectionnement des techniques chirurgicales

Le XIXᵉ siècle a été marqué par une amélioration des techniques chirurgicales avec un certain nombre d'innovations :

– le premier drainage chirurgical en utilisant des tubes en verre ou en plastique pour évacuer l'épanchement des liquides mis au point par Edouard Chassaignac (1804-1879) en 1859 ;

– la pince hémostatique inventée par Jules Émile Péan (1830-1898) en 1868 qui permettait aux chirurgiens de ne plus opérer dans un bain de sang ;

– la pince mise au point par Eugène Koeberlé (1828-1915) en 1864 ;

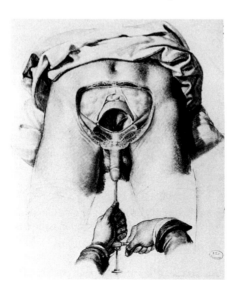

Fig. 14.2. *Opération chirurgicale (XIXᵉ siècle)* (AP-HP).

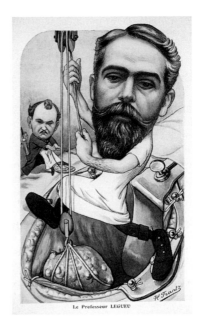

Fig. 14.3. *Le professeur Legueu. Opération chirurgicale (XIXᵉ siècle)* (AP-HP).

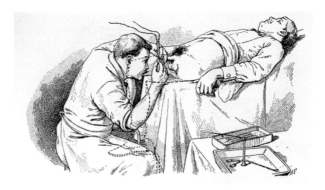

Fig. 14.4. *Intervention urologique (XIXᵉ siècle). Examen de l'urètre postérieur –
Position de l'opérateur et du malade* (AP-HP).

– la pince hémostatique à griffes mise au point par Theodor Kocher (1841-1917);
– l'aiguille inventée par Jacques Reverdin (1842-1929);
– les écarteurs développés par Louis Faraboeuf (1841-1910).

La naissance de l'anesthésie

En ce qui concerne le domaine de l'anesthésiologie, jusque-là, en l'absence d'anesthésiques efficaces, les seules interventions chirurgicales possibles étaient dictées par les limites humaines à endurer la douleur. Les propriétés anesthésiques de l'éther qui avait été mis au point en 1540, le protoxyde d'azote découvert en 1799 et le chloroforme inventé par Eugène Soubeiran (1797-1858) en 1831 sont restés inconnus jusqu'à la moitié du XIXe siècle.

Trois dates clefs de l'anesthésie

Trois dates importantes ont marqué l'histoire de l'introduction de nouvelles méthodes anesthésiques :

– le 10 décembre 1844 est le jour où, à Hartford dans le Connecticut, le dentiste Horace Wells (1815-1848) a assisté à un spectacle au cours duquel les acteurs en état d'euphorie complète réalisaient toute sorte d'acrobaties après avoir inhalé du gaz hilarant, autrement dit du protoxyde d'azote. Sur la piste, il a été surpris de voir un des acteurs se blesser sérieusement après une chute importante sans esquisser la moindre manifestation de douleur. Le lendemain, il a expérimenté sur lui le protoxyde d'azote et s'est fait arracher une dent. Wells, satisfait d'avoir découvert un anesthésique révolutionnaire, s'est rendu à Boston pour faire une démonstration devant un auditoire médical. Malheureusement, ce fut un échec complet qui se termina sous les sifflets de l'assistance car le gaz avait été mal préparé. Selon la légende, la fin de Wells aurait été tragique puisqu'il se serait suicidé plusieurs années plus tard en s'ouvrant l'artère fémorale après avoir inhalé du protoxyde d'azote ;

– le 16 octobre 1846 est le jour où le chirurgien John Collins Warren (1773-1856) a anesthésié un patient au Massachussetts Hospital de Boston en le faisant inhaler dans un ballon d'éther. Cette expérience lui avait été donnée par un autre dentiste, Thomas Green Morton (1819-1868), qui avait assisté à l'essai de Wells, ce qui lui avait donné l'idée de remplacer le protoxyde d'azote par de l'éther ;

– en 1853, Sir James Young Simpson (1811-1870) a endormi la reine Victoria avec du chloroforme au cours de l'accouchement de son fils Leopold. L'événement médical a été condamné par les autorités religieuses qui ont lancé une campagne contre l'anesthésie obstétricale sous le prétexte que «la douleur est voulue par Dieu, tenter de s'y soustraire est un sacrilège» et qu'il fallait obéir scrupuleusement au texte de la Bible qui disait : «tu enfanteras dans la douleur». En 1857, Simpson et les partisans de l'anesthésie obstétricale sont parvenus à convaincre l'opinion. La Reine Victoria a accepté pour un nouvel accouchement l'analgésie au chloroforme qui a pris alors le nom de «l'anesthésie à la reine».

Les limites de l'anesthésie

Les chirurgiens ont été enthousiasmés par la découverte de l'anesthésie qui a été adoptée à la quasi unanimité. Un chirurgien a même proclamé : «Notre métier est délivré pour toujours de l'horreur!». Toutefois il a persisté une opposition de certains chirurgiens comme celui qui s'est plaint en expliquant : «L'anesthésie va tuer la chirurgie, c'en est fini du tempérament chirurgical.»

En France, deux camps se sont affrontés pendant de nombreuses années avec passion sur le mode de l'anesthésie : les partisans du chloroforme sous la houlette de l'école de Paris et ceux de l'éther avec l'école de Lyon.

Toutefois, ces anesthésiques avaient une limite : ils ne permettaient pas de réaliser des interventions longues dépassant le cap fatidique des 60 minutes. Mais surtout, tous les anesthésiques disponibles, que ce soit le protoxyde d'azote, l'éther ou le chloroforme présentaient de fâcheux effets secondaires pouvant être redoutables.

Ils ont permis en revanche à la chirurgie de devenir plus scientifique en permettant au chirurgien de prendre un peu plus son temps pour la dissection des lésions et pour le perfectionnement des techniques chirurgicales. Le domaine de la chirurgie abdominale a obtenu ses premiers succès importants avec la réalisation pour la première fois de résections de tumeurs cancéreuses du rectum par Jacques Lisfranc (1790-1847) et le développement des techniques chirurgicales de l'ovariectomie et de l'hystérectomie dans les tumeurs cancéreuses et des cures de prolapsus des organes génito-urinaires.

La prise en compte par les chirurgiens de l'asepsie

L'asepsie a été le second facteur qui a permis le développement de la chirurgie. Toutefois, alors que l'anesthésie a d'emblée été adoptée par la quasi totalité des chirurgiens, l'adhésion aux méthodes aseptiques s'est réalisée de façon très aléatoire pendant de nombreuses années après les résultats des travaux de Pasteur.

Le professeur Eugène Armand Despres (1834-1896) de l'hôpital Cochin, qui était également député du VIᵉ arrondissement à Paris, était vigoureusement opposé à l'asepsie et proclamait : « L'asticot a du bon, il bouffe le vibrion. » Il a fallu attendre la fin du XIXᵉ et même le début du XXᵉ siècle avant que tous les chirurgiens soient persuadés de l'intérêt d'utiliser des masques opératoires et des gants chirurgicaux de caoutchouc stérilisés (mis au point en 1885 aux États-Unis et proposé par Halsted en 1889) après chaque usage ou de disposer d'autoclaves pour réaliser la stérilisation des instruments opératoires selon les recommandations de1883 d'Octave Terrillon (1844-1895) et de Louis Félix Terrier (1837-1908). La conception des salles d'opération s'est améliorée compte tenu des nouvelles règles d'hygiènes observées.

L'adoption des antiseptiques

Joseph Lister (1827-1912) s'est inspiré des travaux de Louis Pasteur pour entreprendre de prouver l'intérêt des méthodes antiseptiques en utilisant l'acide phénique pour neutraliser les eaux de vidange. Après avoir aspergé les plaies opératoires avec l'acide phénique, il a montré qu'il avait obtenu des résultats spectaculaires qu'il a publiés en 1867. Toutefois le bien-fondé de l'antisepsie n'a été accepté qu'en 1875 par la communauté médicale qui a préconisé l'usage de compresses imbibées de solution d'acide phénique. Cette méthode a été adoptée en France par Stéphane Tarnier (1828-1897) et par Just Lucas Championnière (1843-1913).

Semmelweis contre la fièvre puerpérale

L'histoire d'Ignace Semmelweis (1818-1865), obstétricien hongrois, est un exemple très intéressant des réticences qui ont existé dans le corps médical dans l'adoption de l'antisepsie et de l'asepsie.

Semmelweis avait entrepris dès 1844 d'imposer des règles d'hygiène élémentaires dans son service de maternité de Vienne. Il avait réussi à faire passer dans sa maternité la mortalité des accouchées de 27 % à 0,23 % en exigeant simplement des sages-femmes et des étudiants en médecine chargés d'examiner les patientes qu'ils se lavent les mains avec une solution de chlorure de calcium avant de visiter toute parturiente. Ces étudiants avaient l'habitude de se rendre directement des salles de dissections aux services de la maternité.

Malgré les excellents résultats enregistrés, Semmelweis a été décrié par ses confrères et par son chef de service qui l'a révoqué. Il est mort d'une infection suite à une plaie faite au cours d'une dissection.

INNOVATIONS PSYCHIATRIQUES

Philippe Pinel (1745-1826) et Jean Esquirol (1772-1840) avaient obtenu qu'on enlève les chaînes des aliénés (1794) et qu'on les soigne. C'est dans la mouvance de ce courant d'idées que va se constituer une nouvelle spécialité, la « psychiatrie », qui désigne alors une branche particulière de la médecine chargée de traiter les personnes atteintes « d'aliénation mentale ». Le mot psychiatrie provient étymologiquement de deux mots grecs : *psyche*, qui signifie « l'âme », et *iatreo*, « je soigne ». Ce mot est apparu d'abord dans la langue allemande, en 1818, puis en 1842, dans la langue française.

Au cours du XIXe siècle, l'évolution de la psychiatrie a été marquée par :

– la mise en place du système des asiles d'aliénés soumis à l'autorité publique par deux élèves de Pinel, Jean Esquirol et Guillaume Ferrus (1784-1861). Ils ont été à l'origine de la loi de 1838 qui instaurait le système asilaire en France. Cette loi précisait les procédures pour les hospitalisations sous contrainte. Les asiles d'aliénés se sont substitués aux hospices et ont permis l'essor d'une médecine spécialisée pour les malades mentaux ;

– l'établissement des grandes entités cliniques qui voient le jour, encore en vigueur aujourd'hui.

L'école de psychiatrie française a été marquée par les travaux de Jacques Joseph Moreau de Tours (1804-1884) et de Jean Martin Charcot (1825-1893).

SANTÉ PUBLIQUE

Naissance de l'hygiène publique et sociale

Le XIXe siècle a été marqué par l'essor de la santé publique sous l'impulsion de :

– François-Emmanuel Fodéré (1764-1835), titulaire de la première chaire d'hygiène à Paris qui a écrit en 1798 un *Traité de médecine légale et d'hygiène publique* ;

– Johann Peter Franck (1745-1821) qui a écrit un traité, *Système de politique médicale*, dans lequel il préconisait une politique nationale de santé sous la responsabilité du pouvoir politique avec même la création d'une police médicale pour rendre l'hygiène obligatoire. Il a mis au point une étude statistique pour évaluer l'état sanitaire d'un pays à partir des naissances et des décès.

En 1802, il a été créé le Conseil d'hygiène publique et de salubrité du département de la Seine dépendant de la Préfecture de police de Paris qui comprenait des médecins, des chimistes, des pharmaciens, des ingénieurs et des administratifs. L'objectif de cette structure uniquement consultative était d'établir des rapports sur l'état de salubrité des usines, des ateliers, des cimetières, des décharges, des abattoirs et des bains publics. À partir de 1822, des conseils d'hygiène publique et de salubrité ont été créés dans d'autres villes (Marseille, Lille, Nantes, Rouen, Bordeaux, Toulouse).

L'épidémie de choléra qui a sévi en 1832 a fait prendre conscience de l'insuffisance des moyens d'hygiène individuels dans la lutte contre les fléaux infectieux qui reposait essentiellement sur la mise en quarantaine et sur l'incinération des objets que les malades avaient pu toucher. Cela a conduit les autorités à mettre en place une politique d'hygiène collective qui a débouché sur l'« hygiène sociale » avec le développement du réseau des égouts et la promulgation le 22 avril 1850 de la loi destinée à lutter contre les logements insalubres. À partir de 1899, une politique de construction d'établissements de bains-douches à bon marché a été développée.

L'apparition des cliniques et la notion d'assurance

Les premiers systèmes d'assurance contre la maladie, « les Krankenkassen », ont été créés en Allemagne en 1883, puis contre les accidents en 1884. En France, ce sont les sociétés minières, en 1894, puis les sociétés ferroviaires, en 1909, qui ont été les précurseurs en matière de régime d'assurance obligatoire. En 1898 une loi a établi la responsabilité des employeurs en cas d'accident du travail. En 1893, l'assistance médicale gratuite pour les indigents a été instaurée, ce qui a permis la protection de 700 000 nécessiteux.

La création du corps des infirmières

Les soins et les gardes des malades étaient assurés par les religieuses dans la majorité des cas. En 1854, Florence Nightingale (1820-1910) a mis en place au cours de la guerre de Crimée le premier groupe de 38 infirmières pour aller au front de guerre, à Scutari, en Turquie. Grâce à leur action auprès des blessés, le taux de mortalité des soldats est passé de 60 % à 2 % au bout de 6 mois. Après ce conflit, elle a tiré les enseignements de cette expérience et elle a jeté les bases de la profession infirmière. Elle a proposé le développement du nursing avec la mise en place de principes d'hygiène et d'alimentation et la création d'écoles d'infirmières. Elle considérait qu'« une bonne pratique infirmière ne grandit pas seule ; elle est le résultat d'études, d'enseignement, d'entraînement, de pratique, qui se finalise dans une base solide qui peut se transférer dans tous les milieux, auprès de tous les patients ».

La création de la Croix-Rouge internationale

Cette organisation a été créée en 1864 sous l'impulsion d'Henri Dunant (1828-1910) qui avait été sensibilisé aux souffrances des blessés après la bataille de Solferino en 1859. Il a établi la convention de Genève qui accordait aux hôpitaux le statut de territoire neutre.

THÉRAPEUTIQUE

Essor des thérapeutiques

Au début du XIXe siècle, l'arsenal thérapeutique était limité et comportait des méthodes empiriques destinées à faire « sortir le mal » du corps du malade comme les saignées, les purges, les clystères ou l'application de sangsues qui ont été par la suite remplacées par des ventouses scarifiées. Le XIXe siècle a été marqué par l'essor des thérapeutiques grâce à la conjonction de trois facteurs :

– l'amélioration des connaissances galéniques ;
– l'amélioration des procédés d'extraction chimique des principes actifs de plantes ;
– la fondation des premiers grands laboratoires pharmaceutiques industriels.

L'amélioration des connaissances galéniques

La capsule est un procédé qui est breveté en 1834 ; les comprimés sont mis au point en 1843, et les premières injections sous-cutanées en 1845.

L'amélioration des procédés d'extraction chimique des principes actifs de plantes

Au XIXe siècle, la pharmacognosie a remplacé la pharmacochimie. L'objectif était désormais de découvrir le principe actif qui était responsable des vertus thérapeutiques des plantes médicinales. Cela a permis la découverte d'un certain nombre de substances :

– la morphine est isolée en 1805 par Friedrich Wilhelm Sertürner (1783-1841) à partir du pavot ;
– l'émétine, un vomitif, est isolée par Joseph Pelletier (1788-1842) à partir de la racine d'ipéca ;
– la quinine est extraite en 1820 par deux pharmaciens et chimistes, Pelletier et Cavantou, à partir de l'écorce d'une plante exotique du nom de « quinquina ». La quinine extraite de cette plante était considérée comme le traitement des fièvres typhoïdes et des goitres ophtalmiques ;
– la colchicine est découverte en 1819 ;
– le chloroforme est découvert en 1831 ;
– l'acide acétylsalicylique (aspirine) est isolé. Les vertus du saule étaient connues puisque Galien conseillait l'application d'un onguent de feuilles du même arbre sur les plaies récentes. En 1827, un pharmacien français, Pierre

Joseph Leroux (1795-1870), a réussi à extraire de l'écorce de saule un gluco-side, qu'il a appelé la « salicyne » (du latin *salix*, le saule). En 1853 Von Gerhardt a réussi à transformer l'acide salicylique en acide acétylsalicylique. Le 10 juillet 1877, Germain Sée (1818-1896) a présenté une communication devant l'Académie de médecine dans laquelle il a montré une diminution de la fièvre et des douleurs articulaires liées à la maladie de Bouillaud (rhuma-tisme articulaire aigu). Ce n'est qu'en 1899 que Hoffman, chimiste dans le grand laboratoire allemand Bayer, s'est inspiré des travaux de Gherardt et a refait la synthèse de l'acide acétylsalicylique. Le produit a enfin été commer-cialisé peu après avec succès sous le nom d'aspirine ;

– la cocaïne a été extraite à partir de la feuille de coca en 1860 ;

– la digitaline a été purifiée en 1871 par le pharmacien français Claude Nativelle (1812-1889) à partir de la digitale isolée en 1844. Cette substance était indiquée dans le traitement des maladies cardio-vasculaires pour son action tonicardiaque et diurétique ;

– le bleu de méthylène en 1876 ;

– la trinitrine (pour le traitement de l'angine de poitrine) en 1879.

La fondation des premiers grands laboratoires pharmaceutiques industriels

Pfizer est fondé en 1849, Bayer et Hoerst en 1863.

Naissance de l'homéopathie

Christian Samuel Hahnemann (1755-1843) a fondé l'homéopathie après avoir observé sur lui-même une fièvre après un contact avec de la teinture de quin-quina, habituel remède de l'hyperthermie. Il a élaboré en 1796 la « loi de la similitude » en partant du principe que les maladies devaient être traitées par des produits donnant les mêmes symptômes que la maladie elle-même, à doses infinitésimales, puisque l'effet bénéfique venait de la répétition de l'administration de la substance plus que de sa quantité. Il a publié en 1810 l'*Exposé de la doctrine homéopathique : Organon de l'art de guérir* ; de 1811 à 1821, *Matière médicale pure*, et en 1828, *Traité des maladies chroniques*.

ENSEIGNEMENT DE LA MÉDECINE

La Révolution française a entraîné un certain nombre de bouleversements dans l'enseignement médical. Quatre dates importantes ont marqué cette évolution :

– le 15 septembre 1793, « toutes les Académies et Sociétés littéraires ou savantes patentées ou dotées par la Nation » ont été supprimées par un décret de la Convention ;

– le 4 décembre 1794 (14 frimaire an III), le décret proposé par Antoine de Fourcroy (1755-1809) a décidé de la fondation de trois écoles de Santé à Paris, Strasbourg et Montpellier avec pour mission de dispenser un enseignement aux médecins et chirurgiens militaires. Chaque école disposait d'un certain nombre de chaires de clinique, occupées par des médecins nommés par l'état ;

– le 27 juillet 1797 (9 thermidor an V) marque l'intégration des Écoles de Santé dans la nouvelle Université ;
– l'internat des hôpitaux de Paris a été créé en 1802.

Sous la Révolution française, le Consulat et l'Empire, sous l'impulsion de Pierre-Jean-Georges Cabanis (1757-1808), de Corvisart et de Jean Chaptal (1756-1832), l'enseignement médical a été complètement rénové et uniformisé sur l'ensemble du territoire de la jeune République avec cinq conséquences :

– l'abandon des matières théoriques abstraites ;
– la mise en place d'une formation pratique obligatoire dans les services hospitaliers et dans les salles d'autopsies ;
– le remplacement du latin par le français ;
– la mise en place d'un enseignement commun aux étudiants de médecine et de chirurgie qui a permis la suppression du fossé entre les médecins et les chirurgiens ;
– la nécessité d'obtenir un diplôme de docteur dans une école de médecine pour pouvoir exercer. Il a persisté tout au long du XIXe siècle des « officiers de santé » formés durant la Révolution auxquels le droit d'exercice temporaire avait été accordé. Charles Bovary a fait l'objet d'une description précise par Gustave Flaubert, fils et frère de médecin.

Fig. 14.5. *L'étudiant en médecine (1840)* (BIUM).

HÔPITAL

Les bouleversements de la Révolution française

L'Hôpital, peu fréquenté jusqu'alors par les médecins, est devenu le garant d'une médecine de haut niveau : les établissements ont été laïcisés, et des concours hospitaliers (comme l'internat, en 1802) organisés.

La Révolution a entraîné un bouleversement dans le système hospitalier français avec :

– la suppression du financement des hôpitaux par le Trésor public à la suite du décret du 17 décembre 1790 ;

– la nationalisation des biens des hôpitaux à la suite du décret du 11 juillet 1794. Quelques jours avant Thermidor, la liquidation de leurs patrimoine, terres et bâtiments, a été entreprise. Sous la pression des élus locaux, cette décision a été suspendue par la Convention en 1795 ;

– la mise en place à la suite de la loi du 7 octobre 1796 promulguée par le Directoire d'un établissement hospitalier public par commune dirigé par une commission indépendante présidée par le maire ;

– la mise en place par le décret du 7 germinal an XIII d'un prix de journée défini selon la résidence de l'hospitalisé afin qu'il soit possible de régler les dettes entre les communes.

Les innovations pastoriennes

À la suite de la prise en compte du péril infectieux, il a été proposé deux innovations dans le domaine des hôpitaux :

– la construction de pavillons hospitaliers réservés à chaque maladie transmissible, associés à des mesures d'hygiène rigoureuses afin de protéger le personnel et les familles ;

– la modification des salles d'opérations dont l'architecture était élaborée afin de permettre le respect des mesures d'asepsie avec l'autoclave pour la stérilisation à la chaleur humide ou le poupinel pour la stérilisation à la chaleur sèche, une arrivée d'eau qui devait permettre le respect du protocole rigoureux, proche du cérémonial du lavage des mains, du port de gants, du masque, du bonnet et des bottes.

La création des sanatoriums

En 1829, Hermann Brehmer (1826-1889) a fondé à Gtitersdorf en Silésie pour traiter les malades atteints de tuberculose pulmonaire et extra-pulmonaire le premier sanatorium dont le terme dérive du latin « sanatorius » qui signifie « propre à guérir ». Ces maisons de santé situées dans des conditions climatiques déterminées traitaient les tuberculeux par des moyens hygiéniques (repos, air, suralimentation) et médicaux. Le premier établissement gratuit a été créé par Peter Dettweiler (1837-1904) en Allemagne en 1892. La France a fondé ses premiers sanatoriums à Livry et à Saint-Germain en Laye. L'assistance publique a fondé en 1900 à Aingicourt le premier sanatorium populaire français.

MÉDECINS CÉLÈBRES

Claude Bernard (1813-1878)

Celui qui est considéré comme le père de la physiologie expérimentale est né d'une famille modeste à Saint-Julien dans le Beaujolais. Il a fait des études de pharmacie à Lyon. Il a d'abord été attiré par la littérature dramatique et il a même écrit une tragédie. Il a choisi d'entreprendre des études de médecine. Il a étudié la physiologie et s'est particulièrement intéressé aux sécrétions digestives. Il a mis en évidence le rôle du pancréas dans la digestion des graisses. En étudiant la digestion des sucres, il a découvert la fonction glycogénique du foie et il a réussi à isoler le glycogène. Il a réalisé les premiers cathétérismes cardiaques sur des chevaux et sur des chiens. Claude Bernard a découvert le rôle du système nerveux grand sympathique dans la régulation du taux de glucose sanguin. Il a élaboré le concept de constance du milieu intérieur. Il a été professeur au Collège de France, à la Sorbonne, puis au Muséum national d'histoire naturelle et il a contribué à la création de la Société de biologie. Son célèbre ouvrage *Introduction à l'étude de la médecine expérimentale* publié en 1865 résume son œuvre scientifique magistrale qui a été réalisée dans des conditions matérielles très difficiles comme il l'a relaté : « J'ai connu la douleur du savant qui, faute de moyens matériels, ne peut entreprendre de réaliser des expériences qu'il conçoit et est obligé de renoncer à certaines recherches, ou de laisser sa découverte à l'état d'ébauche. »

François Joseph Victor Broussais (1772-1838)

Ce fils d'un médecin de Saint-Malo a commencé sa carrière comme chirurgien dans la marine. Il s'est installé à Paris en 1800 afin de suivre les cours de Bichat. Il a participé comme médecin militaire aux campagnes napoléoniennes. Il a publié en 1808 son premier ouvrage, *Histoire des phlegmasies ou inflammations chroniques* dans lequel il a exprimé son opposition à la spécificité lésionnelle. Il a été ensuite nommé Professeur au Val de Grâce en 1814, puis à la Sorbonne en 1831. Il avait la réputation de diriger en maître absolu ses élèves. Paul Lecène le traitait de « despote furieux et sanguinaire ». Il a publié *L'examen de la doctrine médicale généralement adoptée* en 1816 et *Examens des doctrines et des systèmes de nosologie* en 1821. Il a élaboré la théorie des « phlegmasies » dans laquelle il expliquait que l'ensemble des maladies étaient dues à un phénomène d'irritation à point de départ gastro-intestinal qui était suivi d'un processus d'inflammation des organes. Il était partisan du développement de la saignée. On dira plus tard de Broussais : « Napoléon décima la France, Broussais la saigna à blanc. »

Jean Nicolas Corvisart des Marets (1755-1821)

Originaire des Ardennes, Corvisart a fait ses études de médecine à Paris où il est devenu l'élève de Desault et de Petit. Il a été nommé professeur à l'hôpital de la Charité et au Collège de France et a eu deux brillants élèves qui ont participé au rayonnement de la médecine française : Laënnec et Bretonneau. En 1806, il a réalisé son ouvrage majeur, *Essai sur les maladies et les lésions organiques du cœur et des gros vaisseaux*, qui est considéré comme le premier traité de cardio-logie. Il a rapporté pour la première fois le «frémissement cataire», il a différencié les anévrysmes en «passifs» et «actifs» et il a individualisé les hypertrophies ventriculaires. En 1808, il a traduit l'ouvrage d'Auenbrügger *Nouvelle méthode pour reconnaître les maladies de poitrine par la percussion de cette cavité* qui est paru en 1761. Il a encouragé les médecins à effectuer la percussion thoracique. Corvisart a été le médecin personnel de l'empereur Napoléon Bonaparte qui aurait dit : «Je ne crois pas à la médecine, mais je crois en Corvisart.» Lorsqu'il est tombé malade à Sainte-Hélène, il a demandé qu'on fasse appel à Corvisart. Quand il a appris qu'il ne pourrait le faire venir, il a dit : «puisqu'on ne peut me le donner, qu'on me laisse tranquille.»

René Marie Hyacinthe Laënnec (1781-1826)

Läennec est considéré comme le plus grand clinicien de son siècle. C'était un travailleur acharné, méthodique et rapide qui a placé la médecine française en tête du progrès médical.

Ce fils d'un avocat de Quimper a fait ses études à Nantes puis à Paris où il a été l'élève de Hallé et de Corvisart. En 1799, il a été nommé chirurgien de 3ᵉ classe dans l'armée de l'Ouest. Il est retourné à Paris en 1800. Laënnec avait la réputation d'être un homme très pieux, très froid et extrêmement réservé. En 1816, il a été nommé médecin de l'hôpital Necker, puis chef de service à l'hôpital de la Charité et professeur au Collège de France en 1822.

Il a publié en 1802 son premier ouvrage, *Histoire des inflammations du péritoine*, dans lequel il différenciait les affections de la séreuse de celles des organes intra-abdominaux. Il a soutenu en 1804 sa thèse de doctorat intitulée «Propositions sur la doctrine médicale de l'Hippocrate relativement à la médecine pratique».

Sa plus grande découverte a eu lieu en 1816, un jour qu'il observait des enfants qui se transmettaient des sons à distance en tapant sur une planche de bois. Cela lui aurait donné l'idée de concevoir un instrument pouvant transmettre les sons du malade jusqu'à l'oreille du médecin. Certains auteurs pensent que c'est par répugnance d'avoir à coller son oreille contre la poitrine de certains malades qu'il a réalisé la première auscultation thoracique au moyen d'un simple rouleau de papier. Laënnec avait appelé d'abord son instrument «cylindre». En 1819, il a publié deux volumes : *De l'auscultation médiate ou traité de diagnostic des maladies des poumons et du cœur, fondé principalement sur ce nouveau moyen d'exploration* dans lequel il a décrit magistralement l'emphysème, les bron-chiectasies et la bronchite capillaire. Il a inventé de nouveaux termes de sémiologie médicale, comme «bronchophonie» ou «sibilance». Il a par ailleurs décrit la cirrhose du foie à laquelle il a donné son nom. Une deuxième édition de son ouvrage a été publiée en 1826. Il est mort à 45 ans de tuberculose pulmo-naire, maladie dont il a très bien observé l'évolution sur lui-même.

Guillaume Dupuytren (Baron) (1777-1835)

Ce célèbre chirurgien a eu l'immense mérite d'introduire la méthode anatomo-clinique en chirurgie.

Issu d'une humble famille du Limousin, il a fait ses études de médecine à Paris où il a reçu l'enseignement de Corvisart, de Desault et de Bichat. En 1801, il a été nommé chef des travaux d'anatomie à l'École de médecine et il s'est particulièrement intéressé à l'anatomie pathologique. Il a réalisé la classification des lésions organiques en espèces, genres, ordres, classes. En 1802, il est devenu professeur, enseignant l'anatomie normale et pathologique et également la physiologie. En 1808, il a été nommé chirurgien en chef adjoint à l'Hôtel-Dieu.

Il est devenu chirurgien et a succédé à Desault à l'hôtel-Dieu. Il a été nommé premier chirurgien des rois Louis XVIII et Charles X. Il était considéré comme un enseignant hors pair et un chirurgien sérieux et audacieux. Il a réalisé un ouvrage intitulé *Répertoire général d'anatomie* en 1826.

En 1831, il a rapporté la maladie auquel il a donné son nom, De la rétraction des doigts par suite d'une affection de l'aponévrose palmaire et l'opération chirurgicale qui convient dans ce cas. Il a été celui qui a mis au point l'anus artificiel et la cure de fistule lacrymo-nasale. Il a créé une attelle, à deux types de fractures, une des deux malléoles et une autre du radius, ainsi que des opérations de la taille. Il a décrit le «signe de Dupuytren» permettant de poser le diagnostic de l'hyperlaxité articulaire de la hanche chez le nourrisson. Bien qu'il ait été en conflit avec Broussais, il lui a légué son corps avant sa mort, à fin d'autopsie. Percy a dit de celui qui a été le plus haï des chirurgiens qu'il était le «premier des chirurgiens mais le dernier des hommes».

Dominique Jean Larrey (Baron) (1766-1842)

Né à Bagnères de Bigorre, Larrey a fait ses études à Toulouse et à Paris où il a été l'élève de Desault. Il a été nommé chirurgien des vaisseaux du Roi en 1787. Le 14 juillet 1789, il a participé à la prise de la Bastille. Puis il s'est illustré comme chirurgien au cours de toutes les batailles de la révolution et de l'Empire pendant 18 ans ce qui lui a valu le surnom de «l'Ami et la Providence du Soldat».

Il s'est illustré sur la Moskowa, en réalisant 200 amputations en 24 heures. En Espagne, il a réalisé l'exploit de faire une amputation d'un bras en 17 secondes. Chirurgien chef des Armées de l'Empire, il a participé à la création des «ambulances volantes» pour les armées avec Percy.

Il bénéficiait d'une réputation si importante qu'il a été sauvé du peloton d'exécution par Blücher. Entre les campagnes militaires, il a participé à l'enseignement au Val de Grâce et il a écrit ses mémoires, 4 volumes parus en 1812 et 1817, *Mémoires de médecin militaire et de campagne*. Napoléon a dit de Larrey : «c'est l'homme le plus vertueux que j'aie connu!». Lors de la révolution de 1830, il a défendu «ses» blessés de l'hôpital du Gros caillou. Après 1830, il a été invité par Léopold I à venir organiser le service d'ambulances dans la nouvelle armée belge. Il a été ensuite nommé chirurgien-chef des Invalides.

François Magendie (1783-1855)

Magendie a été nommé lauréat du second concours de l'Internat de Paris en 1802 à l'âge de 19 ans.

Il est devenu professeur de l'Hôtel-Dieu en 1830 et au Collège de France en 1831 comme successeur de Laënnec.

Il a publié sa première publication en 1809 sur la strychnine extraite de la noix vomique venant de Java, ce qui lui a valu d'être considéré comme le fondateur de la pharmacologie. Il a publié en 1816 un *Précis élémentaire de physiologie* qui a été traduit dans plusieurs langues. En 1821, il a fondé le *Journal de physiologie expérimentale*. En 1825, il a mis en évidence la circulation du liquide céphalo-rachidien. En 1836, il a publié ses *Leçons sur les phénomènes physiques de la vie* en 4 volumes, où il expliquait que les troubles pathologiques étaient la conséquence d'une perturbation de la physiologie. Il a publié *Leçons sur le sang* en 1838.

Magendie a effectué les premiers cathétérismes cardiaques sur le cheval en 1844, puis sur le chien en 1848 et sur le mouton en 1853 avec son interne Claude Bernard. Il a montré que les racines antérieures des nerfs rachidiens avaient une fonction motrice, tandis que les postérieures avaient une fonction sensitive. Il a écrit : «créons la médecine expérimentale au lieu de noter seulement les signes observés».

Pierre Fidèle Bretonneau (1778-1862)

Bretonneau est considéré comme le créateur de la doctrine de spécificité pour les maladies infectieuses

Après des études à l'école de santé militaire de Paris où il suivit les cours de Cuvier et de Corvisart, il a échoué trois fois au doctorat de médecine et il est devenu simple officier de santé à Chenonceaux. Obstiné, il est retourné à Paris à 36 ans et il a obtenu au quatrième essai son diplôme de docteur en médecine. Protégé par Chaptal, il est devenu alors médecin à l'hôpital de Tours. Après une grave épidémie de diphtérie en Touraine, il a publié en 1826 à Paris *Des inflammations spéciales du tissu muqueux et, en particulier de la diphtérie, ou inflammation pelliculaire* dans lequel il donnait une magistrale description de cette maladie à laquelle il a donné le nom de «diphtérie». Il a préconisé le traitement de cette maladie par la trachéotomie laryngée. C'est suite à ses observations d'une autre épidémie, de typhoïde cette fois, qui a eut lieu dans les casernes de Tours en 1818-1819, qu'il a écrit en 1829 *Notions sur la contagion de la Dothiéenterie*, ouvrage dans lequel il a identifié la fièvre typhoïde et ses modes de transmission.

Partisan farouche de la méthode anatomo-clinique, il a eu pour élèves Trousseau et Velpeau avec qui il allait dans les cimetières, clandestinement la nuit, déterrer les cadavres d'enfants morts de diphtérie afin d'en pratiquer l'autopsie.

Pierre Paul Broca (1824-1880)

Interne des hôpitaux de Paris en 1844, puis médecin des hôpitaux en 1849, Broca a étudié la fonction cérébrale et a identifié le centre du langage en 1861 auquel il a donné son nom (l'aire de Broca ou troisième circonvolution cérébrale gauche). Il a découvert que le siège du langage articulé se trouvait dans la troisième circonvolution frontale gauche, et il a décrit «l'aphémie» qui est devenue «l'aphasie de Broca». Il a établi la relation entre l'aphasie motrice et certaines lésions touchant ce territoire. Il s'est intéressé à l'anthropologie et il a fondé à Paris le laboratoire d'anthropologie à l'École des hautes études en 1858 et la Société d'anthropologie en 1869. Il est considéré comme le fondateur de l'école d'anthropologie de Paris en 1872. Il a écrit : «un adulte normal doit peser autant de kilos que de centimètres qu'il mesure au-delà d'un mètre».

Charles Edouard Brown-Sequard (1817-1894)

Brown-Sequard est considéré comme le précurseur de l'endocrinologie. Originaire de l'Île Maurice, il a fait ses études de médecine à Paris. Il est devenu l'élève favori de Claude Bernard. En 1847, il a rapporté le syndrome neurologique associant une hémi-paraplégie et une hémi-anesthésie dues à une lésion unilatérale de la moelle épinière, auquel il a donné son nom. Il est devenu professeur à l'université d'Harvard (1864-1868) puis il a exercé à Dublin, puis à Genève. Il est revenu à Paris pour prendre la succession de Claude Bernard à la chaire de médecine expérimentale du Collège de France. Il a publié en 1856 un ouvrage sur la physiologie des glandes surrénales où il analysait les conséquences de la surrénalectomie. Il a généralisé le concept de «glande endocrine» à d'autres organes que la surrénale, comme la thyroïde, le foie, le rein et le pancréas. Il a mis au point l'opothérapie qui reposait sur l'administration d'extraits glandulaires.

Jean Martin Charcot (1825-1893)

Considéré comme l'un des plus glorieux médecins français de la fin du XIXe siècle, Charcot est le fondateur de la neurologie française. Fils d'un charron, il a fait de brillantes études à la faculté de médecine de Paris. Il a été nommé interne des hôpitaux de Paris en 1848. Il a soutenu sa thèse sur les néphrites qu'il différenciait entre «épithéliales» et «interstitielles». Il a été nommé chef de clinique en 1853 puis médecin des hôpitaux en 1853. Il s'est intéressé d'abord au rhumatisme chronique dégénératif et il a publié en 1859 *Sur la claudication intermittente* où il décrivait chez l'homme cette maladie connue chez le cheval depuis 1831. Il a pris ses fonctions de chef de service à la Salpêtrière où il brillait par son esprit d'observation et par son ascendant sur ses élèves Pierre Marie, Bechterew, Babinski, Janet et Freud. Il a publié en 1865 *Des amyotrophies spinales chroniques* où il a décrit pour la première fois la sclérose latérale amyotrophique. Il a publié en 1868, ses *Leçons cliniques sur les maladies des vieillards et les maladies chroniques*, puis en 1874 ses *Leçons sur les maladies du système nerveux faites à la Salpêtrière* (en 3 volumes) et en 1876 ses *Leçons sur les localisations*. Il a été nommé professeur d'anatomie pathologique à la faculté de médecine de Paris en 1872, membre de l'Académie de médecine en 1873 et il a été titulaire de la première chaire de clinique des maladies nerveuses en 1881. Dans les dernières années de sa vie, il s'est intéressé aux affections psychiatriques, en particulier à l'hystérie. Ce brillant conférencier donnait des séances mémorables devant ses étudiants dont l'une a été illustrée par le célèbre tableau de Gustave Courbet. Il s'est intéressé également à l'hypnose. Excellent écrivain, il fut élu à l'Académie des sciences (1883).

Lord Joseph Lister (1827-1912)

Ce fils d'un riche négociant en alcool a fait ses études de médecine à Londres. Il a été l'élève du chirurgien écossais Syme dont il a épousé la fille. Il a été nommé professeur de chirurgie à Glasgow en 1859, à Edimbourg et, enfin, au Kings College à Londres. Après avoir observé des infections de plaies, il a soutenu l'hypothèse que l'infection avait pour origine la présence de « poussières pathogènes » contenues dans l'atmosphère. Après avoir été informé des travaux de Pasteur, il a appliqué les découvertes du savant français à l'infection chirurgicale et il a eu l'idée de pulvériser de l'acide phénique sur les plaies ouvertes et de les fermer hermétiquement après l'intervention avec un pansement fait de gaze phéniquée (« pansement de Lister »).

En 1867, il a publié dans *The Lancet* son article principal, « On the antiseptic principle in the practice of surgery ». Les idées de Lister ont été accueillies avec méfiance par ses collègues jusqu'en 1870, année où il a publié les résultats de la mortalité après amputation : 45 % de mortalité avant l'antisepsie, 15 % seulement après. La « méthode antiseptique de Lister » a alors été acceptée par les chirurgiens.

Il a bénéficié alors d'une immense renommée internationale qui eut son couronnement quand, en 1892, il reçut l'accolade de Pasteur dans le grand amphithéâtre de la Sorbonne. La reine Victoria l'anoblit et il fut nommé président de la Société royale de Londres.

Assisté de Sir Treeves, il a réalisé l'appendicectomie du Prince de Galles, du Roi Edouard VII en 1902.

Robert Koch (1843-1910)

Ce médecin allemand est considéré avec Pasteur comme le précurseur de la microbiologie moderne. Né à Clausthal où son père était directeur de mine, après des études de médecine à Gottingen, il a d'abord été médecin de district en Silésie, puis professeur d'hygiène à Berlin, en 1876. Il s'est d'abord intéressé au charbon ovin qu'il a réussi à cultiver expérimentalement. Il a décrit la première fois sur le bacille du charbon le phénomène de sporulation. Le 24 mars 1882, il a découvert l'agent responsable de la tuberculose connu sous le nom de « Bacille de Koch ». Il a publié cette découverte en 1882 à Berlin sous le titre *Die Aetiologie des Tuberculose*.

En 1883, il s'est rendu à Alexandrie pour étudier une épidémie de choléra dont il a découvert l'année suivante l'agent causal, le vibrion cholérique qu'il a appelé « komme bacillus ». Il a fondé en 1885 l'Institut d'hygiène sur le modèle de celui de son rival Louis Pasteur.

En 1890, il a subi un échec en préconisant le traitement de la tuberculose par la « tuberculine » qui a trouvé sa place par la suite comme méthode de diagnostic.

Il a reçu le prix Nobel en 1905.

Sir Charles Bell (1774-1842)

Ce médecin écossais a localisé et différencié les fonctions motrice et sensorielle des nerfs rachidiens (*The Nervous System of the Human Body*, 1830).

Richard Bright (1789-1858)

Médecin personnel de la reine Victoria, Bright a réalisé de nombreux travaux en anatomie pathologique. Il a décrit la néphrite chronique à laquelle il a donné son nom.

Emil von Behring (1854-1917)

Ce bactériologiste allemand est considéré comme un des précurseurs de l'immunologie. Après des études de médecine à l'école de santé militaire de Berlin, il est devenu médecin-major en 1880. En 1889, il a débuté ses travaux sur les maladies infectieuses à l'institut Robert-Koch de Berlin. En 1894, il a été nommé professeur à l'université de Halle, puis directeur de l'Institut d'hygiène de Marbourg en 1895. Il a réalisé des recherches sur la sérothérapie et il a découvert les antitoxines contre la diphtérie et le tétanos.

John Hughlings Jackson (1835-1911)

Ce médecin anglais a exercé au London Hospital en 1859 et au *National Hospital for the Paralysed and Epileptics* de Londres en 1862. Il est considéré comme un des pionniers de la sémiologie neurologique. Il a étudié l'épilepsie, les troubles du langage et les troubles du système nerveux en rapport avec une lésion du cerveau ou de la moelle épinière. Il a corroboré, en 1864, les hypothèses de Pierre Paul Broca selon lesquelles le centre de la parole des droitiers était localisé dans l'hémisphère cérébral gauche et vice versa. Il a étudié une épilepsie localisée avec Bravais.

Jules Émile Péan (1830-1898)

Fils d'un meunier, Péan a fait de brillantes études de médecine. Nommé major à l'Internat de Paris, il est devenu l'élève de Nélaton. Nommé chirurgien des hôpitaux en 1865, il a innové dans un certain nombre de techniques chirurgicales (hystérectomie, ovariectomie, résection du pylore avec anastomose gastro-duodénale termino-terminale), ainsi que dans divers instruments (notamment une pince hémostatique et une table opératoire inclinable).

GRANDES ÉPIDÉMIES

Les épidémies responsables des défaites napoléoniennes

Deux épidémies ont eu des conséquences sur les campagnes militaires de Napoléon :

– la peste qui a touché une grande partie du corps expéditionnaire français au moment où il s'apprêtait à conquérir la Syrie. Cette épidémie illustrée par un tableau représentant le général Bonaparte visitant les pestiférés de Jaffa a eu pour principal conséquence de l'empêcher de poursuivre son expédition ;

– le typhus ou « fièvre des camps » qui a touché les troupes de l'Empereur au moment de la campagne de Russie.

Le choléra

Le choléra qui sévissait en Asie du Sud-Est depuis des millénaires avait épargné l'Europe jusqu'au début du XIXᵉ siècle, en raison de la fragilité du vibrion cholérique. Le foyer de la maladie se situait dans le delta du Gange en Inde.

Le choléra est parti du Bengale en 1826, puis s'est propagé vers l'Europe par voie terrestre, après avoir traversé l'Afghanistan, la Perse et la Russie. La Pologne, l'Allemagne et la Grande-Bretagne ont été les trois premiers pays touchés par cette maladie. Les premiers cas de choléra ont été signalés le 25 mars 1832 à Calais. Très rapidement des cas ont été rapportés à Paris. L'épidémie meurtrière a touché à Paris environ 230.000 personnes et a entraîné 94 666 morts. À Paris le choléra a eu des conséquences sur le plan politique en raison du plus grand nombre de victimes parmi la population des quartiers ouvriers. Une rumeur a même accusé les riches, les médecins et les juifs d'avoir empoisonné les fontaines. L'épidémie de choléra a cessé en février 1833. En 11 mois, cette épidémie a entraîné la mort de 160 000 personnes.

D'autres vagues d'épidémies de choléra ont touché l'Europe au cours du XIXᵉ siècle, entraînant une vague de terreur dans les populations avec leurs millions de victimes. Ces épidémies de choléra étaient la conséquence de la conjonction de deux facteurs :

– l'ouverture de nouvelles routes maritimes, en particulier le percement du Canal de Suez en 1869 ;

– la découverte du bateau à vapeur qui a permis la circulation rapide du vibrion cholérique du continent asiatique au continent européen.

L'épidémie de choléra qui a sévi dans le sud de la France a été évoquée dans l'ouvrage de Jean Giono *Un Hussard sur le toit*.

La variole

Le 28 mars 1800, pour la première fois, un Français a bénéficié de la vaccination contre la variole. En 1808, près de deux millions et demi de personnes avaient été vaccinées. Toutefois l'introduction de la vaccination contre la variole a suscité des oppositions importantes en particulier de la part du pape Léon XII, qui a affirmé en 1829 : «Quiconque procède à la vaccination antivariolique cesse d'être fils de Dieu car la variole est un jugement de Dieu. Par conséquent, la vaccination est un défi à l'adresse de Dieu». Dans un certain nombre de diocèses, les patients avaient le choix entre l'excommunication et la vaccination.

La grande épidémie de variole qui s'est déclarée à la veille de la guerre de 1870-1871 en France a eu des conséquences importantes sur le cours du conflit. En effet la plus grande partie de la population française n'était pas protégée par la vaccination. L'armée française a été décimée par la variole qui a entraîné la mort de 23 500 soldats (contre 297 pour l'armée allemande) et l'immobilisation de plusieurs milliers de convalescents sur un effectif de 600 000 hommes. Les soldats de l'armée de Bismarck avaient tous bénéficié d'une vaccination.

ILS ÉTAIENT AUSSI MÉDECINS

Hans Christian Andersen (1805-1875)

Ce fils d'un cordonnier danois a pu faire des études de médecine à l'université de Copenhague après avoir obtenu une bourse. Il a publié d'abord des poèmes, comme *L'enfant mourant,* en 1827, puis des romans, *L'Improvisateur* (1835), *O.T.* (1836) et *Rien qu'un violoneux* (1837). Mais il est surtout connu pour avoir écrit les célèbres *Contes,* qu'il a publiés de 1835 à 1872.

Sir Arthur Conan Doyle (1859-1930)

Celui qui est considéré comme le maître du roman policier a fait des études de médecine à Édimbourg. Il a exercé comme médecin sur un baleinier dans l'Arctique pendant sept mois, puis comme médecin sur un cargo qui se rendait en Afrique. Il a exercé la médecine de 1882 à 1891, dans la ville portuaire de Portsmouth. En même temps, il s'est mis à l'écriture et a publié *Une étude en rouge,* qui a obtenu en 1887 un grand succès. Il a imaginé le célèbre détective flegmatique et ingénieux Sherlock Holmes, toujours aidé de son ami le docteur Watson pour l'aider à résoudre les énigmes. Les plus célèbres aventures du détective sont *Le Signe des quatre* (1889), *Les Aventures de Sherlock Holmes* (1892), *Les Mémoires de Sherlock Holmes* (1893), *Le Retour de Sherlock Holmes* (1905).

Arthur Schnitzler (1862-1931)

Fils d'un professeur d'ORL à l'université de médecine de Vienne, Arthur Schnitzler a fait des études de médecine et a passé son diplôme de docteur en médecine en 1885. Il a occupé quelques postes d'assistant ORL dans plusieurs hôpitaux de la capitale, puis il s'est installé en 1893 en exercice libéral. Sa passion était l'écriture. Il a débuté par l'écriture de pièces de théâtre en 1893, avec *Anatole.* Il a publié *La Ronde* en 1897 et en 1900 *Le lieutenant Gustl.*

Eugène Sue (Marie-Joseph Sue) (Paris, 1804-Annecy, 1857)

Ce romancier a fait des études de médecine, puis il a été chirurgien sur le vaisseau « Le Breslau » à bord duquel il a participé à la bataille navale de Navarin. À la mort de son père, chirurgien connu, il a décidé de se consacrer à l'écriture. Il a écrit des romans : *Plick et Pluck* (1831), *Atar Gull* (1831) ; *La Salamandre* (1832), *Mathilde* (1841). Mais il est surtout connu pour ses romans-feuilletons (*Les Mystères de Paris* (1842-1843) ; *Le Juif errant* (1844-1845), *les Mystères du peuple* (1849-1857)).

Anton Pavlovitch Tchekhov (1860-1904)

Celui qui est considéré comme le maître de la nouvelle a écrit en 1884 : « La médecine est ma femme légale, la littérature, ma maîtresse ; fatigué de l'une, je passe ma nuit avec l'autre. »

Il était le fils d'un épicier de Taganrog, port de la mer d'Azov. Il a fait des études de médecine à Moscou. Il a commencé à écrire à cette période, pour gagner un peu d'argent, des nouvelles et des reportages, qu'il a publiés sous divers pseudonymes dans des revues humoristiques.

En 1885, il est parti exercer la médecine dans un hôpital de zemstvo à Zvenigov. Il a publié en 1888 *La Steppe*.

Il a connu le succès avec la publication de *L'Île de Sakhaline*, en 1893, dans laquelle il a dénoncé l'univers concentrationnaire, ce qui a eu pour conséquence l'abrogation des châtiments corporels qu'il avait décrits. En 1892, il s'est installé près de Moscou dans une propriété à Melikhovo. Bien que souffrant de la tuberculose il a écrit *La Chambre nᵒ 6*, *Le Moine noir*, *Récits d'un inconnu* et *La Mouette* tout en poursuivant son activité médicale à titre gratuit. Il a écrit des pièces de théâtre comme *Oncle Vania* (1897). Il est mort victime de la tuberculose.

Victor Segalen (1878-1919).

Ce médecin de marine était également explorateur, ethnographe, archéologue. Il a publié des romans : *Les Immémoriaux* (1907), *René Leys* (posthume, 1921), ainsi que des poèmes novateurs de *Stèles* (1912) et de *Peintures* (1916).

Lejzer Ludwik Zamenhof (1859-1917)

Ce médecin juif polonais a été le créateur en 1887 de la langue universelle, l'espéranto dont l'idée lui est venue en voyant sur le marché de Bialystok les marchands s'invectiver en yiddish, en russe, en polonais, en biélorusse et en allemand.

Livingstone David (1813-1873)

Après des études de médecine à l'université de Glasgow où il a obtenu son diplôme de docteur en médecine, il est devenu missionnaire. Il a été accueilli, en 1838, par la Société missionnaire de Londres, qui l'a envoyé en 1841, après un séjour au Cap, au Bechuanaland. Il a exploré le désert du Kalahari, le lac Ngami, il a découvert les chutes de Victoria. Il est le premier Européen à avoir traversé l'Afrique australe d'ouest en est.

Il a dénoncé la traite des esclaves lors de son séjour en Grande-Bretagne en 1856, multipliant les conférences. En 1866, il s'est rendu d'abord au lac Nyassa puis au lac Tanganyika, où il a démontré que le Nil n'y prenait pas sa source. Il a rencontré sur le bord de ce lac Stanley en 1871.

Émile Littré (1801-1881)

Après avoir fait de brillantes études de médecine, Littré a passé l'externat puis l'internat de Paris. Il a refusé de passer son doctorat à la mort de son père, qui l'avait laissé chargé de famille et ne lui avait pas permis d'engager les dépenses nécessaires à l'ouverture d'un cabinet médical. Il a fondé deux revues médicales et il a traduit les œuvres complètes d'Hippocrate (1839-1861). Mais il a été connu pour avoir été l'artisan en France du positivisme qu'il a appliqué à la linguistique.

Après la révolution de 1848, il a été nommé membre du Conseil municipal de Paris. Mais son œuvre majeure a été la rédaction à partir de 1863 d'un *Dictionnaire de la langue française* (1863-1873 ; supplément en 1878), connu depuis son nom, le *Littré*.

Edouard Vaillant (1840-1915)

Ce médecin est connu comme homme politique socialiste. Il a participé à la Commune en 1871 puis après son exil en Angleterre, il a été élu député du XXᵉ arrondissement de Paris en 1893.

Borodine Alexandre (1833-1887)

Celui qui est considéré comme l'un des plus grands compositeurs russes du XIXᵉ siècle a été aussi médecin. Après des études de médecine, il est devenu en 1864 professeur de chimie à l'académie de médecine de Saint-Pétersbourg. Puis il a acquis en 1862 à l'âge de 29 ans ses premières leçons de musique sous l'influence du compositeur Mili Balakirev. Il a adhéré par la suite au « groupe des Cinq » avec Balakirev, Moussorgski, Nicolaï Rimski-Korsakov et César Cui.

Jean Louis Poiseuille (1797-1869)

Ce fils d'un charpentier a fait des études de médecine. Il a étudié d'abord la circulation sanguine, et plus particulièrement la pression du sang dans les artères ce qui l'a conduit à réaliser une série d'expériences pour déterminer la loi de l'écoulement d'un liquide dans les tubes capillaires.

CES MALADES CÉLÈBRES

L'ulcère de jambe de Louis XVIII

Au cours de l'été 1824, Louis XVIII présente une surinfection de ses ulcères variqueux des membres inférieurs qu'il néglige depuis de nombreuses années. Les médecins sont alertés par Baptiste, le valet de chambre du roi qui, en enlevant les bas de son maître y a « *trouvé des fragments de doigt de pied gauche : l'orteil et un autre doigt sont presque tombés. Cet excellent homme qui lui est attaché, a failli se trouver mal d'émotion, mais le roi ne s'en est pas aperçu ; toutes les chairs sont comme molles et insensibles* ».

Les médecins réalisent des applications de cataplasme qui n'entraînent le succès escompté. Un geste chirurgical est discuté un moment mais est vite récusé. L'état du roi Louis XVIII empire progressivement. Les spectacles et la Bourse sont suspendus le 12 septembre en raison de l'aggravation de la maladie du roi. Le roi Louis XVIII l'apprenant s'étonne de l'intérêt que lui portent ses sujets et s'exclame « *J'ai donc fait quelque chose de bien !* ». La gangrène s'étend à tout le corps du roi Louis XVIII. Sa mort coïncide avec la montée de pouvoir des conservateurs qui ont accédé au gouvernement à la suite des élections du 24 février 1824. Il permet l'intronisation de son frère le comte d'Artois, sous le nom de Charles X qui se vantait de ne jamais avoir changé depuis 1789. Ce dernier dit volontiers « *Les concessions ont perdu Louis XVI, j'aime mieux monter à cheval qu'en charrette* ». Louis XVIII qui avait peu d'estime pour son frère aurait, juste avant de mourir, prononcé un mauvais jeu de mot : « *Allons, finissons-en, Charles attend (charlatan)* ». Aussitôt au pouvoir, Charles X adopte une série de mesures réactionnaires dont la plus impopulaire est un projet de loi visant à bâillonner la presse politique. Ces mesures aboutissent au soulèvement du peuple de Paris au cours des trois journées des 27, 28 et 29 juillet 1830 restés célèbres sous le nom « Les Trois Glorieuses ».

Les troubles urinaires de Napoléon Bonaparte

Tout au long de sa vie, Napoléon Bonaparte a eu des difficultés à uriner. Les soldats napoléoniens avaient l'habitude de le voir descendre de cheval, s'approcher d'un mur et demeurer longtemps, le front appuyé à la paroi, les jambes écartées, le corps légèrement en retrait. Dans ces moments-là, ordre était donné de ne pas crier le réglementaire « Vive l'Empereur ». Aux Tuileries, les problèmes urinaires de Napoléon Iᵉʳ ont des conséquences néfastes dans ses relations avec son épouse l'impératrice Marie-Louise : ne supportant pas d'être réveillée la nuit, elle oblige l'empereur à faire chambre à part.

Les troubles urinaires sont particulièrement handicapants au cours de la campagne de Russie. Entre la bataille de la Moskowa (7 septembre 1812) et l'entrée à Moscou (14 septembre 1812), Napoléon souffre énormément de dysurie. Selon un témoin « *Napoléon, descendu de selle, s'arrête encore plus longtemps qu'à l'habitude, le front appuyé sur la roue d'un canon. Sa gêne est, cette fois, réellement douloureuse et c'est péniblement qu'il remonte à cheval* ». Ses médecins Yvan et Mestivier lui prodiguent quelques soins. Finalement, dans la nuit du 5 au 6 septembre, il réussit à émettre douloureusement, goutte à goutte, une urine bourbeuse et sédimenteuse. La dysurie ne cesse que deux jours après l'entrée à Moscou.

Au cours de la période des Cent Jours, Napoléon a une activité intense, ne dormant pas plus de trois heures de suite la nuit, se levant dès 6 heures du matin pour lire sa correspondance. Quand, le 12 juin 1815, Napoléon prend la tête de l'armée du Nord pour se rendre en Belgique, c'est un homme qui a des problèmes de santé. Il souffre de troubles urinaires avec des conséquences importantes sur ses décisions. En effet, au moment de la bataille de Waterloo le 18 juin 1815, son entourage souligne un engourdissement de son esprit et son manque de décision. Et pourtant malgré la souffrance, il ne prend que vingt heures de repos sur quatre-vingt-seize heures et il reste en selle pendant plus de trente-sept heures. À son retour de Waterloo, il est si souffrant qu'il tombera de cheval.

À Sainte-Hélène, Antonmarchi, le médecin qui s'est occupé de Napoléon, est un jour accueilli par ces mots : « *J'ai toujours éprouvé de la difficulté à uriner et d'autant plus que le besoin s'en faisait sentir plus fréquemment. Aujourd'hui, les souffrances sont intolérables* ».

À sa mort, une autopsie réalisée par le docteur Antonmarchi met en évidence une vessie très rétrécie, renfermant une certaine quantité de graviers mêlés à quelques petits calculs, ainsi que de nombreuses plaques rouges éparses sur la muqueuse vésicale.

Les coliques néphrétiques de Napoléon III

Dans la nuit du 14 au 15 juillet 1870, au cours de laquelle s'est réuni le Conseil des ministres pour décider de la conduite à adopter vis-à-vis de la Prusse, Napoléon III présente de violentes crises de coliques néphrétiques qui le contraignent à quitter la salle du Conseil. L'empereur est partisan de la tenue d'une conférence européenne pour résoudre la crise. En son absence (environ 30 à 45 minutes), l'Impératrice ayant pris connaissance de l'attitude non belliqueuse des ministres intervient de façon véhémente dans la discussion et obtient un vote en faveur de la guerre contre la Prusse. Quand prend le commandement en chef des armées françaises, Napoléon III est malade. Il quitte Saint-Cloud le 27 juillet pour Metz, le teint blafard, les paupières gonflées par l'œdème, les gestes lents, le dos voûté, la démarche lourde. Il arrive à Metz épuisé. Le 28 juillet, il apparaît devant ses troupes tremblant de fièvre, dysurique et incontinent, son pantalon doublé de nombreuses serviettes, à cheval, stoïque toute la journée. Son état de santé catastrophique le rend incapable de prendre une décision cohérente. Il assiste sans réagir à l'enchaînement des défaites militaires à Wissembourg, à Fraoeschwiller et à Forbach. Son intense souffrance l'empêche de prendre les bonnes décisions. Au cours de la bataille de Sedan le 1er septembre, il enfourche péniblement son cheval, le pantalon garni de serviettes protectrices et il passe la matinée à s'exposer au feu ennemi, souhaitant une mort qui ne veut pas de lui. Dans un sursaut de volonté, il a fait hisser le drapeau blanc afin d'éviter un carnage inutile.

Le 2 septembre, une fois la capitulation signée avec Bismarck, il rencontre le Roi de Prusse auquel il remet l'épée du soldat vaincu mais point celle de la France. Il écrit à l'Impératrice « *Il m'est impossible de te dire ce que j'ai souffert et ce que je souffre (…). J'aurais préféré la mort à être témoin d'une capitulation si désastreuse et encore la marche d'aujourd'hui au milieu des troupes a été un vrai supplice* ». Il est mort en exil en Angleterre le 9 janvier 1873 des suites de ses troubles rénaux.

POUR EN SAVOIR PLUS

ACKERKNECHT E. H. – *La médecine hospitalière à Paris: 1794-1848*. Trad. de l'anglais par Françoise Blateau. Payot, Paris, 1986.

BLOCH H. – François Magendie, Claude Bernard, and the interrelation of science, history and philosophy. *In: Science, history, and philosophy*. H. BLOCH, 1985: 1259-1261.

CUNNINGHAM A., WILLIAMS P. – *The laboratory revolution in medicine.* Cambridge university press, Cambridge, 1992.

DEBRÉ P. – *Louis Pasteur.* Flammarion, Paris, 1997.

DELOYERS L. *et al.* – *François Magendie, précurseur de la médecine expérimentale.* Publié avec le concours de la Fondation universitaire de Belgique. Presses universitaires de Bruxelles; Bruxelles; Maloine, Paris, 1970.

FAURE O. – *Les Français et leur médecine au XIXᵉ siècle.* Belin, Paris, 1993.

FOUCAULT M. – *Naissance de la clinique: une archéologie du regard médical.* PUF, Paris, 1988.

HAMRAOUI E. – *Laënnec, René Théophile Hyacinthe, 1781-1826.* Paris, 1991.

LAMBRICHS L. L. – *La vérité médicale: Claude Bernard, Louis Pasteur, Sigmund Freud: légendes et réalités de notre médecine.* Préf. de Mirko D. Grmek. R. Laffont, Paris, 1993.

LÉONARD J. – *La France médicale: médecins et malades au XIXᵉ siècle.* Julliard, Paris, 1978.

LESCH J.E. – *Science and medicine in France: the emergence of experimental physiology, 1790-1855.* Harvard University Press, Cambridge, London, 1984.

PROCHIANTZ A. – *Claude Bernard la révolution physiologique.* PUF, Paris, 1990.

SALOMON-BAYET C., LÉCUYER B., *et al.* – *Pasteur et la révolution pastorienne.* Préface par André Lwoff. Payot, Paris, 1986.

THÉODORIDÈS J. – Un demi-siècle de médecine française: Pierre Rayer (1793-1867). *In: La France médicale: médecins et malades au XIXᵉ siècle.* J. LÉONARD, Julliard, Paris, 1978.

MÉDECINE
DU XXᵉ SIÈCLE

DATES CLÉS

1900 : Sigmund Freud publie son ouvrage intitulé *L'interprétation des rêves*

1900 : Martinus Beijerinck découvre le virus responsable de la fièvre jaune

1902 : découverte de l'anaphylaxie par Charles Richet et Paul Portier

1901 : découverte de l'adrénaline par Jokichi Takamine

1901 : découverte des groupes sanguins par Karl Landsteiner

1901 : mise au point de l'électrocardiographie par Willem Einthoven

1903 : mise au point par Paul Ehrlich du novarsenobenzol pour traiter la syphilis

1905 : Serghei Korotkoff a proposé de coupler le stéthoscope à l'usage du tensiomètre

1906 : élaboration du concept de l'allergie par Clemens von Pirquet et des maladies allergiques

1916 : l'héparine est découverte par William Howell

1923 : découverte de l'insuline par Frederick G. Banting et John J.R. Macleod

1928 : découverte de la pénicilline par Alexander Fleming

1929 : mise au point de l'électroencéphalographie par Hans Berger

1929 : réalisation par Werner Forssmann du cathétérisme cardiaque pour la première fois

1935 : découverte des sulfamides par Gerhard Domagk

1939-45 : essor de la réanimation-transfusion

1940 : mise au point de la fabrication de pénicilline par Howard W. Florey et Ernst Boris

1940 : identification du facteur Rhésus en 1940, par Karl Landsteiner

1944 : découverte de la streptomycine par Selman Abraham Waksman

1948 : utilisation de la cortisone par P.S. Hensch

1949 : mise au point de la technique de cultures cellulaires par John Enders

1952 : essai de greffe du rein par Jean Hamburger

1953 : élaboration du modèle de la double hélice de l'ADN par James D. Watson et Francis H. Crick

1956 : première tentative concluante de l'essai d'une pilule contraceptive par Gregory Pincus chez des femmes de Porto Rico

1958 : succès de la transplantation rénale réalisé par John P. Merill et Joseph Murray

1958 : Jean Dausset met en évidence l'existence des groupes leucocytaires HLA (human leucocyte antigens)

1959 : Raymond Turpin et Jérôme Lejeune rapportent la présence d'un chromosome supplémentaire de la 21ᵉ paire chromosomique au cours de la trisomie 21

▶

▶

> 1963 : Thomas E. Starzl réalise la première greffe du foie à Denver (États-Unis)
> 1967 : Christian Barnard réussit, en 1967, la première transplantation cardiaque
> 1969 : découverte par Baruch Blumberg dans le sang d'aborigènes australiens de l'antigène de surface du virus de l'hépatite B
> 1979 : mise au point de la cyclosporine A par Jean-François Borrel
> 1981 : le CDC (*Centers for Disease Control*) d'Atlanta rapporte les premiers cas de sida

FAITS ESSENTIELS

Le XXᵉ siècle a été marqué par le fantastique bond en avant de la médecine. L'espérance de vie s'est allongée (plus de 30 ans en un siècle), ce qui a entraîné l'allègement des souffrances physiques et morales. La médecine a eu des répercussions majeures dans les principales avancées sociales et éthiques de ce siècle. Chaque décennie a été marquée par une série de découvertes médicales qui ont été intimement intriquées avec les grands bouleversements historiques.

La transfusion sanguine, la chirurgie d'urgence, l'antisepsie et le transport des blessés se sont formidablement développés au cours de la première guerre mondiale. Des médicaments comme la pénicilline, les chimiothérapies anticancéreuses doivent leur essor à l'effort de guerre des industries médicamenteuses au cours de la seconde guerre mondiale.

Les découvertes médicales ont également entraîné un bouleversement dans le statut du médecin dans la société. Il a fallu que ce dernier s'adapte et qu'il tienne compte de l'introduction de la technologie dans sa profession. Cette adaptation à l'outil technologique a soulevé un certain nombre d'interrogations. L'éthique médicale s'est développée au lendemain de la guerre avec les découvertes des macabres activités des médecins nazis. La médecine humanitaire a été fondée à la suite de la famine occasionnée par la guerre du Biaffra. Le XXᵉ siècle a été marqué par la multiplication des examens complémentaires, qui ont permis une approche de plus en plus sélective des affections pathologiques.

Si de nombreuses maladies infectieuses sont devenues moins fréquentes voire ont été éradiquées, comme la variole, de nouvelles sont apparues, comme l'infection à VIH, qui constitue aujourd'hui un problème majeur de santé publique.

CONTEXTE HISTORIQUE

Le XXᵉ siècle a été marqué par de grands bouleversements géopolitiques avec des conséquences importantes à la suite des deux guerres mondiales. Ce siècle a été bouleversé par une fantastique course aux découvertes qui ont eu lieu dans toutes les disciplines :

– sur le plan technologique, on a assisté à l'explosion des moyens de transport avec la mise au point des automobiles et des avions et le lancement de fusées qui ont permis la conquête de l'Espace ;

– sur le plan de la communication, il y a eu l'essor de la radio, de la télévision, du cinéma et d'internet ;

– il y a eu l'essor de la biologie, de la chimie et des sciences physiques avec les progrès de la théorie atomique et la formulation de la théorie de la relativité.

Mais ce siècle a été marqué par l'émergence des totalitarismes et l'organisation de génocides d'une ampleur jamais égalée dans l'histoire de l'humanité.

ESSOR DES SCIENCES FONDAMENTALES

La virologie

L'histoire de cette discipline a été jalonnée par des découvertes importantes qui ont eu lieu au cours du XXᵉ siècle :

– en 1892, un jeune étudiant en botanique de 28 ans, Dimitri Ivanovsky (1864-1920), a découvert à Saint-Pétersbourg le premier virus qui était le virus de la mosaïque du tabac ;

– en 1898, un ingénieur hollandais, Martinus Beijerinck (1851-1971), a confirmé cette découverte tandis que W. Reed et J. Carrol ont découvert le virus responsable de la fièvre jaune en 1902 ;

– au début du siècle, les virus filtrants ou ultravirus étaient différenciés des bactéries à partir de certains caractères :

- ils n'étaient pas retenus par les bougies bactériologiques qui arrêtent les bactéries,

- ils n'étaient pas cultivables sur les milieux de culture au microscope optique ;

– l'Uruguayen Sanarelli a découvert les virus responsables de maladies humaines, de la rage en 1903, de la vaccine en 1906, de la poliomyélite en 1909 ;

– en 1914, Andriewsky a mis en évidence le passage de collodion (filtre organique) à travers les membranes, réputées jusqu'alors seulement perméables à l'eau et aux sels minéraux de l'agent de la peste aviaire (des volailles) ;

– en 1917, les bactériophages ou phages qui sont des virus bactériens sont isolés par Félix d'Hérelle ;

– jusque dans les années 30, l'étude des virus reposait sur un examen indirect et était limitée à l'inoculation à des animaux de laboratoire (lapin, souris, cobaye ou singe), elle a évolué :

- grâce aux travaux de Wendell Stanley en 1935 sur le virus de la mosaïque du tabac et ceux de Bawden et Pirie en 1936 qui ont mis en évidence le caractère cristallisable des virus, il a été possible de classer les virus entre le monde des êtres vivants et celui de la matière inerte,

- après 1940, la découverte du microscope électronique a permis la réalisation des premières images de virus, ce qui a permis de mieux connaître leur morphologie,

- en 1949, la technique de cultures cellulaires facilement reproductibles permettant une étude poussée des virus a été mise au point par John Enders au cours de ses travaux sur la poliomyélite. Cette découverte a permis l'étude de la croissance intracellulaire des virus et surtout elle a marqué le début de la mise au point de vaccins nouveaux.

L'immunologie

L'immunologie est l'étude du système immunitaire dont le rôle est de reconnaître les substances étrangères et de distinguer les bactéries, les virus et les parasites. Plusieurs dates ont marqué l'histoire de cette discipline récente :

– en 1883, Elie Metchnikoff (1845-1916), biologiste russe d'Odessa, a décrit sous le nom de phagocytose le phénomène au cours duquel certaines cellules sanguines ou du tissu conjonctif englobaient dans leur cytoplasme, puis digéraient des microbes. Il a donné le nom de macrophages à ces cellules en 1892 ;

– en 1902, Charles Richet (1850-1935) et Paul Portier (1866-1962) ont mis en évidence le phénomène d'anaphylaxie ;

– à partir de 1945 que les phénomènes allergiques ont été mieux compris :

- dans les années 1960, on a mis en évidence le fait que le système immunitaire permettait d'assurer la défense du moi (« self »), qui constitue l'individu contre le non-moi (« non-self »), qui lui est étranger comme les microbes, les protéines, les tissus ou les cellules issus d'un autre individu avec pour conséquence un phénomène de rejet,

- en 1980, le prix Nobel de médecine a été accordé à George Snell, Jean Dausset et Baruj Benacerraf pour leurs travaux sur les antigènes d'histocompatibilité,

- en 1984, le prix Nobel de médecine a été délivré à César Milstein et à Georges J.F. Köhler pour leurs travaux sur les anticorps monoclonaux,

- en 1987, Tonegawa Susumu a reçu le prix Nobel de médecine pour le réarrangement des gènes d'immunoglobulines.

L'immunologie est aujourd'hui une discipline en pleine évolution qui a de nombreuses applications médicales dans la lutte contre les infections, les maladies auto-immunes, les déficits immunitaires, les allergies et les cancers.

La génétique

Cette discipline a débuté avec la mise en évidence en 1950 de la présence de 46 chromosomes humains :

– en 1953, les structures moléculaires des acides nucléiques ont été déterminées par James D. Watson et Francis H. Crick qui ont proposé leur modèle de la double hélice de l'ADN ;

– en 1959, Raymond Turpin et Jérôme Lejeune ont rapporté la présence d'un chromosome supplémentaire de la 21ᵉ paire chromosomique au cours de la trisomie 21 ;

– en 1966, le code génétique, qui fait correspondre un acide aminé à une suite donnée de trois bases (codon), est établi ;

– à partir de 1975, des techniques de recombinaison génétique *in vitro* (génétique moléculaire ou génie génétique) ont été mises au point, permettant d'isoler un fragment d'ADN d'un chromosome, de l'amplifier, de l'étudier, de le modifier dans sa structure et de le réintroduire dans un organisme. À l'initiative de Paul Berg, une réunion internationale a été organisée en février 1975 à Asimolar en Californie sur ce sujet qui posait des problèmes génétiques. Le fait que des individus voient leur hérédité modifiée inquiétait les scientifiques et leur posait des problèmes éthiques ;

– en 1986, le génie génétique a permis de localiser le gène de la myopathie de Duchenne et, en 1989, celui de la mucoviscidose. Repérés, les gènes ont fait l'objet d'analyses concernant leur séquence, leur expression, leur régulation ;

– en 1996, une carte complète des chromosomes a été établie chez l'homme.

ESSOR DES DISCIPLINES MÉDICALES

La cardiologie

Le début du XXe siècle a été marqué par la mise au point de nouveaux moyens d'investigation dans le domaine d'une spécialité nouvelle : la cardiologie.

La compréhension des mouvements du cœur

Le docteur Jules-Étienne Marey avait posé les jalons de ce nouveau domaine d'étude en décrivant avec précision les mouvements du cœur dans sa thèse intitulée *Physiologie médicale de la circulation du sang* soutenue en 1860. Par la suite avec son complice et ami Jean-Baptiste Chauveau, il a approfondi les connaissances sur l'hémodynamique cardiaque en introduisant dans des vaisseaux d'animaux des sondes gonflées d'air reliées à un tambour à levier capable d'amplifier les effets captés qui venaient s'inscrire sous forme de courbes sur un cylindre métallique recouvert de papier noir qui tournait à vitesse constante et uniforme, actionné par un mouvement d'horlogerie. Leurs travaux présentés à l'Académie de médecine en 1861 ont permis d'expliquer pourquoi le courant sanguin s'écoulait de façon continue dans les artères alors que les mouvements du cœur étaient discontinus. Ils ont montré que le cœur en se contractant entraînait une onde systolique qui distendait les parois artérielles qui, en raison de leur élasticité, revenaient à la position initiale, ce qui permettait la délivrance d'une force capable de faire progresser le sang soit pendant son relâchement soit au cours de la diastole. Les médecins savaient désormais grâce à leurs travaux qu'il y avait dans les artères une pression maximum qui correspondait à la contraction du cœur (la systole) et une pression minimum contemporaine de son relâchement (la diastole).

Mise au point des appareils pour mesurer le pouls et la pression artérielle

La mise au point des appareils pour mesurer le pouls et la pression artérielle a eu lieu progressivement :

– depuis le début des années 1890, il avait été proposé aux médecins des appareils originaux destinés à étudier le rythme et l'amplitude du pouls des malades appelés « sphygmoscopes » ou encore « sphygmographes » s'ils réalisaient un enregistrement sur papier. Tous ces appareils d'un emploi plus ou moins complexe n'attiraient cependant l'attention que de rares médecins hospitaliers. Le sphygmographe a pourtant été le précurseur d'un nouveau type d'appareil : le sphygmomanomètre qui a pris plus tard le nom de tensiomètre. Grâce à cet appareil il a été possible d'enregistrer la pression artérielle (appelée communément tension artérielle). De l'étude de cette pression artérielle découlaient les variantes pathologiques présentées par l'hypotension et surtout l'hypertension artérielle ;

– en 1896 un médecin italien, Scipione Riva Rocci, a introduit une méthode palpatoire pour améliorer l'exploration de la tension artérielle ;

– en 1905, le médecin russe Serghei Korotkoff a proposé de coupler le stéthoscope à l'usage du tensiomètre ;

– en 1909, un médecin français, Michel Pachon a mis au point un oscillomètre capable de fournir les valeurs des pressions maximales et minimales. Les premières études réalisées en ce début de siècle n'ont pas intégré la variabilité des chiffres relevés et n'incorporaient pas tout de suite la notion d'hypertension artérielle comme un facteur de morbidité cardio-vasculaire.

Prise en compte de la pathogénicité de l'hypertension artérielle

À la fin du xixᵉ siècle, les praticiens des grandes compagnies d'assurance d'Amérique du Nord ont été les premiers médecins à avoir soupçonné la pathogénicité de l'hypertension artérielle et à avoir indiqué les limites physiologiques des pressions artérielles. En 1899, à Bruxelles, lors du premier congrès international des médecins d'assurance, le docteur Moritz a affirmé : «je considère le bon état du cœur et des vaisseaux comme la meilleure garantie de longévité et leurs dégénérescences comme une des principales causes de mort prématurée.» Vers 1911, Fischer, directeur de la Northwestern Mutual Life Insurance Company expliquait «qu'aucun médecin ne devrait exercer sans sphygmomanomètre. Il possède avec cet instrument une aide fiable dans sa démarche diagnostique.»

Le docteur Louis Gallavardin a publié en 1914 à compte d'auteur un ouvrage de 70 pages intitulé *La tension artérielle en clinique* qui a été refusé par les éditeurs sous prétexte qu'il s'agissait d'une «œuvre de spécialiste, qui ne peut intéresser que vous».

La découverte de l'électrocardiogramme

La découverte de l'électrocardiogramme a permis de faire un diagnostic précis de deux affections coronariennes dont la sémiologie avait été établie au xixᵉ siècle : l'angine de poitrine et l'infarctus du myocarde.

En 1887, l'activité électrique du cœur à travers la peau a été mise en évidence par le physiologiste anglais Désiré Auguste Waller.

En 1903, le danois Willem Einthoven (1860-1927) a réalisé pour la première fois un enregistrement ECG (électrocardiographique) de l'activité électrique du cœur à l'aide d'un galvanomètre à corde qu'il avait lui-même réalisé. La corde qui était constituée d'un filament de quartz de 7 microns d'épaisseur recouvert d'argent reliait les deux pôles d'un électro-aimant. Einthoven s'est aperçu que le champ magnétique réalisait un déplacement du filament proportionnel à l'activité électrique du cœur. Il a montré que les tracés graphiques obtenus sous forme d'oscillations étaient le reflet des ondes électriques traversant le cœur. Il a analysé et comparé les tracés électriques dans différentes affections cardiaques. En 1907, il a conçu le premier phonocardiographe. Einthoven a reçu le prix Nobel de médecine en 1924. Au cours des premiers enregistrements, les patients étaient solidement attachés sur un siège et devaient plonger une main et un pied dans des bassines d'eau salée où étaient immergées des électrodes conductrices. Le médecin américain Harold Pardee, les cardiologues français Jean Lenègre et Pierre Soulié ont amélioré la connaissance des anomalies électrocardiographiques.

Au cours du XXᵉ siècle, l'avènement de l'électrotechnique et de l'électronique a permis par la suite une miniaturisation de l'appareillage et sa distribution à grande échelle.

Les évolutions des techniques d'exploration cardiologiques

Les techniques ont permis d'entraîner des progrès importants en cardiologie :

– la radiologie a permis la mise au point de l'angiographie ;

– en 1929, le cathétérisme cardiaque (introduction d'une sonde dans les cavités du cœur) a été réalisé pour la première fois par Werner Forssmann (1904-1979), âgé de 25 ans, à Berlin. Le cathétérisme du cœur droit a été réalisé sur des malades par André Cournand à partir de 1945 et du côté gauche par Seldinger en 1953 ;

– le premier massage cardiaque externe a été réalisé par Moritz Schiff, puis par le Suisse Paul Niehans en 1880 ;

– les premiers pacemakers électroniques ont été mis au point en 1955 ;

– à partir de 1960, de nouvelles techniques ont permis d'améliorer la cardiologie : le Doppler, la scintigraphie des cavités du cœur (Mc Intyre, 1958), le scanner, la résonance magnétique nucléaire.

L'hématologie

Le développement de la tranfusion sanguine

Les tentatives de transfusion de sang ont été vouées à l'échec jusqu'au XXᵉ siècle, puis il y a eu un certain nombre de découvertes qui ont permis le développement de cette spécialité :

– le Viennois Karl Landsteiner (1868-1943) a découvert en 1901 l'existence de quatre groupes sanguins qui ont été nommés A, B, AB et O par Jansky en 1910. Landsteiner a compris que les globules rouges portaient à leur surface des caractéristiques différentes selon les individus. Certaines règles devaient donc être respectées dans les transfusions afin d'éviter la destruction des globules rouges du donneur par le système immunitaire du receveur ;

– au début, la transfusion directe se faisait de bras à bras et était réalisée à l'aide de seringues de Jubé. Progressivement cette méthode a été remplacée par la perfusion en goutte à goutte ;

– le 16 octobre 1914, le professeur Émile Jeanbrau de la faculté de médecine de Montpellier, affecté à l'hôpital de Biarritz, a demandé à Isidore Colas un don de sang pour le caporal Henri Legrain arrivé en état de choc et agonisant du front. Émile Jeanbrau a réalisé la première transfusion sanguine de la première guerre mondiale. Le résultat a été spectaculaire : « je le vis peu à peu se recolorer et renaître à la vie » expliqua un des médecins ;

– l'emploi de citrate de sodium pour rendre incoagulable le sang a permis le développement des transfusions différées au cours de la Première Guerre ;

– en 1923, le docteur Arnault Tzanck, qui a été mobilisé et a pris conscience de la nécessité d'organiser le système de la transfusion sanguine, a fondé le premier centre de transfusion sanguine à l'hôpital Saint-Antoine de Paris. Devant l'accroissement des besoins en sang, souvent en situation d'urgence, il a compris qu'il fallait mettre en place une structure permettant de disposer en permanence d'un pool important de donneurs disponibles jusque-là limité principalement aux infirmiers. « L'œuvre de la Transfusion sanguine d'urgence » créée en octobre 1928 par Arnault Tzanck est devenue par la suite « Le Centre national de transfusion sanguine » ;

– Landsteiner et Wiener ont identifié en 1940 au Rockefeller Institute de New York deux sous-groupes importants caractérisés par la présence ou l'absence du facteur rhésus. Cette nouvelle notion a permis d'expliquer un certain nombre d'accidents transfusionnels par la présence d'anticorps anti-rhésus, mais surtout elle a permis de comprendre l'origine de certains accidents hémolytiques souvent fatals chez les nouveau-nés ;

– à partir de la seconde guerre mondiale, des méthodes de conservation des différents constituants sanguins se sont développées ;

– à partir des années 50, un risque de transmission des agents infectieux au cours des transfusions a été mis en évidence ;

– en 1992, un procès « du sang contaminé » se déroule à Paris, au cours duquel des médecins ont été condamnés.

Les progrès en hématologie

Au début du xxᵉ siècle, grâce à la mise au point de techniques de coloration, il est devenu possible d'identifier les différents types de globules blancs et d'étudier l'origine des cellules du sang.

Au cours du xxᵉ siècle, les nombreuses maladies sanguines qui affectent les cellules sanguines circulantes et/ou les organes responsables de leur formation et de leur destruction ont été identifiées.

La première greffe de moelle osseuse a été réalisée en 1930 par Michaël Arinkin. C'est en 1947 que les premières rémissions de leucémies ont été rapportées grâce à la réalisation d'Exsanguino Transfusion.

La cancérologie

Au début du xxᵉ siècle, la mortalité par cancer était considérable tandis que les thérapeutiques anticancéreuses étaient pratiquement inexistantes.

Fig. 15.1. *Laboratoire d'analyses médicales vers 1920* (AP-HP).

Le XXᵉ siècle a été marqué par la naissance de la cancérologie expérimentale avec une meilleure connaissance :

– des cancers chimio-induits par les hydrocarbures de goudron ;
– des cancers radio-induits, en particulier des leucémies provoquées par les radiations ionisantes ;
– des cancers viro-induits, c'est-à-dire dus à des virus. Peyton Rous (1879-1970) a découvert en 1911 un sarcome (tumeur maligne conjonctive) du poulet qui était transmissible à d'autres poulets par l'injection de filtrats acellulaires de cette tumeur ;
– des cancers induits par le tabagisme et l'alcoolisme au cours des années 1960.

La découverte des oncogènes viraux et cellulaires par Dominique Stehelin *et al.* en 1976, et des anti-oncogènes, ou gènes suppresseurs du cancer a constitué une avancée dans la compréhension du mécanisme de cancer.

L'allergologie

En 1902, deux biologistes français, Charles Richet (1850-1935) et Paul Portier (1856-1962) ont découvert tout à fait par hasard à l'occasion d'une croisière scientifique sur le yacht du prince Albert Iᵉʳ de Monaco le phénomène d'anaphylaxie en étudiant les poisons des physalies. Le chien de bord en s'amusant avec une des méduses placées dans une bassine, s'est fait piquer une première fois par les tentacules de la méduse. Le lendemain, après que le chien a refait le même jeu, il a été piqué mais est mort immédiatement. Les chercheurs se sont longuement interrogés alors sur l'accident dont venait d'être victime le chien du bord, et il en ont conclu qu'après un premier contact avec le poison, le chien avait été non pas protégé mais plutôt «hypersensibilisé», autrement dit il était devenu beaucoup plus sensible qu'il aurait dû l'être lors du second contact. Le 15 février 1902, Charles Richet et Paul Portier ont exposé leurs résultats et ont livré leur interprétation des faits devant la Société de biologie : «nous appelons anaphylactique (contraire de la phylaxie) la propriété dont est doué un venin de diminuer au lieu de renforcer l'immunité lorsqu'il est injecté à doses non mortelles. C'est le contraire de la protection».

Grâce à la croisière organisée par le prince Albert Iᵉʳ de Monaco, une nouvelle discipline est née : l'allergologie. Progressivement, les médecins ont remplacé le terme d'anaphylaxie qui n'était pas adapté et ont choisi de le remplacer par celui d'allergie (du grec *allos :* différent et *ergos :* action) sur la proposition du pédiatre autrichien Clément von Pirquet (1874-1929). Ce dernier a proposé ce terme pour englober toutes les affections dont il a suspecté une origine allergique comme le rhume des foins, l'eczéma, l'urticaire, la conjonctivite printanière et l'asthme.

L'hépatologie

Baruch Blumberg a découvert en 1968, dans le sang d'Aborigènes australiens, l'antigène de surface du virus de l'hépatite B auquel il a donné le nom d'antigène Australia. Une première étape dans la différenciation des hépatites virales chez l'homme a été établie et a abouti, en 1989, à la découverte des virus d'autres hépatites virales, qualifiées pendant longtemps de «non-A, non-B», et dont on sait maintenant qu'elles sont provoquées par les virus C, E, G, etc.

La mise au point de nouveaux appareillages et en particulier de l'endoscopie a permis l'exploration directe des lésions du tube digestif et du foie.

L'endocrinologie

Cette discipline a pris son essor au XXᵉ siècle avec la découverte des hormones. Elle a été marquée par quelques étapes clefs :

– en 1901, Jokichi Takamine et Thomas B. Aldrich ont été les premiers à réussir à cristalliser une hormone, l'adrénaline ;

– en 1904, Ernest H. Starling et William M. Bayliss ont mis en évidence une substance, la sécrétine, qui déclenchait la sécrétion interne du pancréas ;

– en décembre 1914, Edward C. Kandall a réussi à isoler la thyroxine, considérée alors comme la seule hormone thyroïdienne ;

– en 1923, Frederick G. Banting et John J.R. Macleod ont découvert l'insuline.

Contraception

Mise au point de la contraception

La «pilule» constitue probablement le premier médicament dont l'objectif n'a pas été de soulager des malades mais plutôt d'améliorer la qualité de vie, en permettant aux femmes de maîtriser complètement leur fécondité. La contraception orale a été désormais connue dans le monde entier sous le nom de «pilule». «Prendre la pilule» — synonyme de contraception orale — a fait partie du vocabulaire. La mise sur le marché de la pilule a constitué une vraie révolution dans la société. Elle a joué un rôle majeur dans la libéralisation sexuelle. La mise au point des contraceptifs a eu lieu en plusieurs étapes :

– en 1927, Ludwig Haberlandt (1885-1932) a réussi à montrer que l'administration d'extraits ovariens aux lapines gravides entraînait une stérilité temporaire. Les résultats de cette expérience lui ont donné l'idée de créer une « stérilisation hormonale » qu'il a baptisée « Infecundin ». Il a essuyé un refus quand il a osé proposer des expérimentations sur les femmes. Les pays ruinés par la première guerre mondiale étaient avant tout préoccupés par leur repeuplement ;

– en 1929, les Américains Willard Allen et George Corner ont extrait et ont cristallisé une hormone provenant du corps jaune de la truie. Pour obtenir quelques milligrammes, ils ont dû dépecer des milliers de carcasses d'animaux ;

– en 1934, une hormone est enfin isolée et baptisée « theelin » aux États-Unis, « progynon » en Allemagne, « ostrine » en Grande-Bretagne et « folliculine » en France. Allen et Corner adoptent le nom de « progestérone » ;

– en 1941, le chercheur Russel Marker est informé par des chimistes de l'*US Bureau of Plant Industry* que des femmes des tribus primitives indiennes du Nevada utilisent depuis des siècles des tisanes à visée contraceptive. En se rendant sur place, il a appris que les tisanes étaient réalisées avec une plante lithospernum rudérale dont l'extraction chimique a permis d'obtenir de la progestérone à l'état pur. Il a déclaré alors : « les barrières à la contraception tomberont le jour où l'hormone en question sera disponible en grande quantité ». Russel Marker a découvert que l'iguame sauvage était dotée des mêmes propriétés, mais il n'a pas exploité cette découverte ;

– en 1952, Gregory Pincus a été convaincu de se lancer dans la recherche d'un contraceptif hormonal par deux femmes, Margaret Sanger (infirmière et créatrice du planning familial à New-York) et une milliardaire, Katherine Dexter McCormick, participante active du mouvement pour l'émancipation de la femme aux États-Unis qui a financé le projet (2 millions de dollars) ;

– en 1953, John Rock, gynécologue à l'université d'Harvard à Boston a démontré dans un article paru dans une obscure publication que l'administration de doses élevées de progestérone permettait de bloquer l'ovulation des lapines. Cela lui a donné l'idée d'élaborer une méthode contraceptive sur la base des données de cet article ;

– en 1956, Gregory Pincus a choisi de réaliser un essai d'administration de noréthynodrel élaboré par le laboratoire Searle chez 221 femmes de Porto Rico. Ce fut un succès. Anne Meryl a relaté « une épreuve orale qu'elles passent avec brio devant les membres légèrement tendus du planning familial et les autorités de la santé locale. » (Son seul effet négatif : elle ouvre l'appétit !). « Quand au bout d'un an ou deux, les premières femmes de l'expérience accouchaient, on ne savait pas si ces enfants seraient bien. C'était formidable de découvrir que la contraception était réversible, que les bébés arrivaient à terme et bien constitués ». D'autres études ont été menées par la suite avec succès d'abord à Haïti puis en Inde, au Mexique et enfin aux États-Unis et en Grande-Bretagne ;

– en 1959, ce traitement est d'abord commercialisé aux États-Unis sous le nom d'Enovid comme traitement des troubles menstruels. Son indication dans la contraception est approuvée par la *Food and Drug Administration* en 1960 ;

– dès 1965, des chaînes de fabrication d'éthinylestradiol sont mises en place en Chine. En France, l'introduction de la pilule a lieu tardivement ;

– le 28 Décembre 1967, la mise en vente de la pilule en France est adoptée sous le nom de « loi Neuwirth ». Cette disposition législative abrogeait la loi de 1920 qui punissait de prison la publicité en faveur de l'avortement et de la contraception. Le général Charles de Gaulle alors président de la République n'était pas favorable à la libération de la pilule : « Vous avez songé à l'enjeu ? (…) Ca veut dire que j'accepterais que la population française, au lieu de croître, diminue ? (…) Les naissances qui assurent le maintien de notre population et même, depuis la guerre, un progrès sensible, sont dues à des grossesses non désirées (…). C'est bien joli de favoriser l'émancipation des femmes, mais il ne faut pas pousser à leur dissipation. Nous n'allons pas sacrifier la France à la bagatelle ! ». Les années 60 resteront marquées par le slogan : « Avoir des enfants quand je veux, si je veux » ;

– le 29 Juillet 1968, le Pape Paul VI publie son encyclique *Humanae Vitae*, dans laquelle il condamne toutes les formes de contraception, à l'exception de celles fondées sur des méthodes naturelles, comme la courbe de température. Cette encyclique a suscité un vif débat au sein de l'épiscopat ;

– à partir de 1970, des pilules faiblement dosées contenant moins de 0,05 mg d'estrogène (éthinylestradiol) ont été mises sur le marché. ce dosage est suffisant dans la mesure où le métabolisme hépatique de ces produits de synthèse est très faible ;

– au début des années 1980, les pilules minidosées qui contenaient moins de 0,03 mg d'estrogène ont été introduites. Il s'agissait de pilules d'abord monophasiques (le même dosage pendant 21 jours), puis biphasiques (augmentation progressive des doses) ;

– en 1984, des pilules triphasiques qui suivent les variations hormonales d'un cycle sont introduites.

Aujourd'hui des moyens contraceptifs sont en cours d'expérimentation sous forme de pulvérisations nasales, de pilules avec d'autres propriétés galéniques, d'injections de substances (progestérone synthétique, lutéotrophine, prostaglandines) à action plus ou moins prolongée, d'implants sous-cutanés ayant une activité pendant plusieurs années, d'anneaux vaginaux en silicone qui délivrent un progestatif éventuellement couplé à un œstrogène. La contraception hormonale masculine est actuellement à l'étude.

La contragestion et la pilule RU 486

En avril 1982, le professeur Émile Baulieu et son équipe de l'Institut national de la santé et de la recherche médicale (Inserm) ont livré les résultats de leurs recherches sur une nouvelle pilule à action antiprogestérone, la mifepristone, ou RU 486. Cette molécule pouvant être utilisée comme moyen de contraception épisodique est également utilisée comme un moyen abortif dans les centres d'interruption volontaire de grossesse.

Mise en place d'une législation en matière d'IVG

En 1975, une loi d'interruption volontaire de grossesse (IVG) (loi Veil) a été mise en place en France. Cette loi stipulait que le respect de tout être humain devait être garanti dès le début de la vie et qu'il fallait observer un certain nombre de conditions. La loi Neiertz du 27 janvier 1993 punit l'entrave à l'avortement. Depuis novembre 2000, la limite légale pour pratiquer une interruption volontaire de grossesse a été prolongée de 10 à 12 semaines.

Essor des techniques de procréation médicale assistée

Les procréations médicalement assistées constituent une réponse médicale à l'infertilité des couples :

– à partir de 1963, il a été créé aux États-Unis et au Japon les premières banques de sperme humain. Cette technique s'est développée en France à partir de 1973, avec l'ouverture, par le professeur Georges David, du premier Centre d'étude et de conservation du sperme (Cecos) à l'hôpital de Bicêtre, et d'une banque à l'hôpital Necker à Paris sous la direction du professeur Albert Netter ;

– dans les années 1970, l'insémination artificielle avec donneur a été mise au point dans les cas de stérilité d'origine masculine ;

– en 1978, Louise Brown, premier bébé issu d'une fécondation *in vitro*, est né dans le contexte d'une stérilité d'origine féminine ;

– en 1984, le premier bébé issu d'un embryon congelé, Zoé, est né en Australie grâce au docteur Alan Trounson ;

– en 1985, la technique de micro-injection des spermatozoïdes sous la zone pellucide de l'œuf baptisée Suzi (sigle de *subzonal insemination*) proposée par Jacques Testart a été mise au point ;

– un projet de loi sur la bioéthique a été adopté par l'Assemblée nationale le 26 novembre 1992 : « L'assistance médicale à la procréation, qui est destinée à répondre à la demande parentale d'un couple, a pour objet exclusif de remédier à une stérilité médicalement constatée. Toutefois, elle peut aussi avoir pour objet d'éviter la transmission à l'enfant d'une maladie particulièrement grave et incurable » (premier alinéa de l'article L.152-2).

La psychiatrie

Le XXᵉ siècle a été marqué par la naissance de la psychanalyse sous l'impulsion de Sigmund Freud.

En 1900, Sigmund Freud a publié à Vienne son ouvrage intitulé *L'interprétation des rêves*. Freud est parti de la constatation que dans la vie quotidienne, chaque individu possédait une personnalité, le « moi », qui agissait de façon à limiter de manière itérative la survenue de pulsions. Il a émis l'hypothèse selon laquelle, au cours de la nuit, pendant le sommeil, il y avait un éveil des barrières qui diminuait l'importance du « moi ».

Selon lui, il était alors possible de revivre les événements qui avaient émaillé la journée ou le passé sans que le « moi » joue son rôle de censure. Le rêve permettait la réalisation des pulsions et des désirs, et constituait une compensation nécessaire. Selon Sigmund Freud, le rêve était donc « la réalisation déguisée de désirs refoulés », ou autrement dit « la réalisation d'un désir ». L'interprétation de ces rêves, souvent récurrents, devait ainsi permettre au médecin de comprendre quels étaient les thèmes de blocage de son patient.

En octobre 1902, Sigmund Freud a fondé la Société psychologique du mercredi qui deviendra par la suite la future Société psychanalytique de Vienne avec Alfred Adler à Vienne, Carl-Gustav Jung à Zürich, Otto Rank et Sandor Ferenczi à Budapest, Ernst Jones à Londres et Wilhem Steckel aux Etats-Unis. Contrairement à ses théories sur le rêve qui ont été accueillies dans une relative indifférence, la publication en 1905 de ses *Trois essais sur la sexualité* a provoqué un scandale.

Sigmund Freud a émis une théorie révolutionnaire selon laquelle le psychisme était l'objet d'un affrontement entre des pulsions antagonistes : les unes étaient reliées à l'espèce (pulsions sexuelles), les autres émanaient de l'individu (pulsions du moi). Dans le cas où la pulsion sexuelle ne pouvait pas être satisfaite, la seule défense possible était alors le refoulement. Comme les pulsions n'étaient pas toujours totalement réprimées, elles «engendraient des rejetons sous forme de rêves, d'actes manqués, de symptômes qui eux sont admis dans la conscience».

Freud a pu établir ces théories grâce à sa méthode de libres associations axées sur la relaxation complète du corps, qu'il avait réalisée chez une de ses patientes Elisabeth von R. Cette dernière avait refusé l'hypnose comme «procédé incertain qui a quelque chose de mystique».

Sigmund Freud a jeté les bases d'une nouvelle discipline, la psychanalyse, qui se définit comme une technique de traitement des troubles mentaux par le seul biais du discours sans recours aucun à une autre intervention.

Le divan a permis à Freud de faciliter le déplacement des pulsions vers la parole. Par l'intermédiaire d'associations d'images, de souvenirs lointains, le patient avait la possibilité de se remémorer son histoire personnelle tout en démontant un à un les rouages du refoulement. En s'appliquant à détecter les forces qui limitent le cours des pensées de ses patients, Sigmund Freud révélait des aspects méconnus de la psychologie des hommes grâce au transfert, qui permettait «le déplacement sur la personne du thérapeute des désirs et conflits inconscients».

Bouleversements de la chirurgie

Au XIXᵉ siècle, l'exercice chirurgical reposait avant tout sur l'ablation de l'organe malade (amputation d'un membre traumatisé, extraction d'un calcul, exérèse d'une tumeur ou d'un organe lésé). Le début du XXᵉ siècle a été marqué par un fantastique bond en avant de la chirurgie grâce à l'amélioration des connaissances dans le domaine de l'asepsie, de l'antisepsie et de l'anesthésie. Au cours du XXᵉ siècle, la chirurgie est devenue réparatrice et plastique. Mais surtout il a été possible de réaliser des interventions de chirurgie lourde grâce à la mise en place de véritables équipes anesthésiques et chirurgicales et surtout grâce aux progrès réalisés dans le domaine de la physiologie et de l'immunologie.

Au cours du XXᵉ siècle, la chirurgie a connu deux bouleversements :

– un changement dans son mode d'exercice au cours des principaux conflits qui ont eu lieu dans le siècle ;

– un élargissement du champ d'investigation du chirurgien qui s'est s'enrichi de techniques nouvelles. La chirurgie est devenue de plus en plus réparatrice et conservatrice.

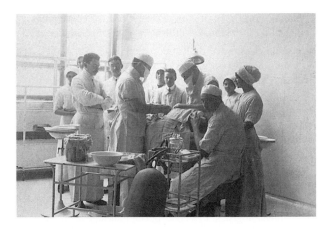

Fig. 15.2. *Intervention chirurgicale vers 1920* (AP-HP).

Bouleversements de la chirurgie au cours des guerres

❐ **L'évolution de la chirurgie au cours de la première guerre mondiale**

Au cours de la première guerre mondiale, les circonstances exceptionnelles, la présence de chirurgiens et de nombreux médecins appartenant à des spécialités différentes et la coordination de tous les moyens diagnostiques et thérapeutiques ont permis d'améliorer les connaissances dans le domaine de la chirurgie avec pour conséquences :

– une planification des techniques opératoires de façon à ce qu'elles soient reproductibles ;

– l'adoption du dogme de l'intervention précoce sous l'instigation des bactériologues présents sur le front. Ces derniers avaient montré que les blessures évoluaient inéluctablement en deux phases : la première d'une durée de 8 heures était caractérisée par une contamination de surface tandis que la seconde se traduisait par la pénétration en profondeur des germes contaminants. Sur la base de ces informations, les chirurgiens ont compris qu'il fallait toujours opérer le plus vite possible les plaies par éclats d'obus, de mines, de torpilles qui sont toutes infectées par suite de souillure (terre, fragments de vêtements, etc). Il a été établi un protocole de prise en charge des blessures qui repose sur la désinfection puis l'ablation des tissus nécrosés et des corps étrangers et enfin la suture primitive autrement dit le rapprochement des chairs dans un délai de 10 heures. Désormais de plus en plus d'interventions chirurgicales de première nécessité ont eu lieu dans les postes de secours pour ne pas perdre de temps, tandis qu'on prenait soin d'assurer un meilleur suivi post-opératoire, véritable prélude à la réanimation ;

– la mise en place au printemps 1917 de structures mobiles composées d'équipes sanitaires appelées les « autochirs » (automobiles chirurgicales avancées, en abrégé A-C-A) qui étaient de vastes campements constitués de grandes tentes rectangulaires proches les unes des autres, d'une baraque en bois abritant la salle d'opération et d'un camion de stérilisation avec deux autoclaves ;

– une prise de conscience de l'importance de la stérilisation des instruments chirurgicaux. D'abord sommaire à l'aide de bouilloires, elle s'est améliorée et était réalisée dans des étuves Poupinel et des autoclaves ;

– la généralisation de l'usage des techniques d'irrigation continue de toutes les blessures à l'aide d'antiseptiques dont le plus connu a été celui qui a été mis au point en 1915 par l'aide major de seconde classe Alexis Carrel et par le chimiste anglais Henry Drysdale Dakin ;

– l'injection systématique de sérum anti-tétanique à tous les blessés dès 1915 sous la pression des médecins de l'Institut Pasteur ;

– l'amélioration des techniques anesthésiologiques grâce à la mise en commun des connaissances anglo-saxonnes et françaises et à la mobilisation de physiciens et de physiologistes. Les concepts de l'anesthésie moderne se sont mis en place au cours de cette période avec la généralisation de l'emploi de mélanges ACE (alcool, chloroforme, éther) ou ECE (éther, chloroforme, chlorure d'éthyle). Dans le domaine de l'anesthésie par voie générale, le mode d'administration par inhalation a été remplacé de plus en plus par l'anesthésie par voie intraveineuse. Mais surtout il y a eu au cours de cette période des innovations importantes dans le domaine de l'anesthésie locorégionale avec la large utilisation de la cocaïne, du kélène et de la novocaïne, et surtout le développement de la rachianesthésie autrement dit de l'anesthésie péridurale.

Fig. 15.3. *Soldats sortant de l'hôpital Cochin durant la guerre de 1914-1918* (AP-HP).

Fig. 15.4. *Soldats blessés pendant la guerre de 1914-1918 devant l'hôpital Cochin* (AP-HP).

❏ Évolution de la chirurgie au cours de la seconde guerre mondiale

• Une fantastique organisation

L'exercice de la chirurgie a changé au cours de la seconde guerre mondiale sous l'impulsion en particulier du service de santé de l'armée américaine dont l'organisation au cours du débarquement en constitue la meilleure illustration :

– une adaptation des hôpitaux de campagne à la guerre de mouvement avec un matériel médical impressionnant. Près de 9 000 litres de sang et de 7 500 litres de plasma ont été embarqués sur les barges du débarquement le 6 juin 1944 ;

– une codification des méthodes de prise en charge des blessés avec la règle de les faire examiner par un médecin le plus précocement possible ;

– l'utilisation courante de véhicules blindés sanitaires et de Jeeps porte-brancards pour évacuer les blessés sur la ligne de front ;

– une généralisation de la mise en place des techniques nouvelles telles que la mise en place de l'intubation oro-trachéale et du remplissage vasculaire des soldats blessés à l'aide de solutés de remplissage synthétiques et de plasma sec. Les respirateurs deviennent plus maniables et plus performants et sont utilisés dans les zones de combat. En dehors de l'adrénaline, de l'atropine et de la morphine qui étaient déjà employées, les médecins ont utilisé désormais largement les sulfamides et la pénicilline ;

– l'élément nouveau est le développement important des évacuations sanitaires par voie aérienne qui ont concerné au cours du conflit presque 12 millions de soldats. À ce propos le directeur de la santé des États-Unis devait déclarer par la suite : «Parmi les moyens qui permettent de sauver des vies humaines, l'évacuation par air est à placer au même plan que le plasma ou la pénicilline».

• **Prise de conscience de l'intérêt de l'anesthésiologie**

Les chirurgiens français ont pris conscience à la fin de la seconde guerre mondiale de l'intérêt de l'anesthésiologie. Quelques médecins ont choisi de se consacrer totalement à l'anesthésie après s'être perfectionnés dans cette spécialité au contact de leurs collègues anglais ou des Américains pendant la guerre.

• **Essor de la transfusion et de la réanimation**

La chirurgie de guerre a permis l'essor d'une nouvelle spécialité aux côtés de l'anesthésie : la réanimation-transfusion qui a été scindée en deux à la fin du conflit avec :

– la transfusion qui a constitué à partir de 1945 une spécialité à part chargée d'étudier les problèmes de conservation, de fractionnement et d'approvisionnement du sang, ainsi que la sécurité transfusionnelle ;

– la réanimation qui a fait désormais partie du champ d'activité des anesthésistes dont le rôle était étendu aux périodes pré- et post-opératoires. À la fin de la seconde guerre mondiale, l'anesthésiste est devenu également un réanimateur. Bolot et Dausset ont résumé pendant le conflit à partir de leur expérience les règles à adopter devant un blessé en état de choc :

« - réchauffer le blessé,

- combattre l'anoxémie,

- lutter contre l'épuisement nerveux,

- rétablir masse sanguine et tension artérielle ».

☐ Guerres en Extrême-Orient

Les conflits qui ont eu lieu en Extrême-Orient, respectivement en Corée et en Indochine, ont été marqués par une série d'innovations dans le domaine de la prise en charge des blessés.

Au cours de la guerre de Corée, on assiste à la création de MASH (Military Advanced Surgery Hospitals), hôpitaux militaires situés près du front dans lesquels les blessés étaient transportés d'urgence puis pris en charge par des équipes composées de chirurgiens, d'anesthésistes réanimateurs, secondés par des infirmières (l'activité importante qui régnait dans les MASH a été transposée à l'écran en 1970 dans un film célèbre).

Au cours de la guerre d'Indochine, l'absence de structures routières de bonne qualité et les conditions climatiques particulièrement difficiles ne permettant pas l'utilisation des avions ont entraîné le développement des évacuations sanitaires par hélicoptères qui ont été par la suite adoptées dans les secours et soins d'urgence dans le civil.

Développement des techniques chirurgicales nouvelles

Peu à peu, les tendances et les objectifs de la chirurgie ont évolué, intégrant au fur et à mesure les nouvelles découvertes de la science médicale.

❒ Les prothèses chirurgicales

Les prothèses désignent des éléments variables qui ont une qualité particulière, celle de ressembler le plus possible à l'organe qu'elles sont destinées à remplacer. Elles sont de plus en plus utilisées en chirurgie. Elles sont réalisées avec des matériaux de plus en plus résistants, beaucoup plus inertes, n'induisant pas de phénomènes de rejet chez l'hôte. Elles sont surtout utilisées dans deux disciplines chirurgicales, en chirurgie orthopédique et en chirurgie cardiaque.

En chirurgie orthopédique, avec le nombre important de mutilés de guerre lors de la première guerre mondiale, les prothèses de membre se sont perfectionnées grâce à l'apparition d'alliages plus légers. Après la seconde Guerre mondiale, les prothèses en matière plastique ont été introduites. Les prothèses des membres inférieurs actuellement disponibles en polyester additionné de fibres de verre ont l'avantage d'être résistantes et légères. Les prothèses articulaires et les prothèses de hanche sont largement utilisées depuis 1960.

En chirurgie cardiaque, la première mise en place d'une prothèse valvulaire a eu lieu en 1960 aux États-Unis. Elle a été réalisée par Isaac Starr qui a remplacé une valve mitrale par une prothèse de type cage à bille dite « de Starr ». Les pacemakers ou cardiostimulateurs implantés chez les sujets présentant des troubles du rythme cardiaque ont constitué une importante acquisition dans le domaine de la thérapeutique cardiologique. Le pacemaker a trouvé son indication notamment dans les cas de syncopes avec risque d'arrêt cardiaque prolongé.

❒ La chirurgie endoscopique

Les endoscopes qui ont été longtemps utilisés dans un but de diagnostic sont aujourd'hui équipés de manière à pouvoir réaliser des interventions chirurgicales précises notamment en gynécologie, en urologie, en chirurgie digestive et thoracique. Pour souligner la différence entre les abords délabrants de la chirurgie antérieure et les incisions de plus en plus limitées, ce type de chirurgie est également appelé chirurgie « non invasive » ou encore « mini-invasive », « endoscopique », « laparoscopique » ou « cœlioscopique ». Cette chirurgie a permis de limiter l'agression du chirurgien en lui permettant d'intervenir dans presque tout l'organisme par les orifices naturels mais aussi par des incisions punctiformes. Grâce à l'introduction de caméras dont la taille est de plus en plus réduite, il est aujourd'hui possible de retransmettre sur un écran de télévision les gestes opératoires. La chirurgie digestive a intégré cette technique relativement tardivement. Les premières disciplines qui ont intégré dans leur exercice l'acte endoscopique diagnostique puis thérapeutique sont les spécialités médico-chirurgicales :

– l'oto-rhino-laryngologie utilise l'endoscopie depuis 1965 et grâce aux progrès de l'endoscopie opératoire, il est aujourd'hui possible de traiter des affections de la face et du cou ;

– la gynécologie utilise la coelioscopie pour réaliser des interventions sur le petit bassin ;

– l'urologie utilise la cystoscopie dans un but diagnostique et thérapeutique, tandis que la résection transurétrale de la prostate est actuellement la technique opératoire la plus utilisée pour le traitement de l'adénome de la prostate.

❒ La microchirurgie

Le microscope qui est utilisé par les chirurgiens depuis les années 1970 permet de réaliser des interventions chirurgicales sur des structures de petite taille comme les vaisseaux sanguins, les nerfs, les yeux ou les oreilles. Le grossissement employé varie de 6 à 40, tandis que l'extrémité des instruments (pinces, ciseaux, etc.) est d'un ordre de grandeur inférieur au millimètre et que les aiguilles et les fils sont plus fins qu'un cheveu. Il est désormais possible de réaliser des sutures millimétriques. La microchirurgie est également utilisée dans le cadre de la chirurgie réparatrice de la main après un traumatisme en particulier dans le cadre des réimplantations.

Le laser, utilisé dans le cadre de la microchirurgie permet d'augmenter le champ d'action chirurgicale.

❒ Le laser

L'utilisation du faisceau du laser a permis au chirurgien d'acquérir une précision chirurgicale extraordinaire lui permettant la réalisation d'incisions d'une extrême finesse, de l'ordre du millionième de millimètre. L'intérêt de ce bistouri immatériel réside dans le fait qu'il est capable de couper, de vaporiser et de tranpercer les tissus avec une puissance et une durée qui peuvent être réglées. Le laser a l'avantage de pouvoir être utilisé en association avec un endoscope.

❒ Transplantation d'organes

Le XXᵉ siècle a été marqué par l'essor des techniques chirurgicales destinées à échanger un organe ayant perdu sa fonction physiologique contre un autre parfaitement sain. L'histoire des transplantations d'organes a été marquée par plusieurs faits importants :

En 1906, la première tentative de transplantation a été réalisée par un chirurgien français, Mathieu Jaboulay, qui a échoué dans son essai de transplanter un rein de porc sur un homme.

En 1952, le néphrologue français Jean Hamburger a fait un essai de greffe du rein d'une mère sur son fils qui avait un rein unique et défaillant. Après une vingtaine de jours, cette tentative a abouti à un rejet du rein.

En 1958, John P. Merill et Joseph Murray ont réalisé une transplantation rénale à Boston (États-Unis) qui a été un succès.

En 1958, le Français Jean Dausset a fait un pas important dans la compréhension du phénomène de rejet en mettant en évidence l'existence des groupes leucocytaires HLA (human leucocyte antigens) qui assurent les défenses immunitaires de l'organisme contre le greffon étranger.

En 1963, Thomas E. Starzl a réalisé la première greffe du foie à Denver (États-Unis).

En 1967, Christian Barnard a réussi la première transplantation cardiaque, dont l'aspect technique avait été réglé par Norman Shumway de Palo Alto (États-Unis) en 1960.

Au début des années 1970, la greffe du pancréas est pratiquée chez les personnes atteintes d'un diabète insulino-dépendant.

En 1981, la première transplantation pulmonaire a été réalisée par Reitz.

En 1979, il est mis au point la cyclosporine A, qui permet de diminuer les défenses immunitaires de l'organisme afin qu'elles épargnent le greffon, en bloquant l'activation des lymphocytes T chargés de détruire les cellules étrangères.

À partir de 1982, la maîtrise des phénomènes de rejet grâce aux immunosuppresseurs a permis le lancement de programmes de transplantations cardiaques et hépatiques.

En 1996, il a été réalisé à l'hôpital de Murnau (Bavière), chez un jeune accidenté de la route la mise en place d'un greffon d'un genou entier (os, ménisques, ligaments et vaisseaux sanguins).

En 1999, le professeur Jean-Michel Dubernard de l'hôpital Édouard-Herriot de Lyon a réalisé la greffe de la main d'un mort sur un homme de 47 ans amputé 10 ans plus tôt.

L'essor des disciplines chirurgicales

❐ Chirurgie cardiaque

En 1951, Charles Dubost a réalisé la résection d'un anévrysme de l'aorte abdominale et a rétabli la continuité par un homotransplant.

Christian N. Barnard, un chirurgien sud-africain a réalisé l'exploit de la première transplantation cardiaque chez l'homme (1967). Son patient, un épicier du Cap de 57 ans, survécut 17 jours à l'intervention actuellement pratiquée couramment depuis l'introduction de la ciclosporine dans l'arsenal thérapeutique.

D.A. Cooley *et al.*, en 1969, ont mis au point et implanté chez l'homme le premier cœur artificiel, ce qui permet aux malades d'attendre de pouvoir bénéficier d'une greffe cardiaque.

Un certain nombre de succès ont été enregistrés dans le domaine de la chirurgie cardiaque jusqu'aux années 60 :

– en 1896, Ludwig Rehn (1849-1930) a suturé pour la première fois une plaie du cœur ;

– en 1948, la première suture de l'aorte a été réalisée ;

– en 1952, pour la première fois, un valvule cardiaque artificiel a été posé ;

– à partir des années 1950, les «enfants bleus» souffrant de graves malformations des vaisseaux de la base du cœur ont commencé à être opérés par Alfred Blalock (1899-1964), aux États-Unis, et par Paul Santy, à Lyon ;

– le premier simulateur fut posé en 1959, par Ake Senning, un chirurgien suédois.

La chirurgie à cœur ouvert s'est développée au cours des années 60 grâce à trois innovations majeures :

– la découverte en 1953 d'un système de dérivation du sang permettant de maintenir l'irrigation des autres organes pendant l'arrêt temporaire du cœur

par John Gibbon : la circulation extracorporelle. Cette découverte a permis la réalisation dès 1959 des premières interventions sur les valves cardiaques ;
– l'élaboration de nouveaux matériaux ;
– les progrès des méthodes de transplantation d'organes.

Aujourd'hui le pontage (rétablissement de la circulation sanguine dans une artère obstruée) proposé à partir de 1967 par Favaloro, le remplacement de valves cardiaques et le traitement des cardiopathies congénitales sont de réalisation courante. Un essai d'implantation d'un cœur artificiel a été tenté par William C. de Vires en 1982 afin d'attendre de disposer d'un greffon compatible, prélevé chez un individu en état de mort cérébrale, pour une transplantation.

❑ **Chirurgie réparatrice et reconstructive**

Au cours du XXe siècle, il y a eu le développement d'une discipline chirurgicale qualifiée de « plastique » lorsqu'elle est destinée à réparer l'aspect extérieur du corps et à lui redonner sa forme et d'une chirurgie dite « réparatrice » lorsqu'elle rétablit une anomalie congénitale.

❑ **Neurochirurgie**

C'est sous l'impulsion de chirurgiens américains tels Harvey Williams Cushing et Walter Dandy que la neurochirurgie s'est développée à partir de 1918. Les premières interventions étaient faites sur les blessés de guerre atteints de traumatismes cérébraux.

L'ère des examens paracliniques

Grâce au développement des techniques d'investigation sur le corps humain, les médecins ont enfin trouvé ce qu'ils cherchaient depuis toujours : la preuve objective permettant de porter un diagnostic.

À partir des années 1950, le traitement des cancers par les rayons X, la curiethérapie, puis la « bombe au cobalt » (1950) ont été mis au point. Le test de Papanicolaou, proposé dès 1933 par cet anatomopathologiste américain, a permis de repérer les cellules cancéreuses dans les frottis génitaux féminins.

Plus tard, la recherche dans le sérum des malades de marqueurs spécifiques, tels que l'α-fœtoprotéine ou l'antigène prostatique, ont permis un dépistage plus efficace et une surveillance plus active de certaines tumeurs. Enfin, les progrès de l'anatomopathologie ont permis d'améliorer le diagnostic (ponctions à l'aiguille, microscopie électronique, marqueurs cellulaires).

La radiologie médicale

❑ **La découverte de la radiologie par Röntgen**

Le 8 novembre 1895, Wilhelm Conrad Röntgen a mis en évidence dans son laboratoire de l'université de Würzburg une des plus importantes découvertes de la médecine du XXe siècle : la radiologie médicale. En actionnant un cylindre en verre d'où l'air avait été évacué à l'aide d'une pompe, afin d'obtenir le vide jusqu'au millionième de la pression atmosphérique, il a découvert que cet appareil mis au point en 1877 par l'anglais William Crookes avait la propriété d'émettre un rayonnement invisible à l'œil qui avait la propriété de traverser un corps opaque. Röntgen a d'abord pensé qu'il s'agissait d'une nouvelle sorte d'onde électromagnétique qu'il a baptisée rayon X. Il a eu l'idée d'étudier la trajectoire des rayons X en interposant d'abord un jeu de cartes puis un livre de 5 cm d'épaisseur entre l'écran et le tube, puis alors qu'il tenait un petit tuyau en métal entre le tube de Crookes et une plaque photographique, il a découvert bouleversé que la plaque montrait bien l'ombre noire du tuyau, mais aussi une chose qu'il ne s'attendait absolument pas à voir : les os de ses deux doigts qui avaient tenu le tuyau. Après le dîner du soir, Wilhelm Röntgen a invité sa femme Bertha à l'accompagner dans son laboratoire et il a réalisé une radiographie de sa main. Le 28 décembre 1895, il a adressé au président de la Société médicophysique de Würzberg une «communication préliminaire sur une nouvelle variété de rayons». Le même jour à Paris dans le salon indien du Grand Café, les frères Lumière ont présenté pour la première fois à 33 spectateurs la séquence célèbre de l'Arroseur arrosé. Röntgen a obtenu en 1901 le prix Nobel de Physique attribué pour la première fois cette année-là. À la différence de tous ceux qui, après lui, se sont rendus à Stockholm pour prendre possession du prix Nobel, Röntgen a remis l'intégralité de la somme obtenue à l'université de Würzburg, ce qui constitue un cas unique dans les annales du prix Nobel. La petite histoire veut que sa femme Bertha lui en ait voulu. «Les femmes aiment ces colifichets» aurait-il répondu amusé.

Fig. 15.5. *Brunel. Manuel de radiographie (1896)* (BIUM).

❐ Une diffusion considérable de la radiologie

Le 6 janvier 1896, le monde scientifique a été subjugué par cette découverte inattendue et a rapidement compris le champ d'application diagnostique considérable pour définir des fractures, localiser des projectiles ou pour diagnostiquer des affections pulmonaires. En février 1896, un jeune médecin des hôpitaux curieux qui s'était consacré à l'immunologie, Antoine Béclère, a réalisé le premier dépistage radioscopique de tuberculose chez la domestique du docteur Paul Oudin. Dès le lendemain, il a commencé à l'hôpital Tenon l'étude radiologique systématique du poumon et du cœur.

Très vite, les médecins militaires ont pris conscience de l'intérêt de la radiologie pour la chirurgie de guerre avec l'introduction de nouveaux fusils qui délivraient des balles de grande vitesse initiale laissant un point d'impact très petit. La radiologie a suscité un intérêt croissant pour rechercher le projectile pendant la guerre du Soudan (1896-1998), et pendant la guerre des Boers en Afrique du Sud au cours de laquelle des installations radiologiques rudimentaires fonctionnant à l'aide d'un dynamo actionné par un tandem ont été installées dans les hôpitaux de base. Au cours de la guerre russo-japonaise, les appareils de radiologie fonctionnent à l'aide d'énergie fournie par des dynamos à main.

❐ Les améliorations apportées à l'examen radiologique

Les médecins de l'époque ont eu rapidement recours à des artifices pour élargir le champ d'investigation de l'organisme.

En 1897, le médecin autrichien Guido Holzknecht et l'américain Walter Bradford Cannon ont fait manger à des oies des mixtures qui renfermaient des sels de baryum et ont obtenu des plaques sur lesquelles se dessinaient très nettement l'œsophage. Ils ont extrapolé cette méthode sur l'homme et ont présenté alors les premières images de cancers du haut appareil digestif. À partir des années 1910, la gastroentérologie a tiré d'énormes avantages de l'exploitation de ces nouveaux moyens d'exploration.

Dès 1910, l'iodure de sodium est employée pour réaliser les premières urographies intraveineuses.

En 1921, Jean Marie Athanase Sicard et Jacques Ernest Forestier ont introduit en radiologie le lipiodol qui permettait d'opacifier la cavité utérine, les bronches, le canal rachidien, les trajets fistuleux. En 1924 la vésicule biliaire est opacifiée.

En 1927, Egas Moniz a réalisé les premières artériographies.

À partir des années 1910, l'appareillage radiologique a fait des progrès considérables :

– les films au nitrate de cellulose ont remplacé les plaques de verre, ce qui a contribué à donner davantage de netteté et de précision du détail aux images radiographiques ;

– les tubes de Crookes sont devenus plus puissants, ce qui a eu pour conséquence de réduire les temps de pose qui atteignaient au début 20 à 40 minutes ;

– les premiers diaphragmes et les grilles antidiffusion ont permis d'éviter « d'arroser » de rayons toute la pièce et en particulier les manipulateurs et radiologues ;

– des boucliers, des murs et des portes plombées ont été utilisés pour protéger plus efficacement les professionnels de la radiologie.

❒ L'imagerie médicale

Le terme «radiologie» a été remplacé progressivement par «imagerie médicale». Les techniques d'imagerie médicale se sont enrichies progressivement grâce à plusieurs découvertes :

– la découverte de l'écographie au cours de la première guerre mondiale, par le physicien Paul Langevin qui a élaboré un procédé reposant sur l'utilisation d'ultrasons afin de détecter les sous-marins. Dans les années 1940, ce principe utilisé pour le radar et le sonar a été extrapolé à l'exploration du corps humain. Les premières échographies réalisées dans un but diagnostique ont été pratiquées en 1958. À partir des années 1970, l'usage de l'échographie est devenu très fréquent en pratique médicale courante. L'échocardiographie qui permet la visualisation, à l'aide d'ultrasons, des cavités cardiaques, des valvules et du flux sanguin à l'intérieur de ces cavités s'est développée rapidement au début des années 1970 ;

– la découverte de la «tomographie axiale électronique», plus familièrement connue sous le nom de «scanner» est le fruit de la recherche du neuroradiologue britannique Ambrose et du physicien Gordon Hounsfield, qui ont pu procéder aux développements nécessaires dans les laboratoires de la firme EMI. La technique du scanner est, depuis, reprise par les industriels traditionnels de la radiologie. L'évolution technique va vers la réduction du temps de pose et l'amélioration de la résolution ;

– l'imagerie par résonance magnétique (IRM) mise au point en 1976 par Raymond Damadian, un physicien belge, dérive d'une application de la technique d'analyse chimique par résonance magnétique nucléaire (RMN), dont la découverte a été faite en 1948 par l'Américain Felix Bloch et le Britannique Edward Purcell.

La médecine nucléaire

Cette branche de la médecine qui repose sur l'utilisation des radio-isotopes (radionucléides) à des fins diagnostiques remonte aux lendemains de la seconde guerre mondiale. La scintigraphie établie dans les années 1950 repose sur le suivi du parcours d'isotopes radioactifs d'atomes, administrés par voie orale, intraveineuse ou nasale (inhalation).

Les acquis en biochimie

La biochimie a bénéficié des immenses progrès des techniques d'examen avec la découverte en 1926 de l'ultracentrifugation, de l'électrophorèse en 1937 et de l'immunoélectrophorèse en 1948.

En 1928 les tests de grossesse ont été mis au point.

L'électroencéphalogramme

Hans Berger (1873-1941) a recueilli le premier électroencéphalogramme en 1924 avec un galvanomètre à corde. Il a décrit, en 1929, deux rythmes cérébraux, le rythme alpha, caractérisé par une fréquence de 8 à 12 cycles par seconde, et le rythme bêta, d'une fréquence de 12 à 20 cycles par seconde. Edgar Douglas Adrian (1889-1977) a ouvert un nouveau champ à la pathologie neurologique en démontrant que les rythmes électriques étaient profondément affectés au cours de l'épilepsie.

L'endoscopie

Cette technique mise au point au XIXe siècle par Bozzini s'est développée grâce à l'introduction de l'éclairage électrique :

– en 1865, Antonin Jean Désormeaux a présenté le premier véritable endoscope pour l'exploration du bas appareil urinaire ;
– en 1869, Pantaleoni a réalisé la première hystéroscopie ;
– en 1879, Leitner a effectué la première cystoscopie ;
– en 1881, Johann Von Mikulicz a réalisé la première gastroscopie ;
– en1918, Takagi a effectué la première arthroscopie du genou avec un cystoscope.

LA SANTÉ PUBLIQUE

La hantise de deux fléaux : la syphilis et la tuberculose

L'absence de traitement efficace de la syphilis a incité Alfred Fournier à développer une politique de prévention destinée à alerter au mieux, non seulement le public, mais également les médecins sur les dangers de la syphilis. La Société française de prophylaxie sanitaire et morale créée en France en 1901 par Alfred Fournier insistait à travers ses messages sur l'aspect dégradant, souillant et culpabilisant des maladies vénériennes. Elle préconisait la chasteté prénuptiale, la fidélité, le mariage précoce et condamnait les relations sexuelles extraconjugales. L'objectif sous-entendu était de protéger la population masculine jeune afin qu'elle puisse se consacrer sans problème à la préparation de la guerre qui se profilait à l'horizon avec l'Allemagne. Alfred Fournier insistait en particulier sur la nécessité d'assurer la protection des jeunes bourgeois victimes selon lui de « la syphilis d'en bas (qui) rebondit sur la syphilis d'en haut, du bouge le plus abject au foyer le plus honnête ». Tous les moyens de propagande étaient mis en œuvre par la Société française de prophylaxie pour calmer les « ardeurs juvéniles » des jeunes Français. Elle favorisait la propagation de brochures avec des images terrifiantes, des pièces de théâtres jugées d'utilité publique comme *Les avariés* d'Eugène Brieux en 1901, des romans comme *L'infamant* d'un certain Paul Verola dont le pseudonyme est significatif. Le cinématographe qui venait tout juste d'être découvert par les frères Lumière a également été mis à contribution dans cette propagande avec des films comme *Le baiser qui tue* ou *Il était une fois trois amis*. Le concept d'hérédosyphilis selon lequel la syphilis du père était due à des relations sexuelles fautives avec des prostituées avec pour conséquence une atteinte sur sa descendance était largement admis et considéré comme une malédiction. Ainsi l'hérédosyphilis était une « véritable punition divine frappant la famille du père fautif responsable de la dégénerescence de la race ».

La lutte antituberculeuse s'est organisée avec la création de dispensaires et de services de pneumo-phtisiologie spécialisés dans la prise en charge et dans le dépistage de la tuberculose. En 1922, une taxe a été imposée aux cercles de jeux, puis au PMU afin de financer la lutte contre la maladie. À la même période, la première campagne de vente du timbre antituberculeux destinée à financer la construction d'établissements spécialisés a été mise en place.

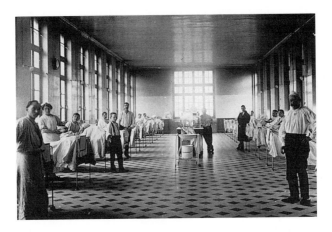

Fig. 15.6. *Salle commune d'un hôpital parisien* (AP-HP).

La politique de santé publique entre les deux guerres

Au début des années 1920, la population civile a cruellement souffert du conflit en raison des conditions de guerre et du manque de médecins. La France qui a été saignée par la guerre a donc décidé d'accentuer son engagement dans la santé publique notamment dans la lutte contre l'alcoolisme, la syphilis, la tuberculose et le cancer. Le 21 janvier 1920, une nouvelle politique de santé publique a été mise en place avec la création du ministère de l'Hygiène, de l'Assistance et de la Prévoyance sociales. La lutte contre le cancer devient une priorité. Dans ce contexte, on assiste à la fondation en 1918 de la Ligue nationale française contre le cancer dont l'objectif est l'éducation de la population, la recherche et le développement de nouveaux traitements, en particulier la radiothérapie.

L'essor de la santé publique au lendemain de la seconde guerre mondiale

En France, deux structures de la santé publique ont été mises en place à la fin de la deuxième guerre mondiale :

– la sécurité sociale a été créée en 1944, à l'instigation de l'esprit de la Résistance ;
– la médecine du travail a été créée en 1945 pour promouvoir le dépistage et la prise en charge des accidents du travail et des maladies professionnelles

dans les entreprises. En France, la première loi sur la prévention des accidents du travail avait été promulguée en 1893, et la première loi sur le dédommagement des travailleurs en 1898. Le 11 octobre 1969 une loi a rendu obligatoire les services de médecine du travail.

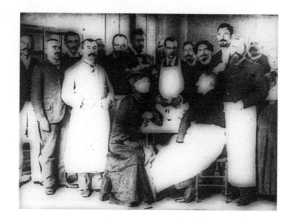

Fig. 15.7. *Un consultation hospitalière* (AP-HP).

Fig. 15.8. *Un consultation hospitalière : le lavage des voies lacrymales* (AP-HP).

Fig. 15.9. *Un consultation hospitalière : l'examen du champ visuel* (AP-HP).

THÉRAPEUTIQUES

Le XXᵉ siècle a été marqué par l'essor des thérapeutiques qui sont le résultat d'une recherche intensive de la part des chercheurs universitaires et des laboratoires pharmaceutiques.

Thérapeutiques antiinfectieuses

La découverte des sulfamides

Gerhard Domagk (1895-1964), directeur de recherche du laboratoire de pathologie expérimentale et de bactériologie de la firme pharmaceutique allemande IG (Interesse Gemeinschaft) Farbenindustrie, plus sinistrement connue par la suite sous le nom d'IG Farben, s'est intéressé en 1932 à un nouveau colorant mis au point par les chimistes de sa société : le chlorhydrate de sulfamidochrysoïdine, qu'ils avaient baptisé prontosil ou prontosil rubrum. Il s'est aperçu avec surprise que ce colorant médiocre permettait de guérir des souris infectées par le streptocoque après injection. Le 15 février 1935, Domagk a publié sa «Contribution à la chimiothérapie des infections bactériennes» dans le journal de l'association berlinoise des médecins le *Deustche Medizinische Wochenschrift*. Pour la première fois, les médecins disposaient d'un agent chimique à usage oral non toxique qui exerçait une action antibiotique. Il a montré que les sulfamides sont bactériostatiques, c'est-à-dire qu'ils empêchent la division cellulaire et la reproduction des bactéries visées et deviennent bactéricides autrement dit destructeurs de bactéries à de fortes doses. Domagk a relaté en 1936 les bienfaits de cette molécule dans le *Klinische Woschenschrift* à propos de la blessure dont avait été victime sa propre fille Hildegard âgée de six ans : «L'enfant se blessa avec une aiguille le 4 décembre 1935 alors qu'elle travaillait à un ouvrage de Noël. Ayant été conduite à la clinique, elle fut opérée et l'aiguille retirée. Au moment de renouveler le pansement quelques jours après, la main apparut très enflée et la fièvre continua de monter bien que tous les points aient été enlevés. L'état général et l'abcès s'aggravèrent au point de nous inquiéter sérieusement. Une nouvelle intervention chirugicale n'étant plus possible, je priais le chirurgien traitant de m'autoriser à instaurer un traitement par le prontosil après qu'un prélèvement eut révélé la présence de streptocoques. J'introduisis moi-même dans sa bouche les tablettes de prontosil rubrum. Par une thérapie de trois tablettes de 0,3 g prolongée encore quelques jours, la guérison fut complète.»

Dès mai 1935, c'est-à-dire 3 mois après, Rhône-Poulenc mettait à la disposition des médecins français le rubiazol, copie du prontosil.

Le 26 octobre 1939, le comité Nobel décida de décerner à Domagk le prix Nobel de médecine «pour sa découverte des propriétés antibactériennes du prontosil». La nouvelle fut favorablement accueillie dans le monde entier sauf en Allemagne où elle ne fut pas diffusée par la presse. Adolf Hitler avait par décret interdit à ses ressortissants d'accepter le prix Nobel depuis que le prix Nobel de la paix avait été décerné à Carl von Ossietzky, journaliste antimilitariste allemand, alors détenu dans un camp de concentration.

La découverte de la pénicilline

Il s'agit de la plus grande découverte du XXᵉ siècle qui a été marqué par deux dates :

– le 3 septembre 1928, Alexander Fleming (1881-1955) en rentrant de congés s'est aperçu qu'il avait oublié des boîtes de pétri dans lesquelles il avait mis en culture des staphylocoques dans son laboratoire de l'hôpital Saint-Mary de Londres. Au lieu de les jeter, il a eu la curiosité de les examiner. Avec surprise, il s'est aperçu que les boîtes de pétri, dans lesquelles il avait fait pousser les staphylocoques contenaient des colonies de moisissures cotonneuses d'un blanc verdâtre. Or il a observé avec étonnement que les staphylocoques qui poussaient à côté de la moisissure avaient été détruits. Aussitôt Fleming a cherché à comprendre. La moisissure a été identifiée ; il s'agissait d'un champignon appartenant à l'espèce du Penicillium notatum. Il a compris aussitôt que ses boîtes avaient été contaminées par les souches de Penicillium notatum sur lesquelles travaillait son voisin de paillasse. Il a compris qu'une substance sécrétée par ce champignon était responsable de l'absence de développement des colonies de staphylocoques. L'extraordinaire découverte qui allait permettre de sauver des millions de vies n'aurait pas eu lieu sans cette conjonction de hasards, comme l'expliquera par la suite Fleming : «Jamais je n'aurais dû normalement remarquer ce phénomène, à propos de cette miraculeuse journée. Il a suffi que mon esprit soit en éveil. J'aurais pu être de mauvaise humeur, irrité par une scène de ménage. J'aurais pu me fiancer ce jour-là et avoir la tête remplie d'images de bonheur. J'aurais pu simplement être trop alourdi par un bon déjeuner pour remarquer quoi que ce soit». Il a donné à la substance tirée de ce champignon qui a la propriété de détruire les staphylocoques, le nom de «pénicilline». Fleming qui n'a pas compris sur le moment l'étendue de sa découverte a décidé dans un premier temps d'utiliser la pénicilline comme un réactif de laboratoire.

– le 16 août 1941, l'hebdomadaire médical britannique *The Lancet* a publié une observation faisant état de la première injection réalisée chez l'homme de pénicilline. Cet essai avait été réalisé par Howard W. Florey et Ernst Boris qui ont réussi à extraire l'insaisissable antibiotique d'une culture de Penicillium sans en modifier la composition et sans lui faire perdre son activité. Conscient de l'importance de ce produit, Florey s'est rendu à New York le 3 juillet 1941 afin d'avoir le soutien des industries pharmaceutiques pour produire la pénicilline en grande quantité. Trois grands laboratoires pharmaceutiques, Merck, Pfizer et Squibb se sont lancés alors dans la production industrielle de la pénicilline. À la fin de 1942, les médecins militaires des unités combattantes anglaises d'Afrique du Nord ont reçu les premiers hôtes de pénicilline. G. Bickel, un médecin militaire relatait alors : «parmi ces 170 blessures suturées de façon précoce et quel que fût leur degré d'infection, après débridement et traitement par une solution de pénicilline, on n'eut qu'à rouvrir une plaie perforante de la paroi thoracique accompagnée d'un phlegmon.»

En 1945, Fleming, Florey et Chain reçoivent le prix Nobel de médecine «pour la découverte de la pénicilline et de son effet thérapeutique dans la guérison de différentes maladies infectieuses».

La découverte d'autres classes d'antibiotiques

Après la seconde guerre mondiale, l'industrie du médicament a investi des moyens considérables pour entreprendre des recherches longues et coûteuses sur des substances naturelles ou de synthèse. Dans les 25 années qui ont suivi la fin de la guerre, un certain nombre d'antibiotiques ont été découverts :

– en 1944, Selman Abraham Waksman (1888-1973), microbiologiste des sols qui travaillait à la station agronomique expérimentale de l'état de New Jersey (États-Unis) puis à la Rutgers University de New Brunswick, a reçu dans son laboratoire un fermier qui se plaignait de voir son poulailler décimé par une maladie des poules. L'agent responsable était une moisissure du genre streptomyces. En étudiant cette moisissure, il a découvert la streptomycine qui avait la propriété d'avoir une activité sur les bacilles de Koch. La streptomycine commercialisée dès 1949 a été considérée comme le médicament miracle de la tuberculose. Les premières résistances du bacille tuberculeux vis-à-vis de ce nouvel antibiotique ont été rapidement rapportées et ont conduit les praticiens à l'associer à la streptomycine et au PAS (acide para-amino-salicylique);

– en 1952, l'isoniazide est mis au point. En association avec la streptomycine et le PAS, il a permis de faire diminuer la mortalité par tuberculose de 40 % de 1952 à 1954;

– en 1948, l'auréomycine est découverte et cet antibiotique conduit à la découverte de la classe des tétracyclines, avec la terramycine en 1951 et la tétracycline en 1953;

– en 1954, l'érythromycine qui inaugure le groupe des macrolides est commercialisée;

– en 1968, la rifampicine est découverte;

– en 1970, le myambutol est découvert;

– en 1947, le chloramphénicol est mis au point.

La résistance des antibiotiques

Dès la fin des années 50, des souches de bactéries résistantes ont été rapportées. En France, la résistance aux antibiotiques augmente de 3,7 % par an et apparaît très supérieure à celle rapportée dans les autres pays européens. Elle entraîne un surcoût économique considérable. Elle est favorisée par la surconsommation d'antibiotiques et par des traitements trop longs et insuffisamment dosés. Il est possible de limiter l'augmentation de la fréquence des résistances par un usage plus rationnel des antibiotiques et par des mesures d'hygiène individuelle et collective.

La montée rapide des résistances a contraint les chercheurs à s'intéresser de près à leurs mécanismes. Ainsi, la découverte du rôle majeur de certaines enzymes (bêta-lactamases) dans les phénomènes de résistance a permis de mettre au point des inhibiteurs de ces enzymes.

Depuis les années 1980, la fréquence des germes multirésistants aux antibiotiques (c'est-à-dire résistants en même temps à plusieurs familles d'antibiotiques) a augmenté de façon inquiétante, et la prévention de leur transmission est devenue aujourd'hui un axe prioritaire de la lutte contre les infections nosocomiales.

Les traitements antiviraux

En 1970, Gertrude B. Elion du laboratoire Wellcome a décidé de se lancer dans la recherche d'arabinosides de dérivés puriques afin de trouver un antiviral actif contre une maladie sexuellement transmissible en pleine expansion dont le magazine *Time* avait fait la une de sa couverture : l'herpès. Dans l'article il était écrit : «l'herpès, un virus incurable, qui menace la révolution sexuelle».

En 1977, Gertrude B. Elion publiait les résultats de ses travaux qui lui avaient permis de découvrir l'acycloguanosine (l'aciclovir), le premier antiherpétique spécifique. Le prix Nobel de médecine lui a été accordé en 1988 pour la récompenser pour cette découverte.

Au milieu des années 1980, le premier antiviral exerçant une activité sur le VIH, la zidovudine, a été mis au point, marquant le début des traitements antirétroviraux.

L'essor de la sérothérapie et de la vaccination

Le début du XXᵉ siècle a été marqué par le dévelopement de méthodes thérapeutiques préventives dans le domaine de l'infectiologie avec :

– l'introduction de la sérothérapie qui consiste en l'injection passive à l'individu déjà contaminé d'anticorps protecteurs :

- en 1894, Emil Adolf Von Behring et Emile Roux ont commencé à traiter la diphtérie puis le tétanos en injectant aux malades du sérum de cheval préalablement immunisé au contact des toxines diphtériques et tétaniques.

Les résultats thérapeutiques ont été considérés alors comme quasi miraculeux, car il était désormais possible de guérir des malades jusque-là souvent condamnés à mourir,

- dans les années qui ont suivi, il y a eu le développement d'autres sérothérapies efficaces, telles celles contre la peste (Yersin, 1894), contre le charbon (Sclavo et Marchoux en 1895), contre la dysenterie à bacille de Shiga (Rosenthal, Todd, Vaillard et Dopter en 1903),

- la sérothérapie antiméningococcique de Georg Jochmann en 1906 et de Simon Flexner en 1907 n'ont pas permis de confirmer les espoirs suscités initialement par la méthode ;

– le développement de la vaccination qui avait débuté grâce à Louis Pasteur a bénéficié de la meilleure compréhension des bases immunologiques, génétiques, microbiologiques et virologiques tout au long du XXe siècle avec :

- en 1888, la vaccination antityphoïdique a été proposée par André Chantemesse et Fernand Widal. Elle a été mise au point par Almroth Wright en 1896 qui a profité de la guerre des Boers pour expérimenter son vaccin sur les soldats britanniques. Ce vaccin a été ensuite perfectionné par Richard Pfeiffer, puis par Henri Vincent en 1909. Widal suggère par la suite en 1915 l'emploi d'une vaccination triple associant au bacille typhoïdique les bacilles paratyphoïdiques A et B,

- en 1921, Léon Charles Albert Calmette, docteur en médecine et Jean Marie Guérin, docteur vétérinaire ont mis au point la vaccination contre la tuberculose. Cette découverte avait débuté en 1906, quand ils avaient montré que l'immunité anti-tuberculeuse était fonction de la présence de quelques bacilles vivants mais peu virulents dans l'organisme. En 1908, ils avaient fait la constatation que la virulence des bacilles tuberculeux mis en culture sur de la bile de bœuf, pommes de terre cuites et glycérine perdaient leur virulence au cours du temps. Au terme de nombreuses séries de repiquages qui ont eu lieu sur une période de 13 années, ils ont obtenu un bacille inoffensif, stable et vivant. Le professeur Benjamin Weill Hallé a réalisé la première vaccination à l'aide du bacille mis au point par Calmette et Guérin chez un nouveau-né de mère tuberculeuse, décédée peu de temps après l'accouchement de cette infection. L'OMS a recommandé la vaccination par le BCG dès 1948. Le 5 janvier 1950, le vaccin par le BCG a été rendu obligatoire en France à partir de l'âge de 6 ans,

- en 1923, Gaston Léon Ramon a découvert l'anatoxine tétanique et a préconisé la vaccination antitétanique aux femmes enceintes en 1927, pour assurer la prévention du tétanos néo-natal,

- en 1949, John Enders a découvert que le virus de la poliomyélite pouvait être cultivé dans des tissus non nerveux. En 1955, Jonas Salk a publié les résultats obtenus avec son premier vaccin inactivé contre la poliomyélite, tandis qu'en 1957, Sabin l'a administré pour la première fois par voie orale,

- en 1958, la culture du virus de la rougeole a permis la réalisation de vaccins vivants atténués,

- depuis 1969, les vaccins contre la rubéole et les oreillons sont disponibles,

- en 1976, un vaccin contre l'hépatite B a été mis au point.

À l'échelle mondiale, l'objectif de la vaccination est l'éradication des maladies infectieuses. La variole a disparu, rendant inutile la vaccination. En revanche l'OMS considère qu'il y a aujourd'hui cinq maladies prioritaires :

– le tétanos ;
– la rougeole ;
– la coqueluche ;
– la poliomyélite ;
– la diphtérie.

Les progrès en thérapeutique cardiologique

Le XXᵉ siècle a été marqué par l'essor des thérapeutiques cardiologiques avec :

– la découverte des anticoagulants qui a permis de lutter contre la formation de caillots sanguins :

- l'héparine a été découverte en 1916 par William Henry Howell, toutefois son emploi thérapeutique n'a été préconisé qu'à partir de 1936,
- les antivitamines K avec le dicoumarol qui a été découvert en 1941. Le tromexane a été synthétisé en 1951 et le pindione en 1952 ;

– les traitements de l'hypertension artérielle avec en 1954, l'introduction dans l'arsenal thérapeutique des dérivés de la réserpine et de l'hydralazine puis à partir des années soixante, des sympaticolytiques, des alpha-sympathomimétiques centraux, et des bêta-bloquants. Les inhibiteurs calciques et les inhibiteurs de l'enzyme de conversion sont des découvertes plus récentes. En 1956, un nouveau type de diurétique a été découvert : l'acétazolamide. En 1959, le premier diurétique thiazidique est mis au point : le chlorothiazide. En 1965, un diurétique bien toléré est mis au point : le furosémide.

Thérapeutiques en cancérologie

La radiothérapie

Les premiers traitements de cancer par radiothérapie ont commencé à partir de 1902 pour irradier la rate ou les ganglions de malades atteints de certaines hémopathies malignes.

Dans les années cinquante, il a été mis au point une nouvelle génération d'appareils délivrant des rayonnements plus pénétrants, la « bombe au cobalt », et dans les années 70, les « cyclotrons ».

La chimiothérapie

La chimiothérapie constitue une avancée majeure dans le traitement des cancers. En décembre 1943, un navire américain, le « John E. Harvey » a coulé à Bar Harbor avec dans ses soutes, 100 tonnes de nitrogen mustards, produits dérivés du gaz moutarde, la célèbre « ypérite » utilisée par les Allemands en 1917.

On s'est alors aperçu très vite que les rescapés, dont la peau et les poumons avaient brûlé par le gaz, présentaient également une forte diminution du nombre de leurs globules blancs. Informé du tragique accident, Frederich Philips et Alfred Gilman ont alors étudié *in vitro* ces moutardes à l'azote et ont montré une inhibition des divisions cellulaires, et une action toxique sur le noyau des cellules en division.

L'effet des nitrogen mustards était comparable à celui des rayons X : pour cette raison, ces corps furent appelés radiomimétiques. Or, à cette époque, le cancer n'était soigné que par la chirurgie et les rayons X.

En 1944, Gustav Lindskog de l'hôpital de New Haven a traité pour la première fois avec une moutarde azotée un patient de 48 ans qui souffrait d'un lymphome cervico-facial radiorésistant. Il a fallu attendre 1946 pour que cette découverte soit publiée à l'extérieur des États-Unis. Les moutardes azotées étaient actives sur les hémopathies malignes mais les leucémies aiguës y demeuraient réfractaires.

À partir des années 1950, la chimiothérapie anticancéreuse s'est développée : le nombre de molécules proposées par l'industrie pharmaceutique a augmenté de façon importante.

Thérapeutiques rhumatologiques

L'événement majeur a été la découverte de la cortisone qui a été présentée la première fois en avril 1949, le premier jour du congrès international de rhumatologie de New York. Le rhumatologue Philip Hench a présenté à l'ensemble de ses collègues une malade impotente en raison de l'importance des ses rhumatismes. Le quatrième jour du congrès, les mêmes congressistes étaient stupéfaits de retrouver la malade qui était libre de tous ses mouvements. Le Docteur Philip Hench lui a administré pour la première fois de la cortisone.

Philip Hench a été acclamé par l'ensemble des congressistes. Il a présenté alors les premiers résultats de l'essai clinique qu'il a réalisé chez 16 malades souffrant de polyarthrite rhumatoïde traités à la posologie de 100 mg de cortisone par jour. Employés sous forme topique ou administrés par voie générale, avec des règles rigoureuses de prescription, les corticoïdes ont contribué à la prise en charge de nombreuses dermatoses chroniques.

Thérapeutiques en psychiatrie

Le XXᵉ siècle est aussi celui de la découverte de moyens thérapeutiques à partir des années 50 qui ont révolutionné le pronostic des affections psychiatriques :

– en 1917, Julius Wagner-Jauregg a inauguré une méthode reposant sur l'inoculation de l'agent du paludisme (malariathérapie) pour traiter les paralysies générales d'origine syphilitique ;

– en 1932, la cure insulinique qui reposait sur la réalisation d'un coma hypoglycémique en injectant de l'insuline a été proposée pour traiter les schizophrénies par Manfred Sakel ;

– en 1936, Josef von Meduna entraînait un choc convulsif en injectant de l'huile camphrée, le cardiazol ;

– en 1938, l'Italien Ugo Cerletti et son collaborateur Lucio Bini entraînaient un choc convulsif par l'application d'un courant électrique inaugurant l'électroconvulsivothérapie, appelée plus communément « électrochoc » ;

– en 1952, deux psychiatres français, Jean Delay et Pierre Deniker, ont réalisé les premiers traitements par chlorpromazine de l'agitation et des délires, puis de la schizophrénie ;

– en 1957, les premiers antidépresseurs ont été mis au point au cours d'études portant sur les dérivés antihistaminiques ;

– les tranquillisants sont découverts à la fin des années 1950.

Fig. 15.10. *Hôpital des Quinze-Vingts* (AP-HP).

Thérapeutiques en endocrinologie

En 1942, au cours d'une épidémie de typhoïde dans le sud-ouest de la France, un médecin de Montpellier, Marcel Janbon, et ses collaborateurs Chaptal, Vedel et Shaap, ont remarqué qu'un sulfamide, le para-amino-benzène-sulfamido-isopropyl-thiodiazol (2254 RP) entraînait une diminution du taux de sucre sanguin. À la suite de cette observation, Auguste Loubatières a étudié chez l'animal cette propriété inattendue d'un médicament anti-infectieux et il a constaté, le 13 juin 1944, que l'administration par voie digestive ou parentérale du 2254 RP, déterminait régulièrement chez le chien normal, éveillé et à jeun, une baisse de la glycémie progressive, profonde et durable. Il a fallu attendre 1946, et une nouvelle communication de Loubatières, pour que les laboratoires pharmaceutiques s'intéressent aux antidiabétiques oraux. En 1956, deux sulfamides hypoglycémiants, le tolbutamide et le carbutamide sont mis au point. Quelques années plus tard, un nouvel hypoglycémiant de la classe des biguanides, le metformine vient compléter les moyens de traitement antidiabétique.

NAISSANCE DE LA MÉDECINE HUMANITAIRE

L'action humanitaire est l'héritière du concept de charité et de philanthropie.

La première organisation non gouvernementale créée a été Médecins sans frontières. Les objectifs de l'action humanitaire sont variés : l'aide d'urgence, les programmes de développement à long terme, l'aide aux prisonniers, la lutte contre l'exploitation du travail des enfants.

Cette ONG à vocation internationale a été fondée le 20 décembre 1971 par les docteurs Bernard Kouchner et Xavier Emmanuelli. Son objectif était de venir en aide aux populations civiles éprouvées par la guerre ou victimes de catastrophes naturelles «sans aucune discrimination de race, de politique, de religion ou de philosophie».

Cette association s'était séparée de la Croix-Rouge internationale afin de pouvoir porter plus librement à la connaissance du public les horreurs dont ses membres avaient été les témoins au Biafra.

L'ÉTHIQUE MÉDICALE BAFOUÉE

L'éthique médicale a été bafouée à plusieurs reprises au XXᵉ siècle :

– de 1936 à 1945, l'unité 731 chargée de doter l'archipel japonais d'armes bactériologiques a employé plusieurs centaines de médecins issus des plus prestigieuses universités. Plus de 3 000 cobayes humains chinois et coréens ont été martyrisés et massacrés au cours d'expériences de transmission de la peste, du choléra, du charbon, des fièvres typhoïdes et de la dysenterie. La Kanpeitai, la police militaire japonaise a alimenté l'unité en cobayes humains, principalement des prisonniers de guerre, mais aussi des civils. Les médecins de l'unité sont restés en étroites relations avec leurs collègues des hôpitaux au Japon, auxquels ils communiquaient les conclusions de leurs expériences. Ils envoyaient régulièrement par voie aérienne des bocaux contenant des organes destinés à être étudiés à l'école de santé militaire de l'armée de Tokyo. Les expérimentations bactériologiques sur des cobayes humains perpétrées par l'Unité 731 en Mandchourie ont été ignorées du tribunal militaire international pour l'Extrême-Orient, qui a jugé à Tokyo en novembre 1948 les criminels de guerre japonais ;

– des médecins allemands ont participé à des expérimentations sur des déportés dans les camps de concentration. Ce sont les médecins SS qui étaient chargés de faire la sélection à la rampe d'arrivée des trains à Auschwitz. Leur rôle était de déterminer les personnes «aptes pour le travail» et de diriger les autres (les enfants, les vieillards, les femmes enceintes et celles avec des enfants en bas âge) vers les chambres à gaz. Comme l'a expliqué Claire Ambroselli, les expérimentations qui ont eu lieu dans les camps ont conduit au développement des comités d'éthique : «En effet, le tribunal américain, avant de prononcer sa sentence, a jugé nécessaire de définir dix règles d'éthique médicale élaborées à partir de l'instruction du procès (expertises, consultations, interrogatoires des accusés…). Ces dix règles, qu'on appelle depuis Code de Nuremberg, témoignent directement, à la fois, de la crise de l'éthique médicale et d'une ébauche de solution proposée dans ces conditions tragiques. Cette ébauche va donner lieu à des développements multiples dans l'élaboration des principes d'éthique médicale, plus ou moins connus et respectés dans les différents pays et qui ont abouti à des directives internationales d'éthique médicale, à des comités d'éthique médicaux ou nationaux... » ;

– des médecins ont aidé les militaires au cours de séances de tortures physiques en Amérique du Sud ;

– des psychiatres ont participé à l'anihilissement psychique des intellectuels dans les asiles psychiatriques en URSS dans les années 1970.

Fig. 15.11. *Salle commune* (AP-HP).

Fig. 15.12. *Construction de l'hôpital Cochin* (AP-HP).

HÔPITAUX

Au cours du XXe siècle, on a assisté en France à la multiplication des hôpitaux qui ont augmenté de 30 % entre 1871 et 1911. L'hôpital a été séparé de l'hospice le 15 décembre 1899. Au début réservés aux pauvres, les hôpitaux sont devenus par la suite des établissements fréquentés et appréciés disposant d'un statut de collectivité locale.

ÉPIDÉMIES

Le syndrome d'immunodéficience acquise (sida)

L'histoire de la découverte du sida a été marquée par une série de faits marquants :

– en juin 1981, le CDC (*Centers for Disease Control*) d'Atlanta a rapporté 5 cas de pneumonies à *Pneumocystis carinii* chez de jeunes homosexuels. Rapidement, les premiers cas ont également été rapportés aux États-Unis, en Californie et à New York, chez des sujets jeunes et homosexuels. Des malades analogues ont été rapportés au même moment au Danemark, en Suisse, en Angleterre et à Paris. De 1981 à 1984, l'épidémie a évolué très rapidement, tandis que le taux de létalité atteignait 40 % ;

– en 1981, la maladie est dénommée par un sigle, AIDS, en français sida (syndrome de l'immunodéficience acquise) ;

– en 1984, un virus est reconnu responsable de la maladie. Il est apellé HTLV III par l'équipe américaine du professeur Robert Gallo de Bethesda et virus LAV par l'équipe du professeur Luc Montagnier de l'Institut Pasteur de Paris qui l'a découvert un an plus tôt. Pour arbitrer les querelles, le virus est rebaptisé en juin 1986 HIV, en français VIH ou VIH 1 (virus de l'immunodéficience humaine) ;

– le sérodiagnostic pour le VIH, élaboré par les chercheurs de l'institut Pasteur, mis au point dès 1983, n'est appliqué de façon obligatoire sur les échantillons de dons du sang qu'à partir d'août 1985 ;

– en 1986, un deuxième virus, le VIH 2, est isolé chez des malades originaires de l'Afrique de l'Ouest.

La grippe espagnole

Le 11 novembre 1918, au moment où la première guerre mondiale prend fin, une épidémie de grippe extrêmement sévère débute en France. Elle a entraîné sur une période d'un an la mort de près de 250 000 personnes. Aux États-Unis, on considère que sur les 100 000 soldats morts pendant la guerre, 47 000 ont été victimes de la grippe.

En tout, la pandémie grippale de 1918-1919 va entraîner dans le monde entier en un an et demi plus de 20 millions de morts dont la majorité en moins de 6 mois, soit près de 2,5 fois plus que tous les morts de 4 années de guerre.

Cette épidémie a commencé dans le camp militaire de Fort Riley au Kansas le 5 mars 1918 avec la survenue d'une importante épidémie de grippe parmi les jeunes recrues venant du Middle West en partance pour l'Europe. À partir du mois d'avril 1918, on a assisté à la multiplication des foyers épidémiques de grippe, principalement dans les zones où se trouvait stationné le corps expéditionnaire américain. Progressivement cette épidémie grippale s'est étendue à l'ensemble du continent européen. Dès le mois d'avril 1918, les médecins espagnols publient les premiers travaux sur les caractéristiques de cette épidémie grippale. Le pays étant neutre, les informations ne présentent pas le caractère confidentiel qu'elles ont dans les pays belligérants et sont donc diffusées très rapidement. Ces premières publications qui soulignent le caractère de cette épidémie sont à l'origine de son appellation de «grippe espagnole» même si elle sévit déjà dans tous les pays d'Europe.

Dès le 25 septembre 1918, le Préfet de la Seine a imposé à Paris, quelle que soit la gravité de la maladie, l'isolement rigoureux des grippés dans les hôpitaux par tous les moyens afin de limiter la contagion. À Bordeaux, à Lyon et partout en France, on hospitalisait uniquement les grippes graves qui nécessitaient des soins impraticables à domicile. À Paris, les visites furent interdites excepté aux plus proches parents, qui sur autorisation spéciale et pour des raisons impérieuses pouvaient voir quelques instants leur malade. Pour ces visiteurs, il fut aussi préconisé le port de la blouse et du masque de protection. Les personnes ayant été en contact avec les grippés étaient invitées à procéder à des lavages soignés des mains au savon, à faire de fréquents usages de gargarismes antiseptiques et des inhalations d'huile gomenolée ou d'huile camphrée. Il était recommandé aux personnes s'occupant des malades de porter un masque de gaze en mousseline. En France, son utilisation n'a pas été généralisée, alors qu'aux États-Unis il a été rendu obligatoire dans plusieurs régions quand la vague mortelle a déferlé sur le pays. On a vu à Seattle les policiers effectuant leur mission en ville, le visage caché derrière les masques blancs.

L'encéphalopathie spongiforme bovine (ESB)

Cette affection connue sous le nom de la «maladie de la vache folle» a été rapportée pour la première fois en Grande-Bretagne en 1986. L'origine de cette maladie bovine serait à relier à des méthodes de complémentation de l'alimentation du bétail comportant des farines protéiques d'origine animale constituées d'os et de viande. La méthode de fabrication qui reposait sur un procédé impliquant une étape de chauffage à plus de 100 °C des lots de fabrication et permettant d'inactiver les rares prions présents dans les carcasses de moutons (morts de la tremblante) a été remplacée, vers 1980, par un procédé dans lequel le chauffage s'effectuait à des températures incompatibles avec l'inactivation des prions.

En mars 1996, le gouvernement britannique et les experts européens ont rapporté un lien probable entre la «maladie de la vache folle» et la maladie neurodégénérative de Creutzfeldt-Jakob. L'existence de ce lien a été confirmée en décembre 1999 par le prix Nobel de médecine et de physiologie, Stanley Prusiner et par Michael R. Scott, spécialiste des maladies dégénératives.

MÉDECINS CÉLÈBRES

Sigmund Freud (1856-1939)

Psychiatre autrichien, Freud est le fondateur de la psychanalyse. Après ses études de médecine à l'université de Vienne, il est parti pour Paris suivre les cours du professeur Jean Martin Charcot du service de neuropsychiatrie de la Salpêtrière puis il s'est perfectionné dans le domaine de l'hypnose à Nancy sous la direction d'Hippolyte Bernheim. Il a étudié les propriétés de la cocaïne et a collaboré avec Josef Breuer qui lui a adressé une de ses malades, une jeune fille hystérique nommée Anna souffrant d'anorexie mentale. Il a publié en 1895 les résultats de ses recherches dans *Étude sur l'hystérie*. Dans les années qui ont suivi, malgré l'hostilité de ses collègues, Freud a perfectionné sa méthode d'approche des patients souffrant de névrose en faisant évoquer les souvenirs et les associations libres susceptibles de jeter la lumière sur les sources de la névrose. Il a rejeté définitivement l'hypnose, qu'il jugeait incapable d'éclairer la genèse des névroses et dont les résultats étaient trop précaires.

Après la mort de son père, en 1896, Freud a élaboré la théorie du complexe d'Œdipe. Il a été le premier à soupçonner le rôle de l'inconscient humain et il a souligné l'importance de l'analyse des rêves. En cours d'analyse, Freud a remarqué l'insistance avec laquelle les malades racontent leurs rêves. En 1900, Freud a publié son ouvrage majeur, *L'interprétation des rêves*. En 1908, le cercle fondé avec quatre amis en 1902 qui s'est élargi à vingt-deux membres a pris le nom de Société de psychanalyse de Vienne et, en 1910, celui de Société internationale de psychanalyse. En 1904, Freud a publié la *Psychopathologie de la vie quotidienne*. Il a publié *L'introduction à la psychanalyse* en 1915. En 1938, après l'Anschluss, Freud gravement malade a été contraint de fuir Vienne pour Londres où il est mort le 23 septembre 1939.

Ivan Petrovitch Pavlov (1849-1936)

Ce physiologiste et médecin russe a reçu le prix Nobel de médecine en 1904 pour ses travaux sur les réflexes conditionnés et la physiologie de la digestion.

Harvey Williams Cushing (1869-1939)

Ce neurochirurgien de Harvard de 1912 à 1932, puis de l'université Yale a réalisé des travaux de recherche sur la pathologie et l'exérèse de l'hypophyse. Il a décrit la maladie auquel il a donné son nom : le syndrome de Cushing.

Jean Dausset (1916)

Ce professeur d'immuno-hématologie de la faculté de médecine de Paris qui est devenu en 1978 professeur au Collège de France a reçu le prix Nobel de médecine (1980) conjointement avec Baruj Benacerraf et George Davis Snell pour la découverte du système HLA.

Henri Marie Laborit (1914-1995)

Ce chirurgien est devenu célèbre pour avoir découvert les propriétés du chlorpromazine, pour des études sur le système végétatif et sur l'hibernation artificielle. Il s'est intéressé aux comportements humains (*Éloge de la fuite*, 1976 ; *L'homme et la ville*, 1978 ; *L'inhibition de l'action : biologie, physiologie, psychologie, sociologie*, 1981 ; *La nouvelle grille*, 1985 ; *La vie antérieure*, 1989 ; *Les récepteurs centraux et la transduction des signaux*, 1990).

Alexander Fleming (1881-1955)

Après avoir travaillé dans une compagnie de navigation, il a fait des études de médecine. Il s'est spécialisé en bactériologie. De façon fortuite, il a découvert la pénicilline qui constitue probablement la plus fantastique invention du XXᵉ siècle.

Karl Landsteiner (1868-1943)

Ce biologiste a reçu le prix Nobel de physiologie et de médecine en 1930 pour avoir découvert l'existence des groupes sanguins en 1900. Il a élaboré le concept des trois grands groupes A, B et O en 1901, du groupe AB, puis des groupes M et N en 1927. Il a découvert en 1941 le facteur Rhésus.

Charles Laubry (1872-1960)

Ce cardiologue français qui a été le premier titulaire de la chaire de cardiologie en 1936 a établi que l'angine de poitrine avait pour origine une altération des artères coronaires.

Ogino Kiusaku (1882-1975)

Ce médecin japonais a réalisé des travaux de recherche sur le cycle de l'ovulation qui l'ont conduit à proposer une loi physiologique annonçant les limites précises à la fécondabilité de la femme durant le cycle menstruel.

ILS ÉTAIENT AUSSI MÉDECINS

Mikhaïl Afanassievitch Boulgakov (1891-1940)

Ce romancier et dramaturge soviétique a fait des études de médecine à Kiev puis il a exercé comme médecin de campagne jusqu'en 1919. À partir de cette période, il s'est consacré au journalisme et il a écrit des récits fantastiques (*La diaboliade*, 1924 ; *Les œufs fatals* ; *Cœur de chien*, 1925) puis un roman, *La garde blanche* en 1925. Il a également écrit des pièces de théâtre.

Louis Destouches, dit Louis-Ferdinand Céline ou Louis Ferdinand Destouches (1894-1961)

Après s'être engagé au 12ᵉ cuirassier de Rambouillet, Céline a été blessé grièvement au bras droit et menacé d'amputation. Après avoir été réformé, il est parti travailler au Cameroun, où il a souffert de paludisme. À son retour, il a passé son baccalauréat puis a épousé la fille d'un professeur de médecine de Rennes, qui a accepté l'union à condition qu'il fasse des études de médecine. En 1924, il a soutenu sa thèse sur la vie et l'œuvre de Philippe-Ignace Semmelweis qui a été publiée en 1936. Céline a ensuite été nommé au service d'hygiène de la Société des Nations (SDN).

Après avoir parcouru l'Europe, l'Afrique et l'Amérique du Sud, il a travaillé comme médecin en 1927 à Clichy «pour y soigner les pauvres» puis il est devenu vacataire au dispensaire municipal. En 1932, Destouches a publié sous le nom de Céline (le prénom de sa mère) *Voyage au bout de la nuit*. Il a réalisé des pamphlets névrotiquement antisémites, *Bagatelles pour un massacre* (1937), *L'école des cadavres* (1938), *Les Beaux Draps* (1941). Après le débarquement allié, il s'est réfugié en Allemagne en 1944, puis a été emprisonné au Danemark. Céline a été frappé d'indignité nationale en 1950 puis amnistié l'année suivante. Il a publié *D'un château à l'autre* en 1957, *Nord* en 1960 et *Rigodon* en 1961.

Georges Duhamel (1884-1966)

Ce médecin qui a été un des fondateurs du groupe de l'Abbaye a vécu la première guerre mondiale comme chirurgien militaire. Il a écrit de nombreux ouvrages comme *La vie des martyrs* en1917, *Civilisation* en 1918 et *La possession du monde* en 1919. Il est l'auteur de la *Confession de minuit* parue en 1920 et de la *Chronique des Pasquier*. Il a été reçu à l'Académie française en 1935.

Jean-Baptiste Charcot (1867-1936)

Fils de Jean Martin Charcot, Jean Charcot est devenu explorateur des régions australes après avoir été nommé à l'Internat des hôpitaux de Paris. Il a été l'auteur de nombreuses études sur le plancton, le plateau continental arctique, les côtes du Groenland, etc. Il est mort au cours du naufrage de son bateau le *Pourquoi Pas?*.

Salvator Allende (1908-1973)

Ce médecin chilien est devenu en 1970 président de l'État Chilien. Il a été assassiné au cours du coup d'État déclenché par la junte militaire le 11 septembre dans son palais de la Monedal.

Paul Bert (1833-1886)

Ce médecin, auteur de travaux sur les effets de la pression atmosphérique sur l'organisme humain est devenu député puis ministre de l'Éducation (1881-1882). Il a également été nommé gouverneur général de l'Annam et du Tonkin.

Georges Clémenceau (1841-1929)

Ce fils de médecin et médecin lui-même est devenu successivement maire de Montmartre en 1870-1871, puis député à l'Assemblée nationale. Battu aux élections de 1893, Clémenceau a fondé un journal, *l'Aurore* dans lequel il a défendu dès 1897 l'innocence du capitaine Dreyfus. La publication en 1898 de la lettre de Zola «J'accuse» a eu un retentissement majeur pour la suite de cette affaire. Après avoir été élu sénateur en 1902, il est devenu ministre de l'Intérieur, en 1906, puis président du Conseil de 1906 à 1909. Il a été rappelé au gouvernement en novembre 1917, où il a exposé les lignes de son programme réduit à un seul objectif, «faire la guerre» jusqu'à la victoire finale. Après l'armistice du 11 novembre 1918, celui qui était appelé le «Tigre» ou le «Père la Victoire» a échoué en 1920 à l'accession à la présidence de la république.

Le Docteur Georges CLEMENCEAU

Fig. 15.13. *Le docteur Georges Clémenceau. Reproduction du Portrait-charge, par Moloch, paru en juin 1907, dans le n° 9 de* Chanteclair (AP-HP).

François Duvalier (1907-1971)

Ce médecin surnommé «Papa Doc» a établi une dictature à Haïti après avoir accédé à la présidence de la république. Il s'est fait nommé président à vie en 1964.

Ernesto Guevara de La Serna, dit Che Guevara (1928-1967)

Ce révolutionnaire cubain d'origine argentine a fait des études de médecine. Il a participé avec Fidel Castro à la Révolution cubaine comme médecin et combattant. Il a été assassiné le 9 octobre 1967 en Bolivie où il avait monté un réseau de guerilla révolutionnaire.

Sun Yat-sen (1866 – 1925)

Ce médecin considéré comme le père de la Chine moderne est devenu en 1911 le premier président de la République de Chine, puis président de la République de Chine du Sud (1921-1922 et 1923-1925).

Konrad Lorenz (1903 – 1989)

Ce médecin autrichien est connu pour ses travaux sur la psychologie animale qui lui ont permis d'obtenir en 1973 le prix Nobel de médecine.

Edouard Branly (1844-1940)

Ce physicien également médecin est l'auteur en 1888 de la première communication par radio, grâce aux propriétés d'un « tube à limaille ». Il a découvert le principe des antennes émettrices en 1891.

CES MALADES CÉLÈBRES

L'accident vasculaire cérébral de Lénine

Au moment de sa nomination à la tête du Soviet suprême, Vladimir Illitch plus connu sous le nom de Lénine, âgé de 47 ans, est un homme physiquement affaibli par une hypertension artérielle sévère responsable de céphalées tenaces et rebelles et de vertiges. Il présente également une dépression nerveuse qui se manifestait par des insomnies et par des gastralgies. Le 26 mai 1922, Lénine, en convalescence à Gorki après une tentative d'attentat, est victime d'un accident vasculaire cérébral qui se traduit par une hémiparésie droite et par une aphasie motrice. Dans les mois qui suivent, Lénine récupère avec difficulté de ses troubles neurologiques. Toutefois, le 16 décembre 1922, il présente à nouveau un deuxième accident vasculaire cérébral qui entraîne une hémiplégie droite. Le 24 décembre, le Politburo prend la décision de lui interdire les visites et de faire surveiller étroitement sa correspondance. Lénine qui n'est plus capable de lire dicte sa dernière lettre le 6 mars 1923 dans laquelle il accuse Staline et deux autres dirigeants de vouloir s'emparer du pouvoir… « *Le camarade Staline, devenu secrétaire général, a réuni entre ses mains un pouvoir illimité, et je ne suis pas sûr qu'il puisse s'en servir avec assez de circonspection… Staline est trop brutal…* ». Lénine est victime d'un troisième accident vasculaire cérébral le 9 mars 1923. Il meurt le 21 janvier 1924.

L'autopsie de Lénine le 22 janvier réalisée en présence de dix médecins désignés par les autorités soviétiques et de Semaschko, commissaire du peuple de la Santé publique, met en évidence des lésions considérables du cerveau consécutives à une hypertension artérielle et à une artériosclérose généralisée. Ils notent la présence d'une hémorragie cérébrale de la région des corps quadrijumeaux associée à une occlusion de la carotide interne gauche et à un infarcissement de l'hémisphère cérébral gauche. Le diagnostic post-mortem de «*ramollissement cérébral*» satisfait Staline qui a désormais le champ libre pour mener à bien son programme politique.

L'hypertension artérielle de Franklin Delano Roosevelt

Au cours de la conférence de Yalta du 4 au 11 février 1945, Staline, Roosevelt et Churchill préparent le devenir du monde, au lendemain de ce qui était considéré comme acquis : la défaite de l'Allemagne. Franklin Delano Roosevelt est alors un homme physiquement diminué : au mois d'août 1921, il a contracté la poliomyélite qui le condamne à se mouvoir à l'aide d'une chaise roulante; par ailleurs il souffre depuis plusieurs années d'hypertension artérielle sévère. La délégation américaine demande au protocole russe d'alléger le programme des réceptions et des dîners. La durée traditionnelle de cérémonies de toasts à la vodka est raccourcie. La photographie officielle de la rencontre ne dure que deux minutes. Roosevelt n'est absolument pas en mesure de résister aux desiderata de Staline. En conséquence, Staline obtient que l'URSS conserve les territoires polonais et les pays baltes, annexés en 1940 grâce au pacte germano-soviétique et aux accords Ribbentrop-Molotov. Il obtient également des droits sur des territoires situés en Asie (contrôle des chemins de fer de Mandchourie, base de Port-Arthur, sud de Sakhaline, îles Kouriles). Le 32ᵉ président des États-Unis est mort le 12 avril 1945 à 15 heures 35 des suites d'une hémorragie cérébrale. L'annonce du décès de Roosevelt plonge les États-Unis dans la stupeur. Personne ne se doutait de l'état gravissime de Roosevelt d'autant que le dernier communiqué de l'Amiral Mac Intyre avait indiqué que le président était «*en excellente santé, qu'il n'y avait aucun signe (clinique) précurseur d'un danger imminent*»…

Le délire paranoïaque de Staline

Staline a présenté un délire paranoïaque qui s'est accentué au fil des années. Il vivait dans la crainte des complots, ce qui l'a conduit à faire arrêter des innocents. Il a plongé son pays dans la terreur des purges. La légende a couru que des sosies assistaient à sa place aux cérémonies officielles.

En janvier 1953, Staline qui souffrait d'hypertension artérielle accuse, relayé par la Pravda, un groupe de médecins de vouloir le tuer : «*Il y a quelque temps, les organes de sécurité de l'État ont découvert un groupe terroriste de médecins, dont le but était d'abréger la vie de personnalités dirigeantes de l'URSS, au moyen de traitements nocifs*». On procède à l'arrestation d'une quinzaine de médecins le 4 avril 1953 qui passent rapidement aux «*aveux*». Par la suite, dans *Nikita*, Khrouchtchev, premier secrétaire du parti, écrira un rapport confidentiel du XXᵉ congrès : «*En fait, il n'y eut pas d'affaire en dehors de la déclaration de la doctoresse Timashuk (élevée au rang de Héros de l'Union Soviétique) qui, obéissant à des influences ou des ordres extérieurs (elle était après tout collaboratrice officieuse de Sécurité de l'État), écrivait à Staline que certains docteurs appliquaient des traitements impropres à la guérison des malades. Ses lettres étaient suffisantes pour que Staline en déduisît immédiatement qu'il y avait en Union Soviétique des médecins conspirateurs».*

Staline meurt le 4 mars à 8 heures 30 du matin dans sa datcha. Son corps est autopsié dans la soirée. Le 6 mars à 6 heures du matin, la radio soviétique annonce : «*Le cœur de Joseph Vissarianovitch Staline, compagnon de Lénine et génial continuateur de son œuvre, guide sagace et éducateur du Parti Communiste et du peuple Soviétique, a cessé de battre*».

POUR EN SAVOIR PLUS

AMBROSELLI C – *L'éthique médicale*. « Que Sais Je? », PUF, Paris.

BYNUM W.F., LOCK S., PORTER R. – *Medical journals and medical knowledge: historical essays*. Routledge, London, New York, 1992.

CHASTEL C. – *Ces virus qui détruisent les hommes*. Ramsay/Archimbaud, Paris, 1996.

CHASTEL C. – *Histoire des virus de la variole au sida*. Société nouvelle des éd. Boubée, Paris, 1992.

GRMEK M. – *Histoire du sida: début et origine d'une pandémie actuelle*. Payot, Paris, 1990.

MACFARLANE G. – *Fleming, 1881-1955: l'homme et le mythe*. Traduction de l'anglais par Anne-Marie Delrieu. Belin, Paris, 1990.

MEYER P. – *De la douleur à l'éthique*. Hachette, Paris, 1998.

MOULIN A.-M. – *Le dernier langage de la médecine: histoire de l'immunologie de Pasteur au Sida*. Préface par Niels K. Kerne. PUF, Paris, 1991.

POIRIER J., SALAÜN F. – *Médecin ou malade? La médecine en France aux XIXᵉ et XXᵉ siècles*. Masson, Paris, 2001.

RUFFIÉ J., SOURNIA J.-C. – *La transfusion sanguine*. Fayard, Paris, 1996.

SINDING C. – *Le clinicien et le chercheur : des grandes maladies de carence à la médecine moléculaire 1880-1980*. PUF, Paris, 1991.

THEODORIDES J. – *La thèse prophétique d'Ernest Duchesne (1897) sur l'antagonisme entre les moisissures et les microbes*. Louis Pariente, Paris, 1991.

WAINWRIGHT M. – *Miracle cure: the story of penicillin and the golden age of antibiotics*. B. Blackwell, Oxford, 1990.

BIBLIOGRAPHIE GÉNÉRALE

CHASTEL C., CENAC A. – *Histoire de la médecine : introduction à l'épistémologie*. Ellipses, Paris, 1998.

DUPONT M. – *Dictionnaire historique des médecins dans et hors de la médecine*. Préface de Jean-Charles Sournia. Larousse-Bordas, Paris, 1999.

GONZALES J. – *Initiation à l'histoire de la médecine*. Heures de France, Thoiry, 1997.

GOUBERT J.-P. – *Initiation à une nouvelle histoire de la médecine*. Ellipses-Marketing, Paris, 1998.

GOUREVITCH D. *et al.* – *Histoire de la médecine : leçons méthodologiques*. Ellipses-Marketing, Paris, 1995.

GRMERK M., FANTINI B. *et al.* – *Histoire de la pensée médicale en Occident*. Traduction de Maria Laura Bardinet Broso. Seuil, Paris, 1995.

GRMERK M., FANTINI B. *et al.* – *Penser la médecine*. Fayard, Paris, 1995.

HOERNI B. – *Histoire de l'examen clinique d'Hippocrate à nos jours*. Préface du professeur Didier Sicard. Imothep Médecine-Sciences, Paris, 1996.

INSTITUT D'HISTOIRE DE LA MÉDECINE, MUSÉE D'HISTOIRE DE LA MÉDECINE, LYON – *Conférences d'histoire de la médecine*. Fondation Marcel-Mérieux, Lyon, 1979.

KHOURI R. M. – *Histoire de la médecine*. Université libanaise, Beyrouth, 1990.

LE GOFF J., SOURNIA J.-C. – Les maladies ont une histoire. *L'histoire*. 1985; numéro spécial, 74.

LICHTENTHAELER *et al.* – *Études d'histoire de la médecine : collection*. Droz, Genève, 1959.

MEYER P. – *La révolution des médicaments : mythes et réalités*. Fayard, Paris, 1984.

MEYER P., TRIADOU P. – *Leçons d'histoire de la pensée médicale : sciences humaines et sociales en médecine*. O. Jacob, Paris, 1996.

MORTON L. T. – *A medical bibliography (Garrison and Morton): an annotated check-list of texts illustrating the history of medicine*/Gower, cop., [Aldershot], 1983.

RIVERAIN J. – *Dictionnaire des médecins célèbres*. Larousse, Paris, 1969.

RUFFIE J., SOURNIA J.-C. – *Les épidémies dans l'histoire de l'homme : essai d'anthropologie médicale*. Flammarion, Paris, 1984.

SOURNIA J.-C. – *Histoire de la médecine*. La Découverte, Paris, 1992.

SOURNIA J.-C. – *Histoire de la médecine et des médecins*. Larousse, Paris, 1991.

SOURNIA J.-C. – *Histoire du diagnostic en médecine*. Ed. de Santé, Paris, 1995.

INDEX DES NOMS

A

Abbé Berthier, 95
Abdoul Qasim Khalaf Ibn Abbas, 87
Abernethy John, 148
Abou Bakr Mohammed, 85
Abou El Walid Mohamed Ibn Ruchd, 88
Abou Omrane Moussa Ben Meimoune El
    Kortobi, 89
Abraham, 30
Abu Ali Al Hussein Ibn Abdallah Ibn Sina, 86
Abu Merwan Abd Al Malik Ibn Zohr, 88
Abulcasis, 79, 81, 87
Achalme Pierre, 171
Achard Émile, 171
Achenwall Gottfried, 151
Achille, 39
Acquapendente Fabrice (d'), 88, 132
Acquapendente Fabricius (d'), 138
Adams Robert, 164
Addison Thomas, 165
Adela, 95
Adler Alfred, 210
Adrian Edgar Douglas, 222
Agrippa Cornélius, 115
Ahmed Ibn Touloun, 84
Ahmosis, 26
Ah-Puch, 71
Akhenaton, 28
Al Adud, 84
Al Katib, 87
Al Kurtubi, 87
Al Mansour, 85
Al Mawsili, 82
Al Muktadir, 83
Al Zahrawi, 87
Albert Ier de Monaco, 205, 206
Alcméon de Crotone, 42
Aldrich Thomas B., 206
Alexandre (de Tralles), 77
Alexandre le Grand, 7, 11, 36, 52
Ali Ibn Isa, 82
Alibert Jean Louis, 165
Allah, 80
Allen Willard, 207
Allende Salvator, 239
Amauta, 70
Ambrose, 221
Ambroselli Claire, 233

Amenhotep, 28
Amenophis Ier, 13
Aménophis III, 28
Amocencamimatini ticitl, 71
Amset, 18
Andernach Gontier (d'), 119
Andersen Hans Christian, 191
Andriewsky, 199
Andromachus l'Ancien, 61
Andromachus le Jeune, 61
Andromaque, 59
Anjou Charles (d'), 85
Antonius Musa, 63
Anu, 8
Anubis, 17
Aphrodite, 37
Apollon, 37, 38, 40, 66
Apostat Julien (l'), 77
Aranzio Cesare, 112
Archagatus de Sparte, 54, 56
Archigène d'Apamée, 57
Arétée de Cappadoce, 54, 64
Argyll Robertson Douglas, 164
Arib Ibn Said Al Katib, 87
Arinkine Michaël, 204
Aristote, 52, 53, 65, 88, 121
Asa, 31
Asclépiade de Bithynie, 54, 56, 62
Asclépios, 37, 38, 39, 41, 47, 54, 56
Aselli Gaspare, 127, 130, 132
Ashakku, 8
Astruc Jean, 146
Athénée d'Athalie, 57
Auenbrügger Leopold, 149, 152, 161
Auguste, 58, 59, 63
Augustule Romulus, 55, 76
Aurèle Marc, 65, 66
Avenzoar, 79, 88
Averroès, 79, 82, 88
Avicenne, 79, 86, 87, 121, 137

B

Babinski Joseph, 164, 187
Bagdad, 83
Baglivi Giorgio, 129
Bailly, 155
Baker Georges, 149, 151

Balakirev Mili, 193
Balzac, 169
Bango di Lucca, 115
Banting Frederick G., 197, 206
Barnard Christian, 198, 216, 217
Barthez Joseph, 143
Basedow Karl, 165
Bassi Agostino, 167
Baudelocque Jean-Louis, 142, 148
BauhinJohannes, 112
Baulieu Émile, 208
Bawden, 199
Bayer, 180
Bayle Gaspard Laurent, 161
Bayliss William M., 206
Bechterew, 187
Béclère Antoine, 220
Behring Emil, 170
Beijerinck Martinus, 197, 199
Bell Charles, 162, 188
Bell John, 172
Bellay Jean (du), 123
Bellay Joachim (du), 123
Belleval Pierre Richer (de), 136
Bellini Lorenzo, 133
Benacerraf Baruj, 200, 237
Bénigne Winslow Jacques, 144
Bensaude Raoul, 171
Benvenutus Grapheus, 100
Berg Paul, 200
Berger Hans, 197, 221
Bernard Claude, 162, 183, 186, 187
Bernheim Hippolyte, 237
Bert Paul, 239
Bes, 17
Bichat Xavier, 145, 149, 160, 185
Bickel G., 227
Bienvenu de Jérusalem, 100
Bimarestan El Manour, 84
Bingen Hildegarde (de), 121
Bini Lucio, 232
Bismarck, 190
Blalock Alfred, 217
Bloch Felix, 221
Blumberg Baruch, 198, 206
Boë Franz (de la), 129
Boerhaave Hermann, 135, 137, 152
Boileau, 128
Boissier François de la croix de Sauvages, 144
Bolot, 214
Bonaparte, 189
Bordeu Théophile (de), 143
Boris Ernst, 197, 227
Borodine Alexandre, 193
Borrel Jean-François, 198
Bossuet, 128

Botallo Leonardo, 112
Bouchardat Appolinaire, 165
Bouillaud Jean-Baptiste, 161
Bourgeois Louise, 135
Bouveret Léon, 165
Bovary Charles, 181
Boyle Robert, 140
Bozzini Filippo, 166
Bradford Walter, 220
Branly Edouard, 241
Bravais, 189
Brehmer Hermann, 182
Bretonneau, 171, 183
Bretonneau Pierre, 161, 170
Bretonneau Pierre Fidèle, 186
Brieux Eugène, 222
Bright Richard, 189
Brisseau Michel, 148
Broca Pierre Paul, 164, 186, 189
Brondes Rudolph, 159
Broussais François Joseph Victor, 183, 185
Brown John, 143
Brown Louise, 209
Brown-Sequard Charles Edouard, 163, 187
Bruce David, 171
Buffon Georges, 144

C

Cabanis Pierre-Jean-Georges, 181
Caial Ramon Y, 164
Calmette Léon Charles Albert, 229
Calvin, 132
Canizares Francisco Lopez (de), 136
cardinal Conrad, 97
Carrel Alexis, 212
Carrol J., 199
Casseri Giulio, 112
Cavantou Joseph, 159, 179
Cawley, 151
Caxoch, 69
Céline Louis-Ferdinand, 239
Celse, 54
Centaure, 38
Cerletti Ugo, 232
Cesalpino Andrea, 112
César Jules, 55, 58, 60
Chain, 227
Chamberlen Peter, 135
Chantemesse André, 229
Chaptal Jean, 181, 186
Charcot Jean Martin, 164, 177, 187, 237
Charcot Jean-Baptiste, 239
Charles Ier, 127, 132, 138, 139
Charles IX, 118

Charles VIII, 116
Charles X, 185
Charles Quint, 120
Chassaignac Edouard, 173
Chauliac Guy (de), 88, 100, 101
Chauveau Auguste, 162
Chauveau Jean-Baptiste, 201
Che Guevara, 241
Chen-Nong, 1, 2
Cheselden William, 147
Chiron, 38
Chouen-Yu Yi, 1
Christophe Colomb, 68, 74, 117
Chrysippe, 43
Chvostek Franz, 165
Citbolontun, 69
Claude Chaptal Jean Antoine, 156
Claude Galien, 54, 64
Clémenceau Georges, 240
Clément VI, 100
Clément VII, 123
Clowes William, 112
Coatlicue, 71
Colombo Realdo, 112
Comasca, 70
Condillac, 143
Constantin l'Africain, 81, 89, 96, 99
Cooley D.A., 217
Cooper Astley, 172
Corday d'Armans Marie-Anne-Charlotte, 155
Cordoue Gonzalve (de), 116
Corneille, 128
Corner George, 207
Coronis, 37
Cortés Hernan, 75
Corvisart, 153
Corvisart des Marets Jean Nicolas, 153, 161, 172, 181, 183, 184, 185, 186
Courbet Gustave, 187
Cournand André, 203
Crick Francis H., 197, 200
Cromwell, 139
Crookes William, 219
Cruveilhier Jean, 161, 163
Cui César, 193
Cullen William, 143
Curling Thomas, 165
Cushing Harvey Williams, 218
Cuvier Georges, 144, 186
Cyrus II, 30

D

d'Argolide, 37
Damadian Raymond, 221

Dandy Walter, 218
Darwin, 160, 163
Dausset Jean, 197, 200, 214, 216, 237
David, 30
David Georges, 209
Daviel Jacques, 149
de Gaulle Charles, 208
De Graaf Reinier, 127
De La Boë François, 137
Déjerine Jules, 164
Delay Jean, 232
Démocrite, 43, 49
Denderah, 17
Deniker Pierre, 232
Denis Jean-Baptiste, 127, 134
Desault, 185
Desault Pierre, 147, 183, 185
Descartes René, 128, 129, 139
Desgenettes Nicolas, 171
Désormeaux Antonin Jean, 222
Destouches Louis Ferdinand, 239
Dettweiler Peter, 182
Diaz del Castillo Bernal, 73, 75
Diday Paul, 165
Dioclès de Caryste, 52
Dioclétien, 76
Diodore de Sicile, 19, 22, 37
Dionis Pierre, 132
Dioscoride d'Anazarba, 54, 60
Domagk Gerhard, 197, 225
Dopter, 229
Doyle Arthur Conan, 191
Dracon, 49, 51
Drysdale Dakin Henry, 212
Du Bois-Reymond Emil, 162
Dubernard Jean-Michel, 217
Dubois Jacques, 111
Dubost Charles, 217
Duchenne Guillaume, 164
Ducrey Augusto, 171
Duhamel Georges, 239
Dumas Alexandre, 169
Dunant Henri, 179
Dupuytren Guillaume, 172, 184
Dürer Albrecht, 111
Duvalier François, 240

E

Ea, 8
Ebers George, 13
Eberth Carol, 171
Edfou, 17
Effarequy, 82
Egine Paul (d'), 61, 77

Ehrlich Paul, 197
Einthoven Willem, 197, 202, 203
El Afdal, 89
El Mansouri, 84
Elatos, 37
Elion Gertrude B., 228
EMI, 221
Emir El Afdal, 89
Emmanuelli Xavier, 233
Empédocle d'Agrigente, 43
Enders John, 197, 199, 229
Enki, 8
Enlil, 8
Érasistrate de Céos, 53
Erb Wilhelm, 164
Escherich Theodor, 171
Esquirol Jean, 177
Estienne Charles, 111
Eustachio Bartolomeo, 112

F

Fabiola, 61
Fallope Gabriel, 111
Fallot Étienne, 165
Faraboeuf Louis, 174
Favaloro, 218
Fehling Hermann, 165
Félix Charles-François, 134
Fénelon, 128
Ferenczi Sandor, 210
Fermat Pierre (de), 133
Fernel Jean, 107, 109, 117, 121
Ferrus Guillaume, 177
ficus Aegyptiae, 27
Fidel Castro, 241
Finlay Juan Carlos, 159, 170
Fischer, 202
Flamand, 112
Flaubert Gustave, 181
Fleming Alexander, 197, 226, 227, 238
Flexner Simon, 229
Florey Howard W., 197, 227
Flourens Pierre, 162
Fodéré François-Emmanuel, 177
Fontana, 144
Forestier Jacques Ernest, 220
Forssmann Werner, 197, 203
Foufour Petit François, 148
Fourcroy Antoine (de), 180
Fournier Alfred, 165, 222
Fracastor Girolamo, 121
Fracastor Jérôme, 117
Fragonard, 144
Franck Johann Peter, 142, 178

Franco Pierre, 112
François Bichat Marie, 153
Frascator Girolamo, 107
Frédéric II, 147
Freud Sigmund, 187, 197, 209, 210, 237
Friedrich Johan, 144
Friedrich Theodor Philip, 144
Friedrich Wolff Kaspar, 145

G

Galien, 65
Galien Claude, 54, 57, 60, 61, 62, 64, 65, 82,
    88, 89, 93, 95, 96, 108, 121, 123, 137
Gall Franz Joseph, 149, 164
Gallavardin Louis, 202
Gallo Robert, 235
Galvani Luigi, 146
Gariopontus, 100
Genga Bernardino, 134
Gerbert d'Aurillac, 99
Gessner Conrad, 112
Gherardt, 180
Gibbon John, 218
Gilman Alfred, 231
Giono Jean, 190
Girolamo Fabrici di Acquapendente, 111
Glaucos, 38
Glisson Francis, 127, 130
Golgi, 164
Gorgias, 49
Graaf Reinier (de), 133
Graefe Harl, 172
Grassi Giovanni, 169
Green Morton Thomas, 175
Guérin Jean Marie, 229
Guevara de La Serna Ernesto, 241
Guidi Guido, 112, 118
Guilhem, 97
Guillotin Joseph Ignace, 155
Gull William, 165
Gutenberg, 108

H

Haberlandt Ludwig, 207
Hadrien, 58
Haeckel Ernst, 163
Haffkine Waldemar, 170
Hahnemann Christian Samuel, 180
Hales Stephen, 147
Hallé, 184
Halsted, 176
Hamburger Jean, 197, 216

Hammourabi, 7
Hannibal, 66
Hansen Gerhard, 159, 169
Hapi, 18
Hapou, 28
Haroun Al Rachid, 84
Hartsoeker Niklaas, 131
Harvey William, 127, 131, 132, 138, 139
Hathor, 17
Heberden William, 149
Hector, 39
Héléna, 61
Helinus, 95
Helmholtz Hermann, 162, 166
Hench Philip, 231
Henri de Mondeville, 91
Henri II, 123
Henri IV, 136
Hensch P.S., 197
Héra, 37
Héraclès, 37
Héraclidès, 49
Héraclite d'Éphèse, 43
Hérakléra, 37
Hérelle Félix (d'), 199
Hérishef-Nékhet, 22
Hérisson, 164
Hermès, 37
Hérodicus, 49
Hérodote, 9, 15
Hérophile de Chalcédoine, 53, 64
Hertwig Oskar, 163
Hésiode, 41
Hilden Fabrice (de), 112, 119
Hillier Parry Caleb, 149
Hippocrate, 19, 35, 42, 43, 44, 46, 47, 48, 49, 50, 51, 56, 57, 95, 96, 108, 123, 135, 137, 184
Hippocrate (serment d'), 50
Hippolyte, 38
Hitler Adolf, 226
Hodgkin Thoma, 165
Hoerst, 180
Hoffman, 180
Hoffmann Frederich, 143
Holmes Sherlock, 191
Holzknecht Guido, 220
Homère, 19, 38, 39
Hooke Robert, 130, 133
Horus, 16, 17, 18
Houang Ti, 1, 2
Hounsfield Gordon, 221
Howell William Henry, 197, 230
Hughlings Jackson John, 189
Hunayn Ibn Ishaq, 81
Hunter John, 144, 148
Hunter William, 144

Huntington Georges, 164
Hutchinson John, 166
Hutten Ulrich (de), 116
Huygens Christian, 140
Hygie, 38, 56

I

Ibis, 16
Ibn al Nafis, 131
Ibn An Nafis, 82
Ibn Mansour, 86
Ibn Zahariya Ar Razi, 85
Ichuri, 70
Ihn Al-Haytan de Basrah, 82
Imhotep, 27
Ingrassia Giovanni, 112
Innocent VI, 100
Innocent XII, 139
Ipy, 26
Ischys, 37
Ishaq Ibn Sulayman Al-Israeli, 89
Isis, 16, 17
Itzamna, 69
Ivanovsky Dimitri, 199
Ixchel, 69
Ixtliton, 69

J

Jaboulay Mathieu, 216
Jackson John, 164
Jacob, 30
Jacopo Berengario da Carpi, 110
Jan Maître, 149
Janet, 187
Jansen Zacharias, 130
Jansky, 203
Jeanbrau Émile, 204
Jenner Edward, 142, 150, 167
Jésus Haly, 82
Jésus-Christ, 4
Jochmann Goerg, 229
Jones Ernst, 210
Juda, 30
Jules Marey Étienne, 162
Jung Carl-Gustav, 210
Jussieu Antoine, 154

K

Kahler Otto, 165

Kandall Edward C., 206
Kernig Vladimir, 164
Khouy, 28
Kinich-Ahau, 69
Kircher, 130
Kircher Athanasius, 130
Kiusaku Ogino, 238
Klebs Theodor, 159, 170
Knofer, 27
Knoum, 17
Koch Robert, 159, 167, 168, 170, 188
Kocher Theodor, 174
Koeberlé Eugène, 173
Köhler Georges J.F., 200
Korotkoff Serghei, 197, 202
Kouchner Bernard, 233
Kukulcan, 69

L

La Bruyère, 128
La Martinière Pichault (de), 147
La Peyronie François, 147
La Rochefoucault, 128
Laborit Henri Marie, 238
Laennec René Marie Hyacinthe, 169
Laënnec René Marie Hyacinthe, 161, 183, 184
Laënnec Théophile-René, 159
Landsteiner Karl, 197, 203, 204, 238
Lanfranchi, 101
Lanfranco da Milano, 101
Langevin Paul, 221
Lao-Tseu, 1
Laplace, 146
Larrey Dominique Jean, 171, 172, 185
Laubry Charles, 238
Laveran Alphonse, 159, 169
Lavoisier Antoine-Laurent, 146
Lecène Paul, 183
Legrain Henri, 204
Leibniz, 128, 143
Leitner, 222
Lejeune Jérôme, 197, 200
Lejzer Ludwik Zamenhof, 192
Lenègre Jean, 203
Léon XII, 190
Léonard de Vinci, 111
Léopold I, 185
Lerne, 37
Leroux Pierre Joseph, 180
Lesseps Ferdinand (de), 170
Lévi, 30
Li Che-Tsen, 1, 2
Liebig Justus, 162
Lind James, 151

Lindskog Gustav, 231
Lisfranc Jacques, 172, 176
Lister Joseph, 159, 176, 188
Littré Émile, 192
Livingstone David, 192
Locke, 128, 135
Löffler Friedrich, 170
Lopez Juan, 136
Lorenz Konrad, 241
Loubatières Auguste, 232
Louis Pierre Charles, 161
Louis VIII, 99
Louis X, 101
Louis XIV, 132, 137, 138, 147
Louis XVIII, 159, 185
Lowe Peter, 112
Lower Richard, 134
Lucas Championnière Just, 176
Ludwig Carl, 162
Lumière frères, 222
Lydiens, 42

M

Machaon, 38, 39
Macleod John J.R., 197, 206
Magendie François, 161, 162, 185
Mahomet, 79, 80
Maimonide, 88, 89
Maimonide Moïse, 79
Malassez Louis, 165
Malgaigne Joseph, 172
Malpighi Marcello, 127, 129, 131, 132, 133, 139
Manardi, 123
Mao Zi Dung, 2
Marat Jean-Paul, 154
Marcellin Ammien, 66
Marchoux, 229
Mareschal Georges, 134, 147
Marey Jules-Étienne, 201
Marie Pierre, 165, 187
Marjolin Jean, 172
Marker Russel, 207
Mascagni, 144
Mathijsen Antoine, 173
Mauriceau François, 135
Mayow John, 133
Mc Intyre, 203
McCormick Katherine Dexter, 207
Meckel, 144
Mèdes, 42
Médicis Catherine (de), 123
Meister Joseph, 168
Melzi Francesco, 122

Mendel, 160
Ménélas, 39
Merck, 227
Merill John P., 197, 216
Mériones, 39
Meryl Anne, 207
Mesmer Franz Anton, 150
Mesue Jean (de), 84
Mésué l'ancien, 84
Metchnikoff Elie, 200
Michel-Ange, 111
Mikado, 4
Mikhaïl Afanassievitch Boulgakov, 238
Milstein César, 200
Milton, 128
Mimatini ticitl, 71
Mineptah, 26
Moctezuma, 74, 75
Moïse, 29, 30
Molière, 128
Mondeville Henri (de), 101
Mondino dei Luzzi, 95
Moniz Egas, 220
Monro, 144
Monro Alexander, 148, 152
Montagnier Luc, 235
Montaigne, 115
Montmorency Gabriel (de), 123
Montpensier Gilles (de), 116
Moreau de Tours Jacques Joseph, 177
Morgagni Jean-Baptiste, 145
Moritz, 202
Moshé Ben Maimon, 89
Moussorgski, 193
Muhtassib, 83
Müller Johannes, 162
Murray Joseph, 197, 216
Musa, 63

N

Nabopolassar, 7
Nabu, 8
Nabuchodonosor, 30
Nabuchodonosor II, 7
Namtaru, 8
Napoléon Bonaparte, 183, 184, 185, 189
Narvaez Pamphile de, 75
Nassau Maurice (de), 139
Nativelle Claude, 180
Neb-Amon, 19
Necker Madame, 152
Neisser, 159
Nekhbet, 17, 28
Nélaton, 189

Nélaton Auguste, 172
Néobabyloniens, 7
Néra, 37
Nergal, 8
Néron, 61
Neskenet, 17
Netter Albert, 209
Newton, 128
Nicolaïer Arthur, 159, 171
Niehans Paul, 203
Nicolle Charles, 75
Nightingale Florence, 178
Nihgishzida, 8
Ninib, 8
Nitze Max, 166
Nostradamus, 122
Notre-Dame Michel (de), 122
Ny Ankh Sekhmet, 28

O

Odoacre, 55
Olympia, 61
Omeyyade, 84
Orfila Mathieu, 161
Oribase, 77
Osiris, 16, 17
Oudin Paul, 220
Oviedo Fernando (de), 117

P

Pachamama, 70
Pachon Michel, 202
Panacée, 37
Pantaleoni, 222
Papiani panamacani, 71
Papin Denis, 140
Paracelse, 120, 121
Pardee Harold, 203
Paré Ambroise, 107, 108, 112, 117
Parkinson James, 164
Pascal Blaise, 133
Pasteur Louis, 159, 167, 176, 188
Patin Gui, 132
Paul VI, 208
Pavlov Ivan, 163
Payé, 70
Péan Jules Émile, 173, 189
Pecquet Jean, 127, 132
Pelletier Joseph, 179
Pelletier Pierre, 159
Pelpos, 64
Pentjou, 28

Pentou, 28
Percy, 185
Perse, 30
Petit, 183
Petit Jean-Louis, 147
Petroncello, 100
Petrovitch Pavlov Ivan, 237
Pfeiffer Richard, 229
Pfizer, 180, 227
pharmaka, 39
Philipp Aureolus Theophrast Bombast von
  Hohenheim, 120
Philippe de Macédoine, 36
Philippe II, 120
Philippe le Bel, 101
Philips Frederich, 231
Philips James, 150
Philoctète, 39
Phipps Edward, 142
Phœbe, 61
Phrisius, 117
Piache, 70
Pien-Tsio, 1
Pietro Clerico, 96, 100
Pincus Gregory, 197, 207
Pinel Philippe, 149, 153, 177
Pirie, 199
Platon, 51, 65, 88
Platter Félix, 115
Pline, 56, 58
Podalirios, 38
Poeéôn, 19
Poiseuille Jean Louis, 193
Polybe, 49, 51
Polycrate, 42
Pontus, 95
Portier Paul, 197, 200, 205
Potain Pierre, 164
Pott Percival, 148
Pouchet Félix-Archimède, 167
Power Henry, 132
Praxagoras de Cos, 52
Priestley Joseph, 142, 146
Prince de Galles, 188
Prusiner Stanley, 236
Ptah, 28
Ptolémée Ier Sôtêr, 53
Purcell Edward, 221
Purmann Matthaus Gottfried, 134
Pylarini Giacomo, 150
Pythagore, 42

Q

Qebhsenuef, 18

Qualaoun, 84
Quaro, 69
Quetzacoatl, 69
Quincke Heinrich, 166

R

Rabelais François, 123
Racine, 128
Ramon Gaston Léon, 229
Ramsès II, 19, 24, 26
Rank Otto, 210
Raphaël, 111
Raynaud Maurice, 165
Rê, 17, 18
Réaumur René, 146
Récamier Joseph, 161, 172
Redi Francesco, 133
Reed Walter, 170, 199
Rehn Ludwig, 217
Reitz, 217
Renaudot Théophraste, 137, 139
Reverdin Jacques, 174
Rhazès, 79, 81, 85, 137
Richet Charles, 197, 200, 205
Ricord Philippe, 165
Rimski-Korsakov Nicolaï, 193
Riolan Jean, 132
Riva Rocci Scipione, 202
Robert-de-Sorbon, 91
Rock John, 207
Rofim, 32
Roger Henri, 165
Röntgen Wilhelm Conrad, 218
Rosenthal, 229
Ross Ronald, 159, 169
Rous Peyton, 205
Roux Emile, 228
Roux Pierre, 170
Rufus d'Éphèse, 54, 63, 64

S

Sabin, 229
Sahagun Bernardino, 70, 73
Sahoure, 28
saint Benoît de Nurse, 95
saint Côme, 94
saint Damien, 94
Saïs, 17
Sakel Manfred, 231
Saladin, 89
Salernus, 95
Salk Jonas, 229

Salomon, 30
Sanarelli, 199
Sancoyoc, 70
Sanger Margaret, 207
Santa Maria, 74
Santorini Gian Domenico, 133
Santorio, 129
Santorio Sanctorius, 127, 138
Santy Paul, 217
Sargon l'Ancien d'Akkad, 7
Saül, 30
Scarpa Antonio, 144
Scheele Karl Wilhelm, 146
Schnitzler Arthur, 191
Sclavo, 229
Scott Michael R., 236
Sée Germain, 180
Segalen Victor, 192
Seigneur du Miroir fumant, 68
Sekhmet, 17, 25, 28
Seldinger, 203
Sélymbir, 49
Semmelweis Philippe-Ignace, 177, 239
Sénac Jean-Baptiste, 149
Sénèque, 61
Senning Ake, 217
Sertürner Friedrich Wilhelm, 159, 179
Servet Michel, 107, 112, 119, 131, 132
Seth, 16, 17
Severe Alexandre, 60
Shakespeare, 128
Shumway Norman, 216
Sicard Jean Marie Athanase, 220
Siegfried Albinus Bernhard, 144, 152
Sieyès, 155
Silvius, 137
Simon Tissot André, 151
Simond Paul Louis, 168
Sinan Ben Thabet, 83
Siu Tang-Ki, 1
Smellie William, 148
Smith Edwin, 14
Snell George David, 200
Snell George Davis, 237
Soranos d'Éphèse, 54
Soranus d'Éphèse, 57, 63
Sorbon Robert (de), 97
Soubeiran Eugène, 175
Soulié Pierre, 203
Spallanzani Lazzaro, 146, 147
Spinoza, 128
Squibb, 227
Stahl Georg Ernst, 143
Stanley Wendell, 199
Starling Ernest H., 206
Starr Isaac, 215

Starzl Thomas E., 198, 216
Steckel Wilhem, 210
Stehelin Dominique, 205
Stensen Niels, 130
Stephens Joanna, 150, 169
Stokes Wiliam, 164
Sue Eugène, 191
Supay, 70
Susumu Tonegawa, 200
Swammerdam Jan, 130
Sydenham Thomas, 135
Sylvestre II, 99
Sylvius Franciscus, 111, 119, 129

T

T'ao Hong-King, 1
Tagliacozzi Gaspare, 112
Takagi, 222
Takamine Jokichi, 197, 206
Tarnier Stéphane, 176
Tchang-Tchong-King, 1
Teiztelolopati, 71
Tenacazpatiani, 71
Tenon Jacques, 153
Terrier Louis Félix, 176
Terrillon Octave, 176
Testart Jacques, 209
Tezcatlipoca, 68
Thalès de Milet, 42
Themison de Laodicee, 62
Thémisson de Laodicée, 54, 56
Théodose, 92
Théophraste, 52
Thessalos, 51
Thessalos d'Éphèse, 54
Thessalos de Tralles, 57, 60
Thessalus, 49
Thomas Morton William, 159
Thomsen, 164
Thot, 16, 17, 18
Thoueris, 17
Thucydide, 51
Tiazolteotl, 74
Ticitl, 70
Tiu, 8
Tlama tepati ticitl, 71
Tlamatqui ticitl, 71
Tlancopinalitztli, 71
Tlazoltotl, 69
Todd, 229
Tolet Pierre, 121
Toxoxotla ticitl, 71
Treeves, 188
Trismosinus Salomon, 121

Trithème Jean, 121
Tronchin Théodore, 150, 152
Trounson Alan, 209
Trousseau, 186
Tuamutef, 18
Tuke William, 149
Turpin Raymond, 197, 200
Tyndare, 38
Tzanck Arnault, 204
Tzapotla-Tenan, 69

U

Urbain V, 100

V

Vaillant Edouard, 193
Vaillard, 229
Van Deventer Hendryck, 135
Van Helmont Jan Baptist, 129
Van Leeuwenhoek Antoine, 127, 130, 131
van Leeuwenhoek Antoine, 131
Vaquez Henri, 165
Varolio Constanzo, 112
Velpeau, 186
Verola Paul, 222
Vésale André, 107, 108, 119, 120
Vésale Andreas, 112
Vicq d'Azyr Félix, 151
Victoria reine, 175, 188, 189
Vidus Vidius, 118
Vigo Giovanni (da), 112, 118
Villemin Jean-Antoine, 169
Vincent Henri, 229
Vinci Léonard (de), 122
Viracocha, 70
Virchow Rudolf, 159, 163
Vires William C. (de), 218
Volta Alessandro, 146
von Baer Karl Ernst, 163
Von Behring Emil Adolf, 228
von Behring Emil Adolf, 189
Von Bruns Victor, 172
Von den Spiegel Adriaan, 112
Von Gerhardt, 180
von Haller Albrecht, 145, 146
Von Langenbeck Bernard, 172
von Linné Carl, 144
von Mayer Julius Robert, 162
von Meduna Josef, 231
Von Mikulicz Johann, 222
von Ossietzky Carl, 226
von Pirquet Clemens, 197

von Pirquet Clément, 206
von Plenciz Marcus Anton, 142
von R. Elisabeth, 210
Vulpian Alfred, 164

W

Wagner-Jauregg Julius, 231
Waksman Selman Abraham, 197, 227
Waller Désiré Auguste, 202
Wang Chou-Ho, 1, 2
Wang Ken-Tang, 1, 2
Warbod Gariopontus, 96
Warhod, 100
Watson James D., 197, 200
Weichselbaum Anton, 171
Weill Hallé Benjamin, 229
Weleb, 169
Wells Horace, 159, 175
Wernicke Carl, 164
Wharton Thomas, 129
Widal Fernand, 166, 171, 229
Wiener, 204
William Harvey, 82
Williams Cushing Harvey, 237
Willis Thomas, 134, 135
Withering William, 151
Wortley Montagu Lady Mary, 150
Wunderlich Karl, 166
Würtz Félix, 112

X

Xipe-Totec, 69
Xochiquetzal, 69
Xolotl, 69

Y

Yahvé, 29
Yat-sen Sun, 241
Yersin Alexandre, 168, 229
Young Simpson James, 159, 175
Yuhanna Ibn Masawayh, 84, 85

Z

Zambeccari Giuseppe, 134
Zeus, 37, 38
Zuhuykak, 69
Zvenigov, 192

INDEX DES PÉRIODES, PAYS, LIEUX ET PEUPLES

A

Abaton, 41
Abbaye Saint-Géraud d'Aurillac, 99
Abdère, 43
Académie
— de chirurgie, 147
— Académie royale de chirurgie, 142, 147
Acropole, 36
Adyton, 40
Afshana, 86
Agrigente, 43
Aingicourt, 182
Akkadiens, 7
Alexandrie, 12, 52, 60, 64, 76, 188
Ancien
— Empire, 11, 13
— Testament, 28
Angleterre, 102
Asclépiades, 38, 41, 42
Asclépios, 42
Asimolar, 200
Assurbanipal, 9
Assyrie, 7
Assyriens, 12
Athènes, 36, 51, 60
Athéniens, 36
Atlanta, 235
Autochirs, 212
Aztèques, 68, 70, 71, 72, 73, 74, 75

B

Babylone, 30
Babylonie, 7
Babyloniens, 7, 9
Bagdad, 79, 81, 84, 89
Bakhtichou, 83
Bâle, 120
Basse Époque, 12, 13
Beersheba, 34
Behring, 74
Bénédictins, 95
Béziers, 97
Biafra, 233
Bialystok, 192
Bicêtre, 153
Bologne, 91, 101
Borodino, 172

Boukkara, 86
Bubastis, 13
Bureau de Santé, 137

C

Caffa, 102
Caire, 84
Cambridge, 91, 136
Canaan, 30
Canal de Suez, 190
Cappadoce, 77
Centre national de transfusion sanguine, 204
Césarée, 77
Chalcis, 52
Chaldée, 30
Château
— de Versailles, 138
— de Windsor, 122
Chichen-Itza, 73
Cholula, 74
chutes de Victoria, 192
Cité hippocratique, 95
Clermont 1130, 96
Cnide, 43
Collège
— de France, 118, 162, 187
— de Saint-Côme, 91, 94
— de Saint-Cosme, 139
— des jésuites de la Flèche, 139
Concile, 91
— de Tours, 94
Conseil d'hygiène publique et de salubrité du
    département de la Seine, 178
Constantinople, 76, 77, 84, 92, 103
Cordillère des Andes, 74
Cordoue, 87, 88, 89
Cos, 35, 43
Couvent
— de Mont Cassin, 99
— de Monte Cassino, 95
Crotone, 42, 43
Cuzco, 73, 74

D

Damas, 84
Dan, 34
Deir el Medineh, 26

Delphes, 41
désert du Kalahari, 192
Deuxième Période Intermédiaire, 13
Doriens, 35

E

École
— à Cos, 49
— d'Alexandrie, 35, 51, 56, 93
— de Cos, 43
— de Lyon, 176
— de médecine, 95
— de Monte Cassino, 95
— de Paris, 176
— de Salerne, 91, 95, 96, 97, 121
— médicale d'Alexandrie, 52
— — de Cnide, 43
— de Santé, 180
Écosse, 102
Edesse en Syrie, 77
Égypte, 19, 30, 49, 89
— ancienne, 26
Égyptiens, 11, 80
Empire, 160
— d'Occident, 76, 92
— d'Orient, 76, 92
— romain, 92
Éphèse, 43
Épidaure, 41, 48
Époque archaïque, 13
Esprit renaissant, 108
Étrustes, 56
Eubée, 52
Euphrate, 6

F

Faculté
— de médecine de Montpellier, 97, 123, 139
— — de Paris, 97, 163
Fatimide d'Égypte, 89
Fès, 89
Fort Riley, 236
Francfort, 132

G

Gaule, 102
Gênes, 102
Germanie, 102
Glasgow, 192
Gottingen, 188
Great Windmill Street School of Anatomy, 144

Grèce, 35
— Antique, 40
Grecs, 12, 35, 36, 80
Gtitersdorf, 182
Guerre
— d'Indochine, 214
— de Corée, 214
— de Troie, 39
— du Péloponnèse, 51

H

Hartford, 175
Harvard, 187
Haye, 139
Hébreux, 30, 32, 33
Héliade, 42
Heliopolis, 28
Héliopolis, 17
Hong-Kong, 168
Hôpital(aux), 116, 153
— de Bagdad, 85
— de Ray, 85
— de Saint-Jean de Jérusalem, 98
— des quinze-vingt, 99
— Édouard-Herriot de Lyon, 217
— El Mansouri, 79
— Necker, 184, 209
— Notre-Dame de la Pitié à Lyon, 123
— Saint-Antoine de Paris, 204
— Saint-Barthélemy, 138
— Saint-Louis, 136
— Saint-Mary de Londres, 226
— St Thomas de Londres, 147
— St-Etienne, 121
Hospices, 98
hospitaliers, 98
Hostels de ladres, 98
Hôtel-Dieu, 98, 103, 139, 185, 186
— de Paris, 91, 98
Hygiène publique, 151
Hyksôs, 13

I

Iatrion, 47
Ibn Zohr, 83
IG (Interesse Gemeinschaft) Farbenindustrie, 225
IG Farben, 225
Imprimerie, 108
Incas, 68, 70, 71, 73
Institut magnétique, 150
Internat, 182
— de Paris, 185
Ionie, 43

Irlande, 102
Islam, 80
Israël, 30
Italie, 49, 111
— du Sud, 42

J

Jardin du Roy, 132
Jérusalem, 30

K

Kairouan, 89
Kassotis, 41
Khorassan, 85
Koushite, 13

L

Lac Ngami, 192
Lagides, 13
Leyde, 136
Leyden, 128
Ligue nationale française contre le cancer, 223
Livry, 182
Londres, 128
Lunel, 97
Lyon, 60, 98, 101, 217

M

Macédoine, 36, 52
Madrid, 120
Malades atteints, 182
Maladreries, 98
Marseille, 60, 103
MASH (Military advanced Surgery Hospitals), 214
Massachussetts Hospital de Boston, 175
Maternité de Vienne, 177
Mayas, 68, 69, 70, 71, 72, 73, 74
Mayence, 107, 108
Médecine du travail, 223
— judéo-arabe, 80
Médecins juifs, 81
Memphis, 28
Mésopotamie, 6, 7
Mésopotamiens, 8, 9, 80
Mexicains, 74
Mexico, 75
Mexique, 68, 74, 75
Milet, 42
Ministère de l'Hygiène, de l'Assistance et de la Prévoyance, 223

Monastère du Pantocrator, 77
Montpellier, 91, 96, 97, 122, 128, 136, 147, 180
Moskowa, 185
Moyen Âge, 92
Moyen Empire, 12, 13

N

Naples, 116, 132
Narbonne, 97
Néolithique, 13
Neubourg, 139
Ninive, 7
Nippur, 6
Nosoconium, 54
Nouveau Monde, 108
Nouvel Empire, 12, 13, 19

O

Oikos, 40
Olympe, 38
Ordre
— de Saint-Lazare, 98
— des chevaliers, 98
— d— du temple de Salomon, 98
Orléans, 98
Ourouk, 6
Oxford, 91, 128

P

Padoue, 91, 107, 110, 119, 132, 138, 145
Palestine, 7
Paris, 91, 101, 110, 123, 128, 136, 180
Parthes, 7
Pays baltes, 102
Pelanos, 40
Pergame, 64
Période
— monastique, 91, 92
— scolastique, 91, 92, 93
Pérou, 68, 71, 73
Perse, 36, 85
Perses, 12
Péruviens, 74
Philistins, 30
Poitiers, 139
Port de Gênes, 102
Porto Rico, 207
Première
— école des Arts et Métiers, 156
— guerre mondiale, 211, 221
— Période Intermédiaire, 13
Procès «du sang contaminé», 204

Psyché, 39
Ptolémé(e)s, 28, 52
Pythie(s), 40, 41

Q

Quinquina, 127
Quipus, 71

R

Reims 1131, 96
Renaissance, 107
Révolution, 160
— française, 142, 180, 182
Rhodes, 43
Rhône-Poulenc, 226
Romains, 30, 80
Rome, 55, 56, 65, 66, 76, 123
Royal College of Physicians, 109
Rutgers University de New Brunswick, 227

S

Sainte-Hélène, 184
Saint-germain en Laye, 182
Saïs, 13
Sakkara, 28
Salamanque, 91
Salerne, 93
Salpêtrière, 153
Salzbourg, 121
Samos, 42
Sanatoriums, 182
Sanatorius, 182
Sanctuaire de Delphes, 40
Sanistats, 116
Santés, 116
Saqqarah, 27
Saragosse, 60
Sassanides, 7
Seattle, 236
Seconde
— Guerre mondiale, 204, 213, 215
Secte
— péripatéticienne, 52
— médicale, 35, 51
Sécurité sociale, 223
Service
— d'hygiène de la Société des Nations (SDN), 239
— de médecine du travail, 224
Séville, 88
Sicile, 49, 103
Siècle des Lumières, 142

Smyrne, 64
Société
— missionnaire de Londres, 192
— royale de médecine, 150, 151
Sorbonne, 91
Sparte, 36, 51
St Bartholomew Hospital de Londres, 148
Stagire, 52
Strasbourg, 136, 180
Suèves, 92
Sumer, 6
Sumériens, 6
Syrie, 7, 49

T

Tanis, 13
Teexcoco, 74
Temple
— d'Apollon, 66
— d'Aton, 28
— d'Épidaure, 56
— d'Asclépios, 41
Tenochtitlan, 73, 74, 75
Terreur, 155
Thèbes, 13, 14, 28
Thessalie, 37, 41
Tibre, 55
Tigre, 6, 66
Tikal, 73
Tlaxcala, 74
Toltèques, 71
Tombeau à Memphis, 28
Toulouse, 91, 136
Tours, 91, 96, 98
Trésor public, 182
Tricca, 41
Troie, 39
Tunisie, 89
Tupi-Guaranis, 70
Turcs, 92

U

Una Rinascita, 107
Université
— d'Edimbourg, 152
— de Cambridge, 138
— de Halle, 143
— de la Sorbonne, 97
— de Leyde, 152
— de Vienne, 152
Ur, 6, 30
Uxmal, 73

V

Val de Grâce, 183
Vandales, 92
Vénézuéliens, 70

W

Würzburg, 218

X

Xenodochium, 62

Y

Yucatan, 75

Z

Zahira, 87

INDEX DES ORGANES, MALADIES ET SPÉCIALITÉS

Numerics

2254 RP, 232

A

Aat, 25
Abcès, 9, 72
— abcès sous-phrénique, 86
Abdomen, 24
Abydos, 22
Académie de médecine, 159
Accouchement, 14
Acétazolamide, 230
Achote, 74
Aciclovir, 228
Acide
— acétylsalicylique (aspirine), 179
— phénique, 176
Aconit, 5
Activité respiratoire, 166
Acupuncture, 2, 4, 5
ADN, 197, 200
Adrénaline, 197, 206
Aedes aegypti, 170
Affections pulmonaires, 8
AIDS, 235
Aiguille, 174
Alambic, 84
Aliénés, 177
Alimentation, 32
Allergie, 197
Allergiques, 200
Allergologie, 205
Alpha-sympathomimétiques centraux, 230
Amputations, 32
Amuletos, 70
Anaphylaxie, 197, 200
Anatomie, 11, 22, 110, 111, 129, 144
— comparée, 144
— pathologique, 163
Anatomopathologie, 145
Anesthésie, 159, 160, 175, 210, 212
— péridurale, 212
Anesthésiologie, 214
Anévrysme de l'artère crurale, 148
Angine
— couenneuse, 170
— diphtérique, 161

Animistes, 143
Antibiotiques, 227, 228
Anticorps monoclonaux, 200
Antidépresseurs, 232
Antidiabétiques oraux, 232
Antigène
— Australia, 206
— d'histocompatibilité, 200
Antihistaminiques, 232
Antisepsie, 159, 160, 167, 176, 198, 210
Antiseptiques, 176
Antivitamines K, 230
Apoplexie, 88
— cérébrale, 86
Apothicaires, 151
Appendicectomie, 188
Archiatres, 58
— palatins, 59
— populaires, 59
Armoise, 5
Arracheurs de dents, 94
Arsenic, 4
Art dentaire, 32
Artères, 72
— temporales indurées, 24
Arthrose, 26
— cervicale, 26
Asepsie, 160, 167, 176, 210
Ashigus, 8
Aspirine, 180
Asthme, 24, 72
Atomistes, 56
Atropine, 159
Auréomycine, 227
Auscultation pulmonaire, 161
Azus, 8

B

Bacille
— d'Eberth, 171
— de Koch, 188, 227
— de la peste, 168
— diphtérique, 170
— du tétanos, 171
— tuberculeux, 168, 227, 229
Bactériologie, 167
Bain, 73
Barbiers, 94, 112

— -chirurgiens, 94, 118
— — à robe courte, 94
Barus, 8
Baume du Pérou, 72
BCG, 229
Bergers de l'anus, 21
Bêta-bloquants, 230
Bêta-lactamases, 228
Bile
— jaune, 44
— noire, 44
Bilharziose, 11
— urinaire, 25
Biochimie, 221
Biologie fondamentale, 162
Bixa orellana, 74
Blennorragie, 148, 159
Blessure, 11, 24, 27
Bleu de méthylène, 180
Bouche, 24
Bourg-Hersent, 117
Bronchite, 72
Brownistes, 143
Brûlures, 14
— à l'anus, 25

C

Cacochymie, 65
Café, 136
Camphre, 5
Cancérologie, 204, 230
— expérimentale, 205
Cancers
— chimio-induits, 205
— induits par l'alcoolisme, 205
— induits par le tabagisme, 205
— radio-induits, 205
— viro-induits, 205
Capsule, 179
Carbutamide, 232
Cardiazol, 231
Cardiologie, 13, 164, 201
Carte physique complète des chromosomes, 201
Cataractes, 72, 82
Cathétérisme cardiaque, 162, 197, 203
Causus, 46
CDC (Centers for Disease Control), 235
Cellule, 130
Centre
— d'étude et de conservation du sperme (Cecos), 209
— de transfusion sanguine, 204
Chancre mou, 171
Chanvre indien, 4

Charlatanisme, 149
Charlatans, 110
Chicha, 73
Chimie, 83
Chimiothérapie, 230
— anticancéreuse, 198
Chirurgie, 32, 81, 112, 134, 147, 173, 210, 211, 213, 231
— endoscopique, 215
— reconstructive, 218
— réparatrice, 218
Chirurgiens, 110, 134
— (Ouman), 32
— à robe longue, 94
— militaires, 171
— -barbiers, 134
Chloramphéniol, 227
Chloroforme, 159, 175, 176, 179, 212
Chlorothiazide, 230
Chlorpromazine, 232
Chlorure d'éthyle, 212
Choléra, 170, 178, 190
Chorée chronique, 164
Cinchona, 136
Circoncision, 21, 27, 32
Circulation, 112
— extracorporelle, 218
— pulmonaire, 82
— sanguine, 131
Citrate de sodium, 204
Cliniques, 178
Clostridium perfringens, 171
Coca, 73, 180
Cocaïne, 180, 212
Code génétique, 200
Cœlioscopique, 215
Cœur, 14, 22, 23, 24, 72
Colchicine, 179
Colchique, 151
Colibacille, 171
Colonne vertébrale, 148
Coma, 88
— hypoglycémique, 231
Comprimés, 179
Conjonctivite, 46
Contraception, 206
Contragestion, 208
Convention de Genève, 179
Convulsions, 88
Coptos, 22
Cortisone, 197, 231
Corynebacterium diphteriae, 170
Cow-pox, 150
Coxarthrose, 26
Croix-Rouge Internationale, 179, 233
Croup, 170

Culture, 229
— cellulaire, 197, 199
Cure insulinique, 231
Cyclosporine A, 198, 217
Cyclotrons, 230
Cystoscope, 166
Cytologie, 163

D

Daturas, 73
Décoction, 73
Délire, 72
Dentistes, 21
Dents, 22
Dermatologie, 165
Diabète, 86, 165
Dicoumarol, 230
Digestion, 23, 87
Digitale pourprée, 151
Digitaline, 180
Diphtérie, 32, 159, 170
Disputio, 93
Dissection, 107, 110, 172
Diurétique, 230
Djefed, 26
Doctrine électrique, 64
Dogmatisme, 51
Dogmatiste, 51, 65
Dothienentérite, 171
Douleurs, 9, 24
— des membres inférieurs, 14
Dysenterie, 229
Dyspnée, 47

E

Écarteurs, 174
ECE, 212
ECG (électrocardiographique), 202
Échauffement à l'anus, 25
Échographies, 221
Éclectisme, 57
Éclectistes, 56, 57
École
— dogmatique, 96
— empirique, 52
— méthodiste, 63
Éconographie, 221
Edfou, 22
El Amarna, 22
Électrocardiogramme, 202
Électrocardiographie, 197
Électrochoc, 232
Électroconvulsivothérapie, 232

Électroencéphalogramme, 221
Électroencéphalographie, 197
Électrophorèse, 221
Embaumement, 18
Embryologie, 131, 145, 163
Émétine, 179
Émétiques, 16
Empirisme, 52
Encéphalopathie spongiforme bovine (ESB), 236
Endocrinologie, 165, 206
Endoscopes, 215
Endoscopie, 166
Enfants bleus, 217
Enovid, 207
Enzyme de conversion, 230
Épanchements péricardiques, 88
Éphédrine, 5
Épidémies, 20
Épilepsie, 39, 88, 164
Érythromycine, 227
Esna, 22
Esprit vital, 131
Essor de la biologie, 161
Estomac, 24
Éther, 159, 176, 212
Éthinylestradiol, 208
Éthique médicale, 233
Excréments, 24
Expectoration, 24
Exsanguino Transfusion, 204

F

Facteur Rhésus, 197, 238
Fécondation *in vitro*, 209
Fenouil, 5
Février, 5
Fièvre, 8, 9, 46, 47, 49, 72
— de Malte, 171
— des camps, 189
— jaune, 159, 170, 197, 199
— puerpérale, 177
— typhoïde, 161, 179
Foie, 8, 23, 24
Folie, 39, 72
Folliculine, 207
Fracture malléolaire, 148
Fractures, 32, 72
Fumigation, 73
Furosémide, 230

G

Gabety, 26

Gale, 4, 81, 88
Gangrène symétrique, 165
Gehoul, 24
Gêne brûlante à l'anus, 25
Génération spontanée, 167
Génétique, 200
Génie génétique, 201
Germes multirésistants aux antibiotiques, 228
Gingembre, 5
Goitres ophtalmiques, 179
Goutte, 72
Gouttes auriculaires, 73
Grande peste ou peste noire, 102
Greffe
— d'implant d'os, 9
— du pancréas, 217
— du rein, 197
Grippe, 117
— espagnole, 235
Groupe
— A, 238
— B, 238
— O, 238
— leucocytaire HLA, 197
— sanguin, 197, 203
Guérisseurs, 134
Gynécologie-obstétrique, 54

H

Haty, 23
Hem Ka, 21
Hématologie, 165
Hématomes, 23
Hématuries, 14
Hémiplégie, 88
Hémopathies malignes, 231
Hémorroïdes, 32
Héparine, 197, 230
Hépatite B, 198, 206
Hépatologie, 206
Hépatoscopie, 8
Hérédosyphilis, 222
Hermitritée, 46
Hipécacuantha, 136
Histologie, 145
HIV, 235
HLA, 216
Homéopathie, 180
Homunculi, 131
Hôpital, 235
Hormone, 206
HTLV III, 235
Huacas, 70
Huaripuri, 72
Hydralazine, 230

Hydrocarbures de goudron, 205
HYDRONÉPHROSE, 32
Hygiène, 81
Hygiène, 32
— publique et sociale, 177
— sociale, 178
Hypertension artérielle, 202, 230
Hypnose, 237
Hystérectomie, 172

I

Iatrochimistes, 127, 128, 129
Iatromécaniciens, 138
Iatromécanistes, 127, 128, 129
Iatrophysiciens, 127
Iatros, 42
Ib, 23
Ictères, 32
Idajza, 83
Imagerie
— médicale, 221
— par résonance magnétique (IRM), 221
Immunoélectrophorèse, 221
Immunologie, 200, 210
Incontinence urinaire, 25
Ineh, 26
Infection, 172
— à VIH, 198
Infecundin, 207
Infirmières, 178
Infusion, 73
Infusoires, 131
Inhibiteurs, 230
Injections sous-cutanées, 179
Institut Pasteur, 212
Insuffisance cardiaque, 24
Insuline, 197, 206
Interruption volontaire de grossesse (IVG), 208
Ipéca, 136
Iret, 26
Isoniazide, 227
IVG, 208

J

Jouvence de l'abbé Soury, 151

K

Ka, 15, 18
Kanpeitai, 233
King Mö, 3

Krankenkassen, 178
Kystes, 27

L

Laboratoire
— Searle, 207
— Wellcome, 228
Lacs salés d'Égypte, 18
Ladre, 98, 102
Langue, 22
Laser, 216
LAV, 235
Lavements, 16
Lectio, 93
Lèpre, 33, 54, 91, 102, 159, 169
Lépreux, 98
Léproseries, 91
Léthargus, 46
Lithiase vésicale, 32
Loi
— Neiertz, 209
— Neuwirth, 208
— sur la bioéthique, 209
— Veil, 208
Lutéotrophine, 208
Lutte antituberculeuse, 223
Luxations, 72
— de l'humérus, 87

M

Macrophages, 200
Magicien, 23
Maison de Vie, 22
Mal
— Anglais, 169
— de Naples, 116
— de Pott, 148
— des Espagnols, 116
— des Français, 116
— français, 116
— napolitain, 116
Maladie(s), 8
— aigues, 49
— chroniques, 49
— de Hodgkin, 139
— de la sphère oropharyngée, 8
— de la vache folle, 236
— de Poitrine, 169
— des seins, 14
— des yeux, 14
— du charbon, 167
— endocriniennes, 11
— infectieuses, 72, 81

— neurodégénérative de Creutzfeldt-Jakob, 236
— rhumatologiques, 11
— sexuellement transmissible, 228
Maladreries, 91
Malariathérapie, 231
Mécanistes, 143
Médecin, 23, 110
— des colons, 21
— des maladies cachées, 21
— des nécropoles, 21
— des Portiques, 59
— des Vestales, 59
— du palais (per âa Sounou), 21
— du travail, 22
— du ventre, 21
— juifs, 94, 97
— libéraux, 58
— militaires, 59
— nazis, 198
— royaux, 21
— sans frontières, 233
— SS, 233
Médecine
— anatomoclinique, 160
— divinatoire, 56
— galénique, 57
— hippocratique, 43, 44
— humanitaire, 198, 233
— légale, 161
— nucléaire, 221
— scolastique, 96
— vétérinaire, 14
Médiastinite, 86
— suppurée, 88
Medicus
— castrensis, 59
— cohortes, 59
— duplicarus, 59
— ordinarus, 59
— veterinarus, 59
Memphis, 22
Méningite, 86
Méningocoque, 171
Menstruation, 32
Menthe, 5
Mer Sounou, 22
Mercure, 4
Méthode anatomoclinique, 161
Méthodistes, 56
Microbes, 167
Microchirurgie, 216
Micro-injection des spermatozoïdes, 209
Microscope, 130
— électronique, 199
Microscopie, 130

Mifepristone, 208
Migraine, 8, 9, 88
Moines médecins, 94
Morphine, 159, 179
Morsures d'un chien enragé, 32
Mort, 15
— des nouveaux-nés, 28
Moutarde azotée, 231
Moxa, 4, 5
Moxabustion, 5
Myambutol, 227

N

Néo-arthrose acromio-humérale, 26
Nerihou-phout, 21
Nerou pehout, 21
Neurochirurgie, 218
Neurologie, 164
Nez, 23
Nitrate d'argent, 84
Novarsenobenzol, 197

O

Obstétrique, 82, 135, 148
Œdème, 23
— pulmonaire, 24
Œil, 9
OMS, 229, 230
Onoto, 74
Ophtalmies granuleuses, 72
Ophtalmologie, 81, 148
Ophtalmoscope, 166
Oracle, 40
— d'Apollo, 40
Oreille, 24
Oreillons, 75
Oscillomètre, 202
Ostrine, 207
Oukhedou, 15, 16
Our Sounou, 22
Oxitl, 69

P

Pacemakers, 203
Palpitations, 24
Paludisme, 25, 66, 138, 159, 169
Para-amino-benzène-sulfamido-isopropyl-
    thiodiazol (2254 RP), 232
Paralysies du pharynx, 88
Parasites intestinaux, 14
Parasitoses intestinales, 25

PAS (acide para-amino-salicylique), 227
Pasteurisation, 167
Pathologie
anale, 25
— cardio-vasculaire, 11, 24
— pulmonaire, 24
Payoti, 72
Pédiatrie, 54
Pénicilline, 197, 198, 226
Per-Ankh, 22
Percussion thoracique, 161
Peste, 33, 34, 54, 66, 117, 137, 138, 168, 189,
    229
— antonine, 54, 66
— aviaire, 199
— d'Athènes, 51
— de marseille, 154
— noire, 91
— pulmonaire, 75
Pharmacie, 83
Pharmaciens, 151
— (Roqueah), 32
Pharmacologie, 13, 54, 83
Phénomènes de rejet, 217
Philosophes savants, 42
Phlegme, 44
Phlegmons, 72
Photographie, 160
Phrénite, 46
Phrénologie, 149
Phtisie, 169
Physiologie, 82, 132, 145, 146, 161, 162, 210
— digestive, 87
— neuro-musculaire, 145
— respiratoire, 146
Physiopathologie, 54
Pilule, 206, 208
— contraceptive, 197
— minidosées, 208
— RU 486, 208
— triphasiques, 208
Pince, 173
— hémostatique, 173
— — à griffes, 174
Pindione, 230
Piqûre
— de guêpes, 32
— de scorpion, 21
Plaie, 11, 32
Plantes balsamiques, 72
Plaques d'athérome, 24
Plasmodium
— falciparum, 169
— malariae, 169
— ovale, 169
— vivax, 169

Pléthore, 65
Pleurésie, 86
PMU, 223
Pneuma, 51, 52, 57
Pneumatistes, 56, 57
Pneumocystis carinii, 235
Pneumologie, 54
Pneumonie, 46
Point 7, 5
Point LO, 5
Poitrine, 24
Poliomyélite, 199
Pommade, 73
Ponction lombaire, 166
Poseurs de ventouses, 94
Potion de Sydenham, 135
Pouls, 23, 24, 201
Poumons, 23, 24, 72
Premier(e)
— massage cardiaque externe, 203
— greffe de moelle osseuse, 204
— — du foie, 198
Pression artérielle, 201, 202
Prêtre, 23
— du double, 21
— de Sekhmet, 20
— -médecins, 8, 9, 41
Procréation médicale assistée, 209
Progestérone, 207
— synthétique, 208
Progynon, 207
Prontosil, 226
Prostaglandines, 208
Prothèses chirurgicales, 215
Protoxyde d'azote, 159, 175, 176
Psychanalyse, 237
Psychiatrie, 149, 177, 231
Psychopathies, 32
Ptérygions, 72
Pupille, 26

Q

Quinine, 159, 179
Quinquina, 136, 179

R

Rachianesthésie, 212
Radar, 221
Radio-isotopes, 221
Radiologie, 203
— médicale, 218
Radionucléides, 221
Radiothérapie, 230

Rage, 199
Rayons X, 231
Réanimation, 214
— -transfusion, 197
Rebouteux, 94, 110
Religieuses, 110
Réserpine, 230
Résistance des antibiotiques, 228
Résonance magnétique nucléaire, 203
Respirateurs, 213
Rétention, 25
Retournement à l'anus, 25
Rhubarbe, 5
Rhumatismes, 72
— articulaire, 161
Rhumatologiques, 231
Rifampicine, 227
Rougeole, 117
RU 486, 208
Rubiazol, 226

S

Sa en irety, 26
Sages-femmes, 32
Saignée, 48, 62
Saigneurs, 94
Saïs, 22
Salicyne, 180
Sang, 44
Santé publique, 150, 198, 222
Scanner, 203, 221
Schizophrénie, 232
Scintigraphie, 203
Sclérose
— en plaque, 164
— latérale amyotrophique, 164
Sectateur de Selkhet, 21
Seins, 14
Sekhmet, 23
Senedj Sounouou, 22
Seringues, 159
Sérothérapie, 170, 228
— antiméningococcique, 229
Sida, 198, 235
Sidérurgie, 160
Sin Pao, 3
Société
— de psychanalyse de Vienne, 237
— française de prophylaxie sanitaire et morale, 222
— internationale de psychanalyse, 237
Sonar, 221
Soufre, 4
Soun, 20
Sounou, 20, 21, 22

— grergetl, 21
— Khe, 21
— seneb irty, 21
— -irty, 21
Spéculum vaginal, 161
Spermatozoïdes, 131
Sphygmographe, 201, 202
Sphygmomanomètre, 202
Sphygmoscopes, 201
Spiromètre, 166
Staphylocoque, 159
Status laxus, 63
Status strictus, 63
Stegomyia fasciata, 170
Stéthoscope, 159, 169, 197
Stoïciens, 57, 65
Streptocoque, 159
Streptomycine, 197, 227
Sulfamides, 197, 225
Suppositoire, 73
Suspension, 73
Suzi (sigle de subzonal insemination), 209
Sympaticolytiques, 230
Syndrome
— d'immunodéficience acquise (sida), 235
— dysentérique, 32
Syphilis, 107, 115, 117, 148, 164, 222
Système
— immunitaire, 200
— vasculaire, 23
— d'assurance, 178

T

Tch'i (ou tsri), 3
Temple d'Apollon, 40
Tensiomètre, 197, 202
Tension artérielle, 202
Terramycine, 227
Test
— de Papanicolaou, 218
— de grossesse, 221
Tétanos, 159
— néo-natal, 229
Tétracycline, 227
Thé, 136
Théorie
— de l'épigenèse, 131
— de la préformation, 131
— des humeurs, 44
— des souffles, 16
— hippocratique, 44
Thérapeutique, 13
— cardiologique, 230
Thériaque, 61, 98
Thermalisme, 61

Thermomètre, 166
Thevetia Yecotli, 72
Thevetl, 72
Timbre antituberculeux, 223
Tlapati, 72
Tolbutamide, 232
Tomographie axiale électronique, 221
Toux, 14
Toxicologie, 161
Toxine, 170
— diphtériques et tétaniques, 228
Trachéotomie, 88
Tranfusion sanguine, 203
Tranquillisants, 232
Transfusion, 203, 214
— sanguine, 198
Transplantation
— cardiaque, 198, 216, 217
— d'organes, 216, 218
— pulmonaire, 217
— rénale, 197
Tremblement, 23, 88
Trémentine, 69
Trépanations, 32, 72
Trinitrine, 180
Trisomie 21, 197, 200
Troubles
— d'élimination, 47
— digestifs, 9, 47
Tuberculose, 75, 159, 161, 169, 170, 222, 229
— pulmonaire, 72
Tubes de Crookes, 220
Tumeurs, 24, 27
Typhoïde, 75, 171, 232
Typhus, 75, 189
— exanthématique, 117

U

Ulcère, 33
— simple de l'estomac, 161
Ultracentrifugation, 221
Ultravirus, 199
Unité 731, 233
Uréthroscope, 166
Urines, 24
Uruku, 74
Utérus, 22

V

Vaccin, 160, 167, 199
Vaccination, 167, 228
— anti-cholériques, 170
— anti-tétanique, 229

— antityphoïdique, 229
— antivariolique, 142, 150, 190
— contre la rubéole, 229
Vaisseaux, 23, 24
— axiaux, 3
— Conception, 3
— du cœur, 23
— Gouverneur, 3
Variole, 5, 29, 117, 190
Vénéréologie, 165
Vers, 16
Verveine, 5
Vessie, 14
Vibrion cholérique, 168, 190
VIH, 228, 235
— 1, 235
— 2, 235
Virologie, 199

Virus
— de la mosaïque du tabac, 199
— de la rougeole, 229
— filtrants, 199
Vitalistes, 143

Y

Yang, 1, 2, 3, 4
Yin, 1, 2, 3, 4, 5
Ypérite, 230

Z

Zidovudine, 228

INDEX DES OUVRAGES

A

Adversaria Anatomica prima, 145
Al-Tersif, 79
Anatole, 191
Anatomia, 95
Anatomie de l'œil, ses maladies et leurs traitements, 81
Anatomie générale appliquée à la physiologie et à la médecine, 153
Anatomie universelle du corps humain, 118
Ancien Testament, 33
Arrêt burlesque, 132
Ars de statica medicina (De la médecine chiffrée), 127, 138
Atar Gull, 191
Avis au peuple sur sa santé, 151

B

Bagatelles pour un massacre, 239

C

Canon de la Médecine, 79, 86
Charnière de l'efficacité sublime, 2
Chen-Nong Pen-Sao-Sing, 1
Chirurgia Magna, 101
Christianismi Restitutio, 107, 131
Chronique des Pasquier, 239
Civilisation, 239
Code d'Hammourabi, 6, 7, 9
Codex Badianus, 73
Codex de Florence, 70
Codex medicamentarius seu pharmacopea Parisiensis, 136
Cœur de chien, 238
Collection médicale, 77
Compendil pour la douleur et les maladies des yeux, 100
Confession de minuit, 239
Continent, 85
Coran, 80, 86
Corpus Hippocraticum, 48
Corpus Hippocratum, 51
Cyrurgia, 91, 101

D

D'un château à l'autre, 239
De contagione et contagionis morbis, 122
De homine, 129
De humani corporis fabrica libri septem, 112, 120
De l'auscultation médiate ou traité de diagnostic des maladies des poumons et du cœur, fondé principalement sur ce nouveau moyen d'exploration, 184
De l'éthique médicale, 89
De l'interrogatoire, 64
De la dissection des muscles, 65
De la goutte, 63
De materia medica, 60
De naturali parte medicinae libri septem, 107, 109
De partium corpori humani structura et usu, libri tres, 115
De praestigiis daemonum et incantationibus ac veneficiis, 115
De Re Media, 84
De re Medica, 54
De sedibus et causis perum per anatomen indagatis (Du siège et des causes des maladies étudiées à l'aide de l'anatomie), 145
Découvertes sur la lumière, 154
Des amyotrophies spinales chroniques, 187
Des dogmes d'Hippocrate et de Platon, 65
Des éléments selon Hippocrate, 65
Des inflammations spéciales du tissu muqueux et, en particulier de la diphtérie, ou inflammation pelliculaire, 186
Des lieux malades, 65
Des maladies de la vessie et des reins, 63
Des urines, 89
Dictionnaire de la langue française, 193
Die Aetiologie des Tuberculose, 188
Discours médical, 43
Du meilleur médecin et philosophe, 65
Du nom qu'ont reçu les diverses parties du corps, 63
Du pouls pour les élèves, 65
Du pronostic par le pouls, 65

E

El Hazen, 82
Elementa physiologiae corporis humani, 146
Éloge de la fuite, 238
Encyclopédie Impériale de Médecine, 1
Epitomé, 77
Essai sur les maladies et les lésions organiques du cœur et des gros vaisseaux, 183
Étude sur l'hystérie, 237
Examens des doctrines et des systèmes de nosologie, 183
Exercitation anatomica du motu cordis et sanguinis in animalibus, 82
Exode, 32, 33
Extraits des œuvres de Galien, 89

F

Founoun, 86

G

Gargantua, 123
Grand papyrus de Berlin, 14

H

Histoire des inflammations du péritoine, 184
— des phlegmasies ou inflammations chroniques, 183
— naturelle, générale et particulière, 144
Houang Ti Sou-Wen, 1, 2
Humanae Vitae, 208

I

Iliade, 38, 39
Introduction à l'étude de la médecine expérimentale, 162, 183
Isaïe, 33

J

Journal de Chirurgie, 147
— de physiologie expérimentale, 186
— des nouvelles découvertes, 136
— des savants, 136

K

Kitab al Maliki, 99
Kittab Al Hami, 85
Kittab Al Mansouri, 85
Kittab Al Tasrif, 87
Kolliyat, 79

L

L'Ami du Peuple, 155
l'Ars Minor, 99
L'Art des accouchements, 148
L'art médical, 65
l'Aurore, 240
L'école des cadavres, 239
L'enfant mourant, 191
L'examen de la doctrine médicale généralement adoptée, 183
L'Exercitatio anatomica de motu cordis et sanguinis circulatione (Exercice anatomique sur le mouvement du cœur et du sang chez les animaux), 132
L'homme et la ville, 238
L'Île de Sakhaline, 192
L'infamant, 222
L'inhibition de l'action
— biologie, physiologie, psychologie, sociologie, 238
L'interprétation des rêves, 209
L'introduction à la psychanalyse, 237
La Chambre no 6, 192
La Chirurgie, 107
La Dame aux Camélias, 169
La diaboliade, 238
La dioptrique, 139
La garde blanche, 238
La Gazette française, 140
La géométrie, 139
La Méthode de traiter les playes faictes par les hacquebutes et autres bastons à fau
— et de celles qui sont faictes par flèches, dards et semblables
— aussi des combustions spécialement faictes par la pouldre à canon, 107, 118
La Mouette, 192
La nouvelle grille, 238
La Pathologica methodica, 144
La possession du monde, 239
La Ronde, 191
La Salamandre, 191
La Steppe, 192
La vie antérieure, 238
La vie des martyrs, 239

Le baiser qui tue ou Il était une fois trois amis, 222
Le Colliget, 88
le Commentaire aux aphorismes de Galien, 99
Le discours de la méthode, 139
Le Juif errant, 191
Le lieutenant Gustl, 191
Le Moine noir, 192
Le règne animal distribué d'après son organisation, 144
Le Retour de Sherlock Holmes, 191
Le Signe des quatre, 191
Le Taysir, 88
Le Traité des membranes, 160
Leçons cliniques sur les maladies des vieillards et les maladies chroniques, 187
— sur le sang, 186
— sur les localisations, 187
— sur les maladies du système nerveux faites à la Salpêtrière, 187
— sur les phénomènes physiques de la vie, 186
les aphorismes d'Hippocrate, 99
Les aphorismes de Moïse, 89
Les avariés, 222
Les Aventures de Sherlock Holmes, 191
Les Beaux Draps, 239
Les Chaînes de l'esclavage, 154
Les fièvres, 99
Les Immémoriaux, 192
Les Mémoires de Sherlock Holmes, 191
Les Mystères de Paris, 191
Les Mystères du peuple, 191
Les œufs fatals, 238
Les os, 65
Les récepteurs centraux et la transduction des signaux, 238
Les urines, 99
Lévitique, 33
Liber Al Mansouri, 85
Ling Tchou, 1, 2
Littré, 193
Livre de la Pestilence, 86
Livre des plantes fondamentales, 2

M

Mai Jing, 2
Maladies des femmes, 63
Maladies des femmes grosses et de celles qui sont accouchées, 135
Mathilde, 191
Mémoire sur les hôpitaux de Paris, 153
Mémoires de médecin militaire et de campagne, 185
Mémorandum pour les oculistes, 82

Merched, 82
Mokhtassarat, 89
Momies, 15

N

Nan Jing, 2
Nei-King, 1, 3
Nord, 239
Nosographie philosophique ou de la méthode de l'analyse appliquée à la médecine, 154
Notions sur la contagion de la Dothiéenterie, 186
Nouvelle machine pour élever l'eau par la force de la vapeur, 140
Nouvelle méthode pour reconnaître les maladies de poitrine par la percussion de cette cavité, 184

O

Observations médicales, 1
Odyssée, 38
Office du médecin, 48
Oncle Vania, 192
Ostracas médicaux, 15
Ostracon figuré, 15
Ostracon inscrit, 15

P

Pantagruel, 123
Papyrus Brugsch, 14
— Cheaster Beatty, 14
— Chester-Beatty, 11
— d'Ebers, 25, 26, 28
— de Berlin, 14
— de Berlin n° 13 602, 14
— de Brooklynn, 14
— de Kahoun, 11, 14, 24
— de Leyde et de Budapest, 14
— de Londres, 14
— Ebers, 11, 13, 15, 18, 20, 24
— Ebers (n° 326 à 335), 24
— Ebers n° 189, 24
— Ebers n° 191, 24
— Ebers n° 24, 25
— Ebers n° 264, 25
— Ebers n° 276, 25
— Ebers n° 350, 26
— Ebers n° 854a, 23
— Ebers n° 855a, 23

— Ebers n° 855c, 24
— Ebers n° 855e, 23
— Ebers n° 855n, 24
— Ebers n° 855z, 23
— Ebers n° 864, 24
— Ebers n° 877, 23
— Edwin-Smith, 11
— Kahoun, 26
— médicaux, 13
— Smith, 14, 27
Passionarium, 100
Pathologie cellulaire, théorie fondamentale en
  histologie physiologique et pathologique,
  163
Peintures, 192
Pen-ts'ao Kang-mou, 1, 2
Physiologie médicale de la circulation du
  sang, 201
Plan de législation criminelle, 155
Plick et Pluck, 191
Practica in arte chirurgica copiosa, 118
Practica oculorum, 100
Pratica, 100
Praxaeos medici tractatus, 115
Précis élémentaire de physiologie, 186
Principia philosophiae, 139
Prophéties, 123
Psychopathologie de la vie quotidienne, 237

Q

Quanun fit'tibb, 79, 86
Quart Livre, 123

R

Recherches physiologiques sur la vie et la
  mort, 153, 160
Recherches physiques sur le feu,, 154
Recherches sur l'électricité, 154
Récits d'un inconnu, 192
René Leys, 192
Répertoire général d'anatomie, 185
Rien qu'un violoneux, 191
Rigodon, 239
Royal Society, 140

S

Samuel, 33, 34
Simples questions de l'empereur Houang Ti,
  1, 2

Stèles, 192
Sur le régime de la santé, 89
Synopsis, 77
Syphilis sive morbus gallicus, 117
Syphilis, sive de morvo gallico, 121
Système de politique médicale, 142, 178

T

Tablettes divinatoires, 1
Talmud, 32
Tao Te King, 1
Taysir, 79
Tcheng-Tché tsi tch'eng, 1, 2
The Lancet, 227
The Nervous System of the Human Body, 188
Thora, 89
Tiers Livre, 123
Traité d'anatomie descriptive, 153
— de l'auscultation médiate, 161
— de médecine légale et d'hygiène publique,
  177
— de médecine opératoire, 172
— des accouchements, 142
— des Eaux, des Lieux et des Vents, 45
— des maladies les plus fréquentes, 151
— des membranes en général et des diverses
  membranes en particulier, 153
— des pouls, 1, 2
— des Vents, 45
— du Monde, 139
— médico-philosophique sur l'aliénation
  mentale ou la manie, 154
— sur les maladies des os, 147
— sur les principes de l'Homme, 155
Traités chirurgicaux, 48
Trois essais sur la sexualité, 210
Tso-Tchouan, 1

U

Une étude en rouge, 191
Universa medicina, 109, 121

V

Voyage au bout de la nuit, 239

Z

Zad Il-Mouçafir, 99

401056 - (I) - (3) - CSB-G90° - SNEL

MASSON Éditeur
21, rue Camille-Desmoulins,
92789 Issy-les-Moulineaux cedex 9
Dépôt légal : septembre 2004

Achevé d'imprimer sur les presses de
SNEL Grafics sa
rue Saint-Vincent 12 – B-4020 Liège
Tél +32(0)4 344 65 60 - Fax +32(0)4 341 48 41
septembre 2004 – 31969

Imprimé en Belgique